食べ過ぎることの意味

過食症からの解放

breaking free from compulsive eating

ジェニーン・ロス
斎藤 学 監訳
佐藤美奈子 訳

誠信書房

To my mother, Ruth Wiggs
To my father, Bernard Roth

For their grace, humor and willingness to
participate in the struggle of loving and letting go.
Thank you.

BREAKING FREE FROM COMPULSIVE EATING
by GENEEN ROTH

監訳者はしがき

「過食とは自分がいたわられていないと感じたときに、何とかして自分自身をいたわろうとする切羽つまった試み」（第5章）とジェニーン・ロスは言う。そのとおりと思うが、それを言うなら過食癖《ブリミア》（強迫的摂食 compulsive eating）だけがそれに当たるわけではない。主として、中年男たちが陥るアルコール依存にも、ギャンブル依存にもそれが見られるし、ヒップホップのとどろく〝クラブ〟に蝟集《いしゅう》する若者たちのドラッグ（非合法薬）乱用についても、これが言えるだろう。彼らは皆、他者からの受容や抱擁を求め、他者（特に「母」）の承認を求めている。というわけで私（監訳者）は、過食癖（過食症）も嗜癖（依存症）のなかに含める。この承認はときに「愛」と呼ばれ、だから嗜癖は「愛についての病」である。

世間（私にとっての世間とは、精神科医や精神療法家たちの集団を指す）は長い間、過食症が嗜癖のひとつであることを否認してきたが、ドーパミン（覚醒剤＝アンフェタミンに酷似した物質）やβ-エンドルフィン（脳内あへん類似物質）の分泌の仕組みが明るみに出された最近では、過食症者《ブリミック》（bulimic）の過食（binge eating）、飢餓、自傷行為、自己誘発性嘔吐習慣が、ジャンキー（麻薬常習者）のドラッグ摂取や長距離走者のランナーズ・ハイと変わりないことを否定しようもなくなってきた。それどころか、手術ストレス、格闘、性的興奮、高熱持続でも同じ現象が起ごり、人びとはときにこれに嗜癖する。ストレスやトラウマにさえ嗜癖するということに驚くが、考えてみれば私たちは、ジェットコースターやバンジージャンプの恐怖に金さえ払うのである。これらについては最近のいくつかの著書（『封印された叫び』講談社、『心のブラックホール』第一章「人がアルコールやクスリにすがるとき」講談社）に説明しておいたので、参照して頂きたい。

ジェニーン・ロスは、彼女の書く、あらゆる本のなかで彼女の抱えてきた問題を強迫的摂食と呼んでいる。説明をしておくと、強迫行為（compulsion）とは、摂食を含む各種の繰り返し行動のことであり、それをもたらす心の動きが強迫思考（obsession）である。夫と共にダンカン王を謀殺したマクベス夫人が、血に汚れた手に悩み続けるとき、それはオブセッション（ある考えにとり憑かれること）であり、そのために何度も手を洗えば、それはコンパルション（止めようとしても止められない行為）である。伝統的な精神医学は嗜癖を強迫的反復から分けるが、両者の間に本質的な差があるわけではない。ただ嗜癖者は、好きで快楽に身を投じていると偏見を持たれているだけのことである。

嗜癖はさまざまな形の酩酊（私はこれを飲酒に固有のものとせず、嗜癖に伴う一種の意識変容として用いている）をきたすが、その際には「子ども返り」する。乳児のように愛を求め、それが与えられないことに怒り、絶叫する。それは多くの場合、その人のふだんの様子とあまりにも違っていて、見た人を驚かす。極端な場合には、過食している自己のことを健忘してしまうという、多重人格のようなブリミックもいる。過食《ビンジ》しているときのブリミックは、まるで、赤頭巾ちゃんを貪り食う狼のようだ。愛の飢餓にさらされながら錯乱し、母のミルク（愛）と食物を混同し、食べた物が愛ではないものであることに怒りながら噛みちぎり、嚥下し、ときにはそれを憤怒とともに吐き出す。そしてその後、自らの行為を責め、贖罪《しょくざい》を求めるかのようにうなだれ、他人の目を恐れて閉じこもり、自傷し、ときには自らの処罰を求めて万引きする。

　この本には、過食症に伴うこの種の悲惨は書かれていない。書く必要を感じなかったのであろう。ここに書かれているのは食物を愛の対象の代わりにする女性たちを優しく導き、強迫行為の牢獄から連れ去る手段であり、心がまえである。正直なところ、ブリミックを治療対象としている精神科医（たとえば私）が、ブリミアからの脱出法を最も詳しく知っているわけではない。その発症のメカニズムについて語れることと、そこから離れる技をわきまえていることとは違う。だから私は、そこから逃れた体験を持つ人（先を行く仲間）と出会えとブリミックたちに言い続けてきたし、そのための自助グループを立ち上げることにも努力してきた。NABA《ナバ》＊（日本アノレキシア・ブリミア協会）も、ASAB《アサブ》＊＊（麻布アノレキシクス・ブリミクス会）も、そうしたグループである。ジェニーンが日本の人なら、この人と出会えと言えば済むところなのだが、そうもいかないので彼女の本の翻訳に立ち会うのである。そろそろ日本にも、ジェニーン・ロスに相当する人が出てきてもいいころだと思うのだが。

　空腹のときに食べること、好きなものを食べること、快適に感じるまで食べること、これらはいずれもブリミア脱出法の隠れた神髄だと思うが、それには食物を食べ終えて「ちょうどいい」と感じる

＊　日本アノレキシア・ブリミア協会。Tel. & Fax：03-3302-0710

＊＊　ASABの連絡先はNPO：JUST（日本トラウマ・サバイバーズ・ユニオン）。Tel. & Fax：03-5445-0696. ホームページアドレス http://www3.tky.3web.ne.jp/~justhome

感覚が必要になる。それを「5」として、それ以下なら食べる、以上なら食べてはいけないというスケーリングは、この本のなかでジェニーンに教えられ、私の患者たちにも参考にしてもらっている。もっとも、他人の評価が気になってしかたがないブリミックたちが、「さあ、お食事よ」と言うところで、勧められる食事を拒否するのは難しいだろう。そこで、この本に説かれているようなさまざまな心がまえが必要になる。

それぞれもっともだと思ったが、なかでも印象的だったのは、第9章に出てくる「私たちは〝求めることを求めている〟」というセリフである。ブリミックが「痩《や》せた身体」に託すもの、それは「それさえ手に入ればすべてが解決する」という魔法の鍵（実は幻想）で、こんなものが手に入ったらかえって困る。ダイエットの目標に到達したブリミックは、だから大急ぎでそれを手放し元の体重へ戻る。幻想に気づくのがいやなのだろう。手放せずに痩せたままでいるときの彼女たちは慌てているように見える。次の「生きる目標」を（多くは異性を、ときには名誉を）急いで手に入れようとし、行き当たりばったりに手を出しては傷ついている。どうしても目標が見当たらない人（慎重すぎる人、あるいは幻想に気づいた人）は、生きるのを怖がっているかのようで、事実、ここで多くが自殺をはかる。

この翻訳本の原著は Geneen Loss, *Breaking Free from Compulsive Eating*, New York : Plume, 1993. というペンギンのペーパーバックで、初版は、Indianapolis : Bobbs-Merrill, 1984. である。一九九五年かその翌年、本書の翻訳にあたられた佐藤美奈子さんが筆者に紹介してきたので、誠信書房の松山由理子さんに翻訳権の取得をお願いしたものだから、もう随分たってしまったわけだ。

佐藤さんは初め、この本の後（一九九一年二月）に書かれた *When Food is Love* を翻訳したいと言ってこられたのだが、そちらの方は、既に私自身の翻訳がゲラ刷りになっていた。それで、「ロスの別の本をあたってみれば」と助言したところ、この本を訳されたのである。ちなみに、*When Food is Love* は『食べすぎてしまう女たち』（一九九六年、講談社）というタイトルで出版され、かなり売れた。断って置くが、このタイトルは私が決めたものではない。『食べることと、愛すること』にしたいという私の提案が通らず、「〝愛〟の依存症」という副題を付すことで妥協したのである。

ジェニーン・ロスの本に初めて出会ったのは一九九一年の夏だった。その前後の数年、私は毎夏の一週間ほど、カリフォルニア州ガイザービルにあるアイシス・オアシスというところにいた。その近くに住む西尾和美さんと共宰で、ワークショップを開いていたのである。参加者は皆、日本人で、過食症だのパニック障害だのの患者もいれば、医者や精神療法家もいるという奇妙なグループだった。そこに西尾さんが運んで来た本のなかに *When Food is Love* があったのだと記憶している。これを訳せば、日本の同業者（精神科医）たちも、私のやっていることを多少は理解してくれるのではないかと考えながら読んだ。

ジェニーン・ロス自身については、書かれたもの以外のことは知らない。会いたいと思って西尾さんを通じてあたってもらったりしたが、連絡が取れなかった。ある出版社が別の新刊本の翻訳権を取り、その出版に合わせて私との合同講演会をやろうということで、来日を促したときもあったのだが、うまく行かなかった。主宰するワークショップ（breaking free workshop）と、著作による表現を支えとしながら、愛を求めてあがき続ける現代女性の一人なのだ、と私は勝手に推測している。

ジェニーン・ロスの文体には、私なりに感じる軽みとユーモアがあって、翻訳にあたった佐藤美奈子さんには、何度も注文をつけさせて頂いた。佐藤さんは、私のわがままな注文にめげず、良くがんばってくれたと思う。今、手元にある訳文は素晴らしい。編集の松山由理子さんには「お待たせ」ばかりで顔を会わせるのが怖いのだが、宿題をひとつだけ片づけたと言って良いのだろうか。お二人に心から感謝します。

二〇〇〇年一月十日

家族機能研究所にて
斎藤　学《さとる》

謝辞

毎年アカデミー賞の授章式を見ていると、少なくとも一人は単調な話を延々と続けているものです。小学校五年生のときにピーターパンの役を演じる前に彼の両手をギュッと握り締めていてくれた母親のこと、ガールフレンドのローリーやおばのテッシーや友人のレイモンドのこと、その誰が欠けても自分は今夜ここに立ってはいなかっただろうなどとダラダラ話しています。けれど、毎年私は思うのです。こうして先へ先へと進んでいけるのも神のおかげなのに、と。

ところがそういう私自身、自分ひとりでは何一つ成し遂げられないんだ、と今、改めて実感しています。本の執筆に要することのほぼ半分は、書くことへの私自身の情熱と、言葉がはるか五キロメートルもかけ離れたコンクリートに嵌まり込み、立ち往生しているようなときでさえ何時間もずっと座り続けている私自身の粘りによるものです。でも、残りの半分は、人から励まされ、支えられ、そして愛情を込めて受けとめられていることによるものだと、気づいたのです。

サラ・フリーランダー、彼女は毎日、必要とあらば毎時間、私に将来への展望、自信を与えてくれます。彼女のおかげでしっかり腰を据え、頼みの綱を手にしていることができるのです。意見の衝突も快く受けとめてくれる彼女の寛容さ、優しさ、人間関係をうまくこなしていく才覚、彼女は、愛がつらくなってきたときにも、その愛から逃げないよう教えてくれるのです。アガサ・コフィ、彼女は、何であろうと、その瞬間に必要なことをこなし、そうするなかで私の世界を光のなかへと照らし出してくれます。ルー・ファイン、彼の友情は、私が切望してやまない、あらゆる性質の生きた基盤で在り続けてくれています。それに、デイビッド・アバンダン、彼は尽きることない忍耐と豊かなアイデアで、昼夜を問わず私を助けてくれます。そして、日頃から親しくしている友人、サリー・ブルーメンサール、彼女は私に、目に見えるものであろうと見えないものであろうと、それが自分に分かることなら、それを信じるということを教えてくれました。それから、まるで凧を引っ張るように、私を現実へ、台所へ、家庭へと引き戻してくれた、エステル・ファイン。ボブ・ボーン、彼女の賢明な編集上のアドバイス、基礎知識、そして深く深く、どこまでも深まっていく私たちの友情に感謝しています。ブルース・ブラットン、彼は一年を通じ私を支え、再度自信をもたせてくれました。デビー・バーガー、私の原稿を熱心に、かつじっくり熟読してくれた人。クリフ・フリードランダー、彼から寄せられる関心は、確実なバックグラウンドとして、私を支えてくれています。リンダ・マルドナードｰバーマン、マリア・ラミア、ラッセル・ランキスト、ケン・ベイカー、そしてクリストファー・スミス、彼らが言葉などまったく不要な場を提供してくれるお陰で、私は生き返ることができます。ジョージア・ケリー、彼女自身、自ら実例を示してくれた創造的過程に敬意を払いたい思いです。そして、私を受け入れ、私が自分の役割のすべてを果たせる家庭を築いてくれた両親、兄のハワード・ロス、それに義父のリチャード・ウィグス。さらに、瞑想の彼、ラルフ、彼は顔を合わせれば沈黙、でも会うことにかける執拗さは相当なもので、両者は入り交じり、私の夢の記憶は呼び起こされるのです。

そして、次の方々からも、生活の質、個人的にではなく、むしろ広域な基礎に関する私の執筆の質を高めるための幾多の尽力を賜りました。基盤作りに手を貸してくださったアレクサンドラ・ケネディ。そして、ジョセフ・ゴールドスタイン、ジャック・コーンフィールド、それにアラン・クレメンツ、彼らの言葉にいつも目が覚める思いでした。ブレイキングフリー・ワークショップを始めるための場を提供してくださったハリーとスーザン・ウンガー。私の原稿をタイプし、アイデアを形あるものにしてくださった、カール・マーヘンク。そもそも出発の時点で私を励ましてくださったエレン・バス、ルイス・ソーントン、フロリンダ・カルビン、そしてルーシー・ディッグス。勇気、傷つきやすさ、そして変化ということを教えてくださったブレイキングフリー・ワークショップの参加者の方々。前著『心の渇きを癒して』(*Feeding the Hungry Heart*) において、名を顕すこともないままに欠けがえのない役割を果たしてくださったアメリカ各地の二十二人の女性の皆さん。

最後となりましたが、二冊目のわが子に誕生の機会を与えてくださった編集者のペグ・パークソンに、感謝の言葉を述べたいと思います。

まえがき

前著『心の渇きを癒して』（一九八二）で、私は、自分が高校で男の子たちからＰＦＣ（身重の派手な雌牛）と呼ばれていたことを述べました。校正刷りの段階で私はこの部分を書きたし、その後やっぱり削除し、それからまた加えました。これを語ることの有効性は確信していましたが、これまで誰にも話さなかった自分の恥を明らかにしてしまうということが、恐ろしかったのです。高校のときに男の子たちからそうされたように、また、人びとから馬鹿にされるのではないか、またＰＦＣと呼ばれるのではないかと不安だったのです。ワークショップで私が出会う人びとが恐れているのと同じように、もし誰かに自分の心の地獄の深さを語ったら、人はそれを武器に自分の前に立ちはだかり、狂人呼ばわりするのではないかと恐れていたのです。

ところが読者の皆さんは、ご自分たちの恥と秘密を明かすために、電話や手紙をくださいました。私は『心の渇きを癒して』の反響に満足し、感動すると共に、生々しくて傷つきやすいものを表現するなかで、ほかの人びとの生々しさや傷つきやすさも癒され得るということを教えられたのです。そして手紙や電話では、更に多くのことが求められていました。ある人は手紙でこう述べています。

「一晩中寝ないで、あなたの本を読みました。あなたは私のことをよく理解してくださっているんだと感じています。でも、私は今、自分が何をしたらいいのか分からないのです。助けていただけませんか」。また、次のように述べている人もいました。「お願いします、ロスさん……『心の渇きを癒して』はほんの始まりに過ぎません。あなたは読者が自分自身を理解し、受け入れられるように感じさせてくださいましたし、希望もくださいました。でもそれを実行する方法は何も示してくださらないまま、私たちを置き去りにしてしまったのです。私たちにはもう一冊、別の本が必要なんです」。

私はそれまで強迫的摂食（compulsive eating　以下「過食症」と訳す）についてもう一冊書くことなど考えたこともありませんでした。過食症に関する別の本を、はたして自分は書きたいのかどうか、自分でも確信がありませんでしたし、これ以上何か言うことがあるのかも、分からなかったのです。でもその要望が次第にはっきりとしてきたことから、本書の執筆が求められることになったのです。

本書、『食べすぎることの意味――過食症からの解放』は、私がこの十年間に学んできたことのすべて――セラピー（精神療法）、人間関係、私が出席したり、主宰したりしたワークショップや参加したレトリート（リゾートなどで開かれる泊まり込みワークショップ）、受けた講義、そして受け取った手紙や電話で、私が学んできたことすべての結晶です。本書は、過食症の根本にある葛藤の解消に道を開き、それに適応するために、学び、もがき苦しみ、そして愛してきた何年もの年月の集大成なのです。過食症からの解放の過程は大変個人的です。その徴候は同じような食事パターンとして現れてはいますが、私たちの誰もがそれぞれ、自分の心のなかに潜む悪魔と格闘しているのです。したがって本書も極めて個人的で、私のクライエントや私自身が、自分自身と自分の身体、自分自身と食べ物との間の不安がらみの関係とうまく調和を保っていこうという試みのなかで経験してきたヒント、感情、そして状況について綴った旅行談なのです。本書は過食症の皆さんを支え、方向づけ、励ますためのガイドブックです。過食症に対処するためのいくつかの手段が述べてあります。これを皆さん流に工夫してみてください。この本は、ブレイキングフリー・ワークショップ（以下、解放ワークショップと略記）の底流にある優しさ（自らを信じ、自らを豊かにし、自らを受け入れるという、自分自身への優しさ）という考え方を日々の行動と心に取り入れることに役立つはずです。

私は本書のなかで一貫して、太っていることの主な要因はおそらく過食だろう、という立場をとっていますが、太っている人のすべてが過食症者だ、と考えているわけではありません。ダイエットや太っていることに関する膨大な量の研究にもかかわらず、なぜ同じ種類の食べ物を同じ量だけ食べながら、人によって体型が異なるのか、いまだに解明されてはいません。それは遺伝や基礎代謝、そして活動レベルの組み合わせに関係しているようにも思われますし、必ずしも体重の重い人の方が軽い人よりもたくさん食べるというわけではないようにも思われます。

太っている人のすべてが過食症者とは限りませんし、そのような人のすべてが、縺《もつ》れ合った自分の感情を表現するために自分の体重を利用しているわけでもありません。太っている人のすべてが、太っていることによって身体的に利益を得ているわけでもありませんし、痩せたいと望んでいるわけでもないのです。

本書を執筆したのは、痩せている方がいいと信じているからではありません。私自身が食べ物を中心にして展開する自分の生活に憤りを感じ続けてきたからこそ、本書を書いたのです。私は、立派な体格をし、順調に生活している人びとに対して語っているのではありません。そのような人にではなく、太っている痩せているにかかわらず、自分の人生にまともに向き合うことなく食べ物のことにこだわっている人びとに向けてこれを書いたのです。

この本が読者の皆さんの共感を得、自覚を与え、それによって皆さんが、自分自身と自分の食べ方を変えてみようという気持ちを起こしてくだされぱと心から祈っています。そうなったとき、皆さんの自覚と共感は、あなたの周囲の人びとに伝わり、広がるでしょう。

そして何よりも、皆さんのブレイキングフリー（心の解放）を願っているのです。

カリフォルニア州サンタクルーズにて

ジェニーン・ロス

目次

第1章

空腹とは恋をしているようなもの

――このことがピンとこないとしたら、あなたは過食症ではないのでしょう

「大人になってからこの方、私は、実際に空腹だから食事をしたという経験は、わずか二回しかありません」
解放ワークショップ参加者

数年前、解放ワークショップの三回目か四回目のミーティングの最中、参加者のある女性が、自分自身、ワークショップ、そして、私に対して、怒りを爆発させたことがありました。「空腹だから食べるというのでは、ただの気晴らしということじゃありませんか。そんなの医者たちが言っているダイエット法と同じで、まったく馬鹿げてます」彼女はそう言ったのです。部屋には神経質な笑いがざわめき、その後、沈黙が訪れました。彼女はさらに続けました。「まず第一にですね、ある特定のフルーツの組み合わせだけを食べるようにいうダイエット法があるかと思えば、タンパク質をとりなさいというダイエット法もあります。そうかと思えば、高水準の炭水化物ダイエット食品を食べるようにというのさえあります。あなたは今、これらとは違う、何か別のことを言おうとしていらっしゃるよう

ですけど、それって、私がこの十五年間にせっせと励んできたダイエット法と変わらないじゃありませんか」。彼女は、怒りと混乱をあらわにして、私を睨みつけていました。

彼女が腹を立てているからといって、彼女を責めるつもりはありませんし、彼女がこれほど多くの断片的食べ物情報を、これほどまでの年月をかけて寄せ集め、そのために自分が理解しているものと理解していないものの区別がつかなくなっていることを責めるつもりもありません。彼女は、空腹のときに食べなさいと私が言ったから腹を立てたのです。何年にもおよぶダイエットは、自分自身の身体のメッセージを信用しないよう彼女に教え込んでしまったのでしょう。十五年のダイエットを経て、彼女はもはや食べることが空腹に関係していることを忘れてしまったのです。

彼女も、合衆国の二千万もの人びとも、常にダイエットに励んでいます。私たちが赤ん坊のときに泣くと、何を求めているか頭にない母親たちは、クラッカーを与えました。このときからもう、私たちの食べるという行為と空腹感のつながりはか細いものになり始めていたのです。両者のつながりがあまりにもか細くなってしまったために、最も自然な食べ方、つまり、空腹のときに食べるというのでは、通り一遍のありきたり、単なる一時的な気晴らしでしかないように聞こえてしまうのです。

私がこれまで従ってきたダイエットは、がんじがらめに規則がちりばめられていました。午後十時以降は物を食べてはいけない、間食はだめ、一日にパンは二枚だけ、パンは食べてはいけない、朝食に最も比重を置く、朝食は軽くすます、などなど。けれど、私が従ってきたこれら二十五くらいの方法のうち、どれ一つとして、空腹のときに食べるということには触れてはいませんでした。

私は二十八歳になるまでに、自分の前にある食べ物は何でも、それがどれくらいのカロリーか分かるようになりました。どうやったら体重が減るのか、また増えるのかも知りました。それに自分の体重を維持する方法も知りましたし、ダイエットの方法も、過食（ビンジ）の方法も知ったのです。しかし、いつ自分が空腹なのか、それは分かりませんでした。もっとつらいことに、空腹というのは、それはそれで良いことなのだということを知らなかったのです。誰も教えてくれませんでしたし、たとえ教えてくれたとしても、空腹は自然だということを忘れてしまっていたのです。

私の身体は私の敵でした。私の身体は、すらりと真っすぐではなく、まあるく、ふくよか。脚は短く、お尻は横に出っ張っています。それに、口に出して言えるほどの足首もありません。私の身体のなかで、唯一真っすぐで軽やかな部分は髪の毛でしたが、私自身は、豊かな巻き毛の方がよかったのです。顔は月のように真ん丸で、目はくっつき過ぎ。眉毛には何のアクセントもありません。私の身体は、私を欺いたのです。だから私は、自分の身体からのメッセージは信用しないことにしたのです。

解放ワークショップのある女性は、次のように語っています。

私はメキシコ料理のレストランで友達と食事をしていました。私たちはエンチラダのグリーンソース添え、グアカモール、トルティーヤチップス、ビールの夕食をいっしょに食べた後、私は自分自身に言い訳をしました。洗面所へ向かう途中、二十年来、繰り返し唱えてきた文句が再び沸き上がってきました。

「まあ、あなたったら、あんなにたくさん食べるなんて、信じられないわ。しかもあんなに太りそうなものを。エンチラダには、いったい何カロリーあると思ってるの？　トルティーヤチップスは油で揚げてあるのに、どうしてあんなにたくさん食べたのよ。肝臓に良くないこと、知ってるでしょう？　それより何より、ビールを飲むなんて。少なくとも、アルコールの余分なカロリーは控えられたはずよ。あなたの両脚は今だってもう充分太く、擦れ合っちゃってるじゃないの」。洗面所から戻って来る途中、今では前に突き出てしまっている自分の胃を見て、どれほど満たされているか自分にたずねました。どれほど太っていると自分が感じているかではありません。そのとき、私の心は、自分の食べたものをいちいち計算し、食べる〝べき〟だったものと比較する、ウエイトウオッチャー（肥満防止の民間組織）的な心理にとらわれていました。でも私は、これは違う、と直接自分の身体に話しかけたのです。食べた量について、身体はどう感じているかとたずねてみたのです。そしてまさにそのとき自分がいた所、三杯目のマルガリータを飲もうとしている様子の二人の人物の脇の細長い通路で立ち止まり、自分が食べたもので大変気分よくなっている自分の身体に気がつきました。満腹過ぎるというほどでもなく、空腹過ぎるというほどでもありません。チップスから出た油脂が血管のなかでチャポチャポと跳びはねているという感じもありませんでした。私の身体は、この三十分間では、まだのんべんだらりと木にぶら下がったナマケモノに変わってはいませんでしたし、どでっと重たくぶらついていたり、パンツの脇からはみ出たりしているわけでもありませんでした。実際には、私の身体は、私が食べた料理について歌を口ずさんでいたのです。私の身体が空腹だったから、私はそれに食べ物を与えた、そしたらそれは喜んだ、そうです、これはそういうことだったのです。

突然私は気がつきました。これをもっと少なく、あれをもっと多く食べれば、自分の身体はこのように見えるはずなのに、という心のイメージではなく――何を食べたいかという〝現実の身体の感覚〟をもつことが、どんなに楽かということに……。その日、その週、その月、その年、食べたのがいつであろうと何であろうと、心のなかの身体のイメージから、その合計カロリーが計算できるわけではないのです。食べる量が体型に影響を与えないということではありません。そうではなくて、私の身体は、心のなかに描いたイメージに従って作られているわけではないということに気づいたのです。

多くの場合、私たちは自分の心に応じてものを食べ、自分の身体に相談することはありません。私たちは、多くの場合――栄養や満足感や、健康にかかわりなく食べています。空腹のときに食べるということは、身体の知恵を信頼するということです。身体が、自分の適性体重をよく知っていると信じることなのです。

何年も、いや何十年もダイエットに費やしてきた私たちは、他人の方が、自分のことをよく知っていて、その人たちが食べるように言うものを食べていれば、彼らが言うような身体になっていくと考えるようになってしまいました。あまり食欲を誘わない、食べたいとも思わない、そしてときには吐き気を催すような食べ物でさえ、もしそれがほっそりとした腕や脚を約束してくれるというなら、美味しいものになるのです。

何とかダイエットから逃れたとしても、空腹だから食べるという健康さに近づいたとはいえません。私たちは以前は食べることを許されなかった、誰かがそれを食べるのを目にしていた、子どものころ食べられなかった、ショーウィンドーにそれが飾られていて美味しそうに見えたものを食べているのです。私たちは今でも、このときにはこれが食べたい、という身体の欲求とはほとんど関係なく、外的な要因を鍵として食べています。ダイエットをしているときには、空腹感を無視するように教えられました。しかし、ダイエットをやめてからも、空腹を感じないようにしようとして、結局食べ過ぎてしまっているわけですから、相変わらず空腹感を無視することにとらわれているのです。

過食症から逃れる第一歩は、空腹のときに食べるということです。

あなたが最後に食べたときのことを思い返してみてください。あなたはそのとき、今は食べるべき時刻なのかどうか確かめましたか。ランチ、またはディナーの予約をしましたか。食欲をそそるものが飾ってあるショーウィンドーを見て、絶対食べてやると思いませんでしたか。そのとき、空腹でしたか。それをどのようにして知りましたか。

もうこれ以上ダイエットをするのはやめようと決心したとき、私は自分が食べたものとそのときの空腹感を表にし始めました。数日後、空腹だから食べていた、ということが一度もなかったことに気がつき、驚きました。動転していて落ち着こうとしているとき、嬉しいことがあってお祝いしたいとき、悲しくて慰めを必要としているとき、腹が立つのにそれを表現できないとき、恋をしていてそれを誰かと分かち合いたいときなど、さまざまな理由で、食べていたのです。欲求不満が溜まっているときや退屈なとき、疲れて何かほかのことをすることができないときにも食べました。食べ物は、空腹でないときにこそ食べるのが最高でした。空腹から空腹までの間の私の生活をぴったりとつなぎ合わせてくれる接着剤としてこそ、最高だったのです。

私は食べ物を手放したくありませんでした。それほど食べ物にべったりと頼り切っていたのです。その一方で、自分の身体が惨めでしたし、食べ物があまりに自分の生活に幅をきかせ過ぎていることも惨めでした。もうこれ以上ほかのダイエットをするつもりがないことは、私自身分かっていましたから、それならいっそ、空腹のときに食べようと思ったのです。そして、もし、空腹なときに食べることがあまりにも大変だったら、食べたいときに食べることに比べて、こちらの方がつらいようならいつでもやめようと決意して、とにかく始めてみることにしたのです。

まずは、できるだけ長く、空腹になるまで食べるのをやめるよう努力することから始めました。これは簡単なことではありませんでした。何年間も（空腹になっても食べずに）ダイエットをし、その後（やはり空腹のときには食べずに）過食をしていた結果、空腹とは何か、はたして自分の身体はそれを知っているのか、確信がなかったのです。

ダイエットをやめ、ほかの人からのアドバイスやルール、食事制限から解放されるということは実は恐ろしいことなのです。私は自分の体重計と食事記録、そして「適性」食べ物リストを捨て去ってしまったときの浮き浮きした気分を覚えていますが、その後引き続いて訪れた恐怖感も忘れてはいません。まるで何年間も小さな輪のなかをぐるぐるとめぐっていて、突然「さあ今から、あなたはどこへでも自分の好きな所に行っていいのよ。海でも、山でも、森でも、どこへでも」と言われた感じでした。堂々めぐりを繰り返していることに辟易していることは自分でも分かっていましたが、かといって、ほかにできることなど、何もなかったのです。

ダイエットをやめると、かつて未熟だったが故に、よく考えもせず手放してしまっていた多くのものを取り戻します。自分自身の声、何をいつ食べるのかを決める自分の能力、自分自身への信頼、何を自分の口に入れるのかを決める権利、などです。毎月毎月雑誌に掲載されているダイエット記事や何キロもの大量の汗を吹き出させる保温パンツ、それに恋人や友人や車とも違って、自分の身体は信頼のおける確かなものです。身体はどこにも立ち去りはしませんし、なくなりもしません。盗まれもしません。耳を澄ませば、きっと私たちに語りかけてくれるでしょう。

自分の声に耳を傾け、それを信じられるようになることは解放ワークショップの中核です。いくら待っても決して空腹にならないのではないか、空腹なときにだけものを食べるようにしていたら、自分の食べたいものを食べることができなくなってしまうのではないか、制限されていないものなら何もかもすべて食べ尽くしてしまうのではないか、というように、私たちは空腹感について多くの恐怖を抱いています。そのために、自分に語りかけることができないのかもしれません。でもこれは、とりあえず試し、本当かどうか確かめられるものなのです。

恋人との関係に終止符を打とうとしていたとき、私は、再び独りぼっちになって、果てしない夜の広がりのなかにたたずむようで怖いと、友達のサラに話しかけたことを覚えています。そのとき、彼女はこう言ってくれました。「あなたはここにいればいいのよ、そうすれば夜、自分の寂しさにも何とか対処できるわ。お風呂に入ったっていいんだし、本を読んだり、泣いたりしたっていいのよ。それに私を呼んでくれたっていいわ。そうすれば、その夜一晩の寂しさも、いっぺんに何とかなっちゃうものよ。でもね、どうすることのできないものがあるわ。それはね、寂しさについてのあなたの考え、自分の寂しさに対する恐怖感、それだけはどうすることもできないわ」。

空腹に対する恐怖とは、寂しさに対する恐怖と同様、空虚のなかに響きわたる無限の欲望によってもたらされるように思います。

一方、空腹という体験は、直接的であり、具体的でもある身体の感覚です。

空腹になることを受け入れれば、空腹なときに食べられるようになります。もし、空腹を見越して先手を打つことに慣れてしまっているなら、空腹なときに食べるようになるには、若干、時間がかかるでしょう。

そこで、この変化をよりスムーズに展開させるために、二、三の提案をしてみたいと思います。心に留めておいていただきたいことは、虚しさを埋めるために、もしくは、感じたくない、行動したくない状況に耐えるために食べ物を利用しているとしたら、このような変化を試みようと思うこと自体が怒りや恐怖や抵抗感を引き起こすのも当然だということです。あなたは食べることの代わりに何をしていいのか分からない、つまり、食べるか、さもなければ、ばらばらに崩れ落ちてしまうか、それ以外には何もすることがないと感じてしまっているのかもしれません。このような激しい反応は当然のことです。もしそうした感情や状況が恐ろしいもの、不快なもの、つらいものでなかったら、それらを和らげるために食べ物に訴えたりしなかったでしょうからね。でも、耐えてみましょう。自分の感情が表面化するのを許すことと、快適と思うところに足を踏み入れることとの間のバランスを見つける必要があるのです。快適さに向かって足を踏み出さない限り、その向こうにあるものも見えません。だからといって、そうすればいつも上機嫌で気楽というわけでもありません。

まずは、やるべきこと全体を見渡して、気に入ったところから始めてみましょう。その後で、気の進まないところは、後からやることにすればいいのです。気に入らないのはどこですか。自分自身について知りたくないと思うことがありますか。この作業は、自分がかつてやろうとして「失敗してしまった」ことを思い出させますか。

●自分が食べたもの、食べた時刻、そして食べる前に空腹だったか、それとも空腹ではなかったか、表にしてみましょう。食事記録表の重要な点は、あなたの食事パターンの実態を明らかにすることであって、こうあるべき、という理想のイメージを作ることではありません。食べ物に関して自分自身に嘘をつくことは簡単です。こっちで一なめ、あっちで一つまみ、他人のお皿から失敬してしまった分は目をつぶってしまえばいいわけですからね。しかし私はワークショップの参加者の方々に、記録表は道路地図のようなものだとよく言います。今、自分がどこにいるかを知らなければ目的地に辿り着くことはできないのです。

まず初めに、記録表をつけ続けるということについて、どう感じるかに着目してみてください。それはあなたをダイエットの日々へ連れ戻しますか。まるで檻のなかに閉じ込められたか、さもなければその道の権威者に外から監視されているかのような気分ですか。それとも誰かに見つからないように記録表を隠してしまわなければ、と感じますか。抵抗感、怒り、反感など、あなたの感情全体にわたって着目してください。そしてこれらの感情を自分に経験させながら、とにかく表を記録し続けてください。

表を記録し始めて数日後、食べるということについて、どのように感じるようになりましたか。早く、「良い状態」になって、「悪い」状態のときに食べてしまうものを書き記さずにすむようにしたい、と思いますか。空腹でないときに食べた時刻を書き記すことを忘れてはいませんか。空腹でないときに食べてしまったことで、あなたを非難する、誰かの声が聞こえてきますか。

そして、実際にあなたが摂取している食べ物についてはどうですか。スケジュール通りの時刻に食べていますか。そのような時刻は、食べ物を求める自分の身体の欲求に一致していますか。

空腹のときに何回ほど食事をしていますか。

空腹感とはどのようなものであるか、分かりますか。

●一日か二日間、通常の食事時刻に食べるのをやめてみましょう。そして、もしそれが自分の空腹を把握するのに役立つと感じたら、一週間か、もっと長く普段の時刻に食べるのをやめてみてください。

たとえば、目覚めてすぐ、空腹になるチャンスを得られないまま朝食を食べているとしたら、もうしばらく時間をおいてみて、いったい何が起こるか様子を窺ってみるのです。

あなたは自分の空腹を前以て予想し、先手を打っていませんか。

実際に空腹になる前に、空腹でありたいと望んでいませんか。

朝九時から夕方五時まで、空腹のとき（たとえば、午前十時半など）に自由に食事をとれないような融通の利かない職場で働いていて、朝、出掛ける前には空腹でなかったとしたら、何か食べるものを持参するといいでしょう。そうすれば、空腹になったときに行き詰まってしまったり、戸惑ったりしなくてもすみます。ランチタイムに空腹でなかったら、散歩をしたり、読書をしたり、細々とした雑用を片付けたりしていればいいでしょう。そして今度もまた、自分の机に何か食べ物を用意しておけば、本当に空腹になったときに食べることができます。

あなたが一人暮らしか、食事時間に融通性をもたすことのできる状況で生活しているとしたら、夕食時刻をめぐっていったい何が起こり始めるのか注目してみましょう。何か食べなくては、という気持ちになりますか。夕食を食べないと、何か大切なものをやり過ごしてしまったような気分になりますか。夕食時に何か特定の感情が沸き上がってきますか。たった一人で夕食をとることは、あなたにとってどのような意味をもちますか。

誰かほかの人といっしょに住んでいる場合、夕食を自分だけのために準備し直すことは難しいかもしれません。それなら、夕食はやめて、代わりに、朝食と昼食で工夫してみましょう。しかし、夕食のときに自分が空腹であるかどうかを確かめるための、自分自身へのチェックだけはしてみてください。

あなたは何もする必要はありませんし、何もかも自分で決める必要もありません。しばらくの間はただ観察しているだけでいいのです。そして、自分が地図の上のどこにいるのか見てみましょう。

●空腹を認識する身体的感覚に注意を払ってください。空腹になり始めたと感じたら、腰を下ろして数分間待ってみてください（もし座ることが無理なら、立ったままでも結構です）。あなたは自分の身体のどこで空腹を体験していますか。喉ですか。胸ですか。胃ですか。それとも脚ですか。その感覚は、興奮や寂しさとどのように異なっていますか。

空腹になっていると感じたとき、何が起こりますか。すぐさま食べなくては、と感じますか。

●自分は空腹だと判断したら、その空腹感を一から十までの十段階で評価してみてください。[*] 空腹を数量的に評価することで、過去の空腹と現在の空腹を比較する客観的な基準が得られ、主観的で、精神的で、とらえどころのない体験をじかに取り扱うことができるようになるのです。評価の最低段階は、「がつがつに飢え切った状態、大変な空腹」です。ついで「中程度の空腹」、その次に「ほんの少し空腹」があります。評価五は快適な状態で、評価六では次第に満腹になり始めています。そして

＊ これについてインボーデン氏の「痩身」プログラムに感謝の気持ちを述べたいと思います。私はこのプログラムで初めて、この評価法を紹介していただきました。

評価十に達したとき、もうあなたは首まで食べ物でいっぱいになっています。

空腹になり始めたら、評価段階上で自分の空腹がどこに位置するのか、自分自身に聞いてみてください。五ないしそれ以上なら、おそらくあなたは、実際に空腹であるというよりは、むしろ空腹でありたいと自ら望んでいるのではないでしょうか。

食事をするのが最も快適に感じられる段階と、空腹が不快である段階に着目してください。

●空腹ではないけれど、食べようと決めた場合には、その日、空腹のときに自分が食べたものを思い出して、次の点を自覚してみてください。

(1) その食べ物の味はどうでしたか。
(2) 空腹のときと、その食べ物の味は変わっていますか。
(3) 空腹のときと同じくらい充分に、今もそれを満喫できますか。
(4) 今の感じが空腹ではないというのなら、それはいったいどんな感じなのでしょうか。
(5) 食事のやめどきを、あなたはどのようにして知りますか。

私自身はワークショップのなかで空腹ということを点検してみて、恐怖と疑惑というテーマが何度も何度も、取り上げられることに気がつきました。

もし自分が空腹なときに食べるようにしたとしたら、私は終始食べ続けていることになってしまうのではないか（または、二〇キロも体重が増えてしまうのではないか。でっぷりと肥満になってしまうのではないか。もう誰も私のことなど愛してはくれなくなってしまうのではないか、などの恐怖、疑念です）。

このような感情は、私たちの身体は嘘をつき、信用ならない、私たちを欺くだろうと信じ込むような条件のなかで過ごしてきた結果です。ダイエット心理、それは私たちが絶対的真実として自分のなかに内在化させてきたものですが、これを基盤とすることは、きちんと決められた時刻に食べなかったら、自分をコントロールできなくなってしまうのではないかと予想してしまうことなのです。

自分自身から一歩距離を置き、あなたを包んでいるその身体、活動し、話し、込み入った仕事をこなし、そして愛を育んでいる、その身体のメカニズム……この身体、それは、あなたが自分のガードを引き下げたとき、まさにその瞬間に、早速あなたを打ちのめそうと構えていると信じ込んでしまうこと、この思い込みがどれほど恐ろしいことに違いないか見つめてみてください。自分に最も身近なものを信頼できないとしたら、どうしてほかのものを信頼することなどできるでしょう。しかし、身体は自分にメッセージを発してくれる、それに従って行動すれば、身体は自分を打ちのめすどころか、滋養を施してくれると信頼している女性など、はたして私たちの周りにいるでしょうか。

このような信頼の欠如はますます深まり、明らかに複雑になってきています。新聞、テレビ、雑誌、映画は理想的な身体について私たちを洗脳し続け、ますます深刻で複雑なものにしていくのです。その結果、私たちは、自分の体型は自分でコントロールできる、と信じるようになり、身体は、生涯にわたる、激烈な、意志の葛藤の場となってしまうのです。不運にも、文化的に理想とされる身体とは異なる身体で、その文化に生まれてきたとしたら、しかも女性としての職業的生活、私的生活の両面において、承認されるか否かは、すべて、自分のこの体型にかかっていると感じたとしたら、さらには、自分の身体を形成していく身体的メッセージに対し、自分は、自分の意志を表明したり、拒絶したりすることができる、と信じているとしたら、そのとき、この葛藤は際限のないものとなります。より多くの食べ物を泣いて求める身体と、減量を泣いて求める心が常に併存することになるのです。そして、まったく問題外の欲求をする、だだっ子のように、それらを扱い、裁き、無視し、嘲り、拷問にかけるようになるのです。

私たちは、世間で話題の権威者が食べるように言うものを、指示された時刻に食べます。そして、その権威者自身、さらに最新の話題の権威者に、毎月毎月振り回されているのですから、私たちが自分自身に与える食べ物、その時刻もまた振り回されることになります――しかもこれは、ごく頻繁に見られる状況なのです。

身体は空腹になり、食べ物を与えられれば満たされます。これについては種も仕掛けもありません。自分が感じる感覚を入念にふるいにかけ、悲しみや孤独から区別して、空腹を感じるようになるまでにはしばらく時間がかかるかもしれませんが、しかし、これは、あなたが自分の空腹を認めることに慣れていないからであって、あなたの身体がそれを感じていないからではありませんし、たとえあなたが自分の空腹を認めてもいいと自分に許しているとしても、それであなたの空腹がどこまでも貪欲で飽くことを知らなくなるわけでもないのです。いつ食べたらいいのか、教えてくれる人など誰もいませんん。これはあなたの身体が教えてくれることなのです。いつ食べたらいいのかを教えることのできる人など、もともとどこにもいないのです。つまりあなたの胃の状態をよく知っている人などいないのです。いつ食べたらいいのか自分に教えてくれる自分自身の身体の声に耳を傾けていさえすれば、「もう充分よ」という、身体の声も聞き取れるようになるのです。

では、私の場合はどのように自分の空腹を知るのか、お話ししましょう。時計によってでもなく、食べ物の美味しそうな外観や香りに釣られてでもなく、事前にランチやディナーの予約が入っているわけでもないとしたら、どのように自分の空腹を知ったらいいのでしょうか。空腹のときには、身体はまず初めは穏やかに、そして次に、どうにも意識しないではいられない声で、食べ物が欲しい、食べ物が欲しいの、今よ、今、欲しいの、と訴え始めます。だから私はそのときが分かるのです。空腹のときには、もしすぐに食べ物を手に入れなければ自分は誰かの腕に食らいついてしまうかもしれないと感じ始めます。だから自分の空腹を知ることができるのです。尿意を感じるように、自分の空腹を知ることもあります。これに関しては、信号を間違えるということはまずありません。

空腹にはさまざまな段階があり、人それぞれによって微妙に違って感じられるもののようです。私はある種の胃のむかつきを覚えるときに、自分が空腹になり始めていることが分かります。そんなときたいてい、もう少し空腹が高まるまで待ちます。空腹がより高まるというのは、胃のむかつきがより強まり、次いでお腹がグーグー言い出すということです。もしこの時点で食べないと、いらいらし、頭がぼーっとしてきて、食べ物を手にするためには何だってするし、自分の手にしたものは何だって食べてしまうのではないか、という気分にまでなります。

しかし、これはあくまで私の空腹パターンであって、あなたはあなた自身のパターンを見つけていく必要があります。

もし空腹のときにだけ食べるとしたら、私は、欲しいだけ食べることも、望むときに食べることもできなくなってしまうでしょう。確かにそれは事実です。しかし自分が望む量というのは、身体が望む量と同じでない場合はしばしばあるものです。そこで、今何を感じているのか、なぜ身体が必要とする以上に食べたいと思うのか、自分自身に聞くことにします。身体に栄養を与えるということ以上に、あなたが身体に期待していること、それはいったい何なのでしょうか。

食べることが視覚的、触覚的、臭覚的に自分に栄養を与えてくれるということは事実ですが、それが最大限に発揮されるのは、空腹のときです。空腹でないときというのは、食べ物を利用して、「空腹から空腹までの自分の生活をつなぎ合わせよう」としているときです。それを知ったうえでそうするのなら、それはそれで結構なことですし、理想体型よりも太ってもいいから、ぜひそうしたい、本当に心からそう思うのなら、なおさらです。

あなたは、自分の食べ物に対する対処の仕方や自分の身体に関する感じ方を変えていきたいという思いよりも、自分の望むだけの量を食べたいという思いの方が強いですか。この答えが肯定でも否定でも、どちらが間違っているというものではありません。でもこれは何らかの形で繰り返し下さなければならない選択ではあります。忙しい一日の仕事を終えて帰宅し、ドアに足を踏み入れたとき、そこには中間的時間、つまり、自分自身にどう対処していったらいいのか分からない、だからこそ冷蔵庫の扉を開けてしまう瞬間が、あなたを待ち受けています。食べたい、そう思うことでしょう。それはきっと美味しいでしょうが、でもあなたは空腹ではありません。だからといって、食べることに劣らぬほど心地よい響きのすることなど、何も思いつきません。そう、またです。またもや、選択を下さなければならない瞬間が訪れたのです。

これはある晩、私が一人で読書をしていたときのことです。突如として、圧倒されそうなほどチョコレートへの欲求に襲われました。それから二分もかからなかったでしょう。コートを羽織り、鍵を摑んだ私は、キャドベリーのフルーツとナッツの（ラージサイズの）チョコレートバー目指して突進していました。そして玄関のドアを開けつつあったのですが、ドアの外で、ふと足を止めました。私は空腹なのかしら、自分に聞いてみたのです。「空腹ではない」。これが返事でした。部屋に戻ろう、そして、腰を下ろして数分間、なぜチョコレートを欲しかったのか、何をしようとしていたのか、もう一度よく考え直してみよう、と思いました。考え直してみたうえで、それでもまだチョコレートが欲しかったら、そのときは、今度こそ買いに行こう、そう自分に言い聞かせたのです。このようなときには、（もしその場に自分一人だけならば）声を出した方が、なお一層効果的でしょうが、質問・回答形式で自分自身と対話したり、頭のなかで極めて明確に対話を進めてみることが役立つものです。たとえば、この夜の対話は、次のように展開しました。

私：いったいどうしたというの？
私自身：寂しいのよ。抱き締めてもらいたいの。チョコレートがほしいのよ。
私：チョコレートが何をしてくれると思うの？
私自身：あのね、周りに誰もいないから、何もないよりはチョコレートがあった方がましなのよ。
　だってチョコレートは美味しいんだもの。
私：チョコレートには腕と脚があるとでもいうの？
私自身：まあ、おもしろいこと言うのね。
私：ねえ、あるの？
私自身：ないわよ。

私：じゃあ、あなたを抱き締められるのかしら。
私自身：だめね、できないわ。

チョコレートを食べたとしても、おそらくその孤独は食べる前と変わらないということ、そしてチョコレートに対して本当に求めていたのは、私の側に寄り添い、愛情を込めて抱き締めてもらうことだったことに気がつきました。食べ物に何をしてもらおうとしていたかを明らかにしてみれば、自分が求めていた答えがチョコレートではないことは確かでした。だから私は、シャワーを浴び、さっさと寝てしまったのです。

この出来事に関して衝撃的なのは、私にはチョコレートを買おうと決心するまで、自分が寂しいということが「分からなかった」ということです。

食べ物を求めているけれど空腹ではないというとき、それは、手に触れ、確かめることが難しいものを求めているのは分かるが、かといってそれが何であるか分からない、または、手に入れることができない、と感じていることを示しています。空腹のときにだけ食べるとしたら、必ずしも食べたいときに食べられなくなってしまうというのは事実です。空腹でないときにも食べたいと思うときには、それを、何か食べ物とは違うもっと非物質的なものを求めているという徴候《しるし》ととらえられることも事実です。そして、食べるのをやめない限り、本当に求めているものが何であるのかを見つけることはできない、ということもまた事実なのです。

空腹でなくても美味しそうな食べ物が周りにあると、もしそれを食べなかったら、何か極めて特別なものを見逃してしまうかのような気持ちになります。この気持ち、つまり目を見張るほどすばらしく、もう二度と手に入らないように思えるものを、みすみす見逃してしまうかもしれない、という恐怖感は、多くの食べ物を囲んでたくさんの人びとが集う、パーティー、レストラン、家族の晩餐、休日など、どのような場や時にもしばしば生じてきますし、わくわくした興奮や新しい人びととの出会い、参加すればきっと自分は成長できると思われるようなどこか（パーティー、コンサート、新しい町など）に出掛けたり、（講演会やワークショップなどに）参加するのをやめることにしてしまったときなどによく感じます。自分は何かを見逃しているのではないか、または見逃すことになってしまうのではないかということを心配するとき、私は、静かな時間、ひとりっきりの時間、または睡眠など、まさにその時点で自分にとってはそれが必要だと思ったからこそ、出掛けないことにした、当の理由を忘れてしまうのです。ノーと言うのは難しいことです。なぜ、もうほんの少しだけ強く自分に強制しなかったのかしら。このワークショップが私の人生を変え得るものだったかもしれないのに、私はそこで人生のパートナーに出会ったかもしれないのに、どうするつもり？　このチョコレートムースは天にも昇る、美味しさの極みだったとしたら、どうするつもり？

解放ワークショップで開いた料理持ち寄りのディナーで、その部屋の私の席の斜向かいに、いかにも「満腹以上に食べ過ぎちゃった」という顔をしている女性がいました。彼女はスラックスのボタンを外し、お腹の胃のある方を、もう一方の側の上に乗せるようにして身体をかがめていました。テーブルの上の食べ物を見つめ、意を決したかのように取り皿を手にして、チーズケーキ目指して足を進めた様子を私は見つめていました。彼女が大切な宝物、チーズケーキを新たに手にして席に戻り、私の視線をとらえたとき、私たちはにっこり微笑みを交わしました。私は彼女に満腹かどうか聞いてみました。「もうお腹いっぱいよ」。彼女はそう言いました。

「じゃあ、どうしてチーズケーキを食べようとしているの？」

「だって、私、チーズケーキが運ばれてくるのを見ていたら、〈食べたいっ！〉ていう気持ちになってしまったんですもの」。

食べたいっ！　でも私は今、満腹で、もうこれ以上何も味わうことなんてできないくらいなんだけど、でも、あれは何て美味しそうなんだろう。これを味わい損なうなんて真っ平ご免だわ。でも眠れないほど満腹になって、次の朝、今夜のことが夢であってくれたら——と思いながら目を覚ます。これに、いったいどんな意味があるというのでしょう？　そして結局、自分自身にほとほと嫌気がさすことになったら、それにどんな意味があるというのでしょうか。

空腹ではないけれども、美味しそうな食べ物が自分の周りにあるときに、それを食べないことであなたが取り逃すものは、空腹のときほどには美味しくない食べ物だけです。あなたは、その特定のチーズケーキこそ取り逃すことになりますが、①家に一切れ持ち帰ってもいいか頼む、②レシピをいただけないか頼む、③明日、空腹であるときに出掛けて、町中で一番美味しいチーズケーキを見つける、④チーズケーキを作って来てくれそうな人をディナーに招待し、「何か作って来てくれないかしら……そうねえ、デザートなんてどう？……チーズケーキはどうかしら」と、それとなく頼む、など方法はいくつかあるはずです。

空腹ではないけれども、美味しそうな食べ物が自分の周りにあるときに、それを食べることであなたが取り逃すことは、自分自身をいたわるチャンス、そのチーズケーキを食べなかったとしてもこの世の終わりとなるわけではないということを確認するチャンスです。気分が悪くならない、満腹であまり眠れず、こんな夜はもうこりごりだと思いながら朝、目を覚まさなくてもいい、そのチャンスをあなたは取り逃すことになるのです。

食べ始めようというほどには空腹ではない、または、満腹になり過ぎてもうこれ以上食べ続けられないというときは、いずれにしても食べ物を味わい損なっています。これは、眠りたいときに映画に行ったり、一人でいたいときにパーティーに出掛けたり、海岸を散歩したいときにワークショップに行ったりするようなものです。（身体の充足感やどこかほかの所に行きたいという欲求など）なんらかの理由のために、あなたの関心がここにないとき、あなたは実際にはその体験を逃しているのです。

自分に無理強いして参加した講演会に、もし人生のパートナーがいたとしても、私のその人に対する人物像は歪んでしまっていることでしょう。その男性に出会った瞬間、自分に触れてくる彼を見て、彼の左手の三番目の指の爪のなかに汚れが溜まっていることに気づき（まあ、この人ったら、手を洗っていないんじゃないかしら、などと思ってしまうかもしれませんし）、この人の耳は大きすぎるわ、と思ったりして、なんやかんやと、あらぬ粗探しをしてしまうでしょう。確かに私は講演会で自分の人生のパートナーに出会うかもしれませんが、疲れているあまり、自分の背後に理想の王子様がいることにも気づかず、きょろきょろよそ見をし、そのまま帰って来てしまったことでしょう。

私は自分に空腹感を認めさせるのが恐ろしいのです。あまりにも空虚に感じるのです。空腹の感覚は、ときとして、それに相当する身体的な空虚や恐怖の感覚を伴います。空腹の響きは恐怖の響きです。ぶつぶつ唸り声をあげ、ゴロゴロ音を立てます。もし私たちが自分自身に欲求を認めることを恐れているとしたら、これらの欲求というのは、仮に表現したとしても決して満たされることがないのではないか、と恐れているとしたら、空腹の感覚が空腹の感情を引き起こしてくることもあり得るのです。それは抑圧された感情ですから、私たちはそれを押し退けてしまいます。なぜなら、私たちはそれを思い起こすことを望んではいないからです。身体的な空腹が自分の欲求・欲望、または痛切な痛みを活性化させるとき、私たちは、驚き、おののいてしまうのです。

ギョッとするような感情はいくつもあります。私たちは恐れおののいていますから、恐れることで、より一層これらの感情に拍車をかけてしまうのです。空虚感は訪れ、過ぎ去っていくでしょう。欲求も同じで、訪れて、やがて去っていきます。しかし、あなたが自分のそのような感情を認めなかったとしたら、そしてそれらを押し退けてしまったら、それらはますます肥大し、もっと恐ろしいものになってしまうでしょう。あなたがそれらを恐れているから、その感情は立ち去ってくれないのです。

身体的な空腹は身体のものであり、食べ物を欲求します。一方、非身体的な空腹は精神のもの、精神的空腹です。自分の身体的空腹は満たされ得るものだということに気がつけば、その同じ可能性を精神的空腹にも認めることができるようになります。

そして、自分に空腹を認めない限り、あなたが自分自身に満足感を認めることもあり得ないのです。

第2章

食べたいものを食べる決意

――ケーキを手にするだけでなく、実際に食べるのです

「神の前で、すべての人びとの前で、私はケーキを一切れ食べました」

解放ワークショップ参加者

五年前のあの日、罪悪感を感じることなく自分の食べたいものを何でも食べよう、もう二度とダイエットをするのはやめようと自分に誓ったあの日、目に浮かんだのはチョコチップクッキーの光景でした。オーブンから出されたばかりのアツアツの手作りクッキー。隣同士とろりと溶け合ったクッキーです。私は店に行き、ビタースウィート・チョコレートチップを一袋、小麦粉、砂糖、卵、それにバターを買いました。細長い通路から通路へと抜けてショッピングカートを押しながら、私の心は高鳴りました。きょろきょろとせわしなく周りを見回し、誰か私のことを指さし、ひそひそ囁いていないか、誰か私の母やウェイト・ウォッチャーズのリーダーに報告してやろうと待ち構えてはいまいかと確かめていました。あたかもサラダ売り場に買い物に来たついでに、子どものおやつのクッキーを作ることにしたかのように見せかけるために、カートのなかにレタスを一個、入れておこうかしら

とも考えました。それからトマトとラディッシュも（本当はラディッシュは好きではないのですが）入れておかなくてはと思ったのですが、これはちょっとあまりにも遠かったので、とにかく、自分の買ったものの代金を支払ってその店を出ました。以前自分にクッキーを食べることを許したのは、はたしていつのことだったかもう覚えていません。過食（ビンジ）するときには、まるで悪い事でもしているかのように、明日にも捕まって罰を受けるのではないかと慌てふためき、冷蔵庫の前で立ったまま食べていましたし、誰かが入って来る物音でもしようものなら、食べていたものをすぐさま隠したものでした。

しかし、このときは違いました。私は友人のルーシーや彼女の娘さんと同居していたのですが、その日、彼女たちの目の前でクッキーを作ることにしたのです。

ルーシーはポットローストとマッシュドポテトを作りました。私たちは同時に席につき、キャンドルに明かりを灯してから、膝にナプキンを置きました。彼女はまず自分のサラダを食べ始め、次にニンジンへと移り、最後は肉とポテトで締めくくりました。私たちはデザートにアイスクリームを食べました。

次の日、また何を食べたいかと自分に聞いてみました。心に浮かんできたのは、チョコチップクッキーの生地が一巻き。今度はそれを厚くスライスして、食べている光景です。生のチョコチップクッキー生地でしたが、それが私の望むものなら、それでもいい、と思いました……それでもう一度店に行き、チョコレートチップをもう一袋買い、ひどく深刻な眼差《まなざ》しでじっと野菜コーナーを見つめてから、その店を後にしました。昼食にクッキー生地を丸めて数個食べました。夕食にルーシーと私はいつも通り、キャンドルに明かりを灯し、膝にナプキンを置いて、お互いににっこり微笑みを交わしてから、食べ始めました。彼女の皿には、なすのキャセロールとサラダが盛られていました。私の皿はというと、チョコチップクッキーが五つ。そのうち二つは焼いてありましたが、三つは生のままです。二人とも、デザートでお腹いっぱいになりました。

次の日の食事プランも同じでした。その次の日も、そのまた次の日も、やはりそうでした。二週間もの間、さまざまな形のチョコチップクッキーを食べ、朝食、昼食、夕食、それに間食にまで、そのこだわりは続いたのです。第二週の四日目に、昼食に卵を一つ食べ、十四日目の夕食には、ルーシーが作ったラザニアをいくらか食べました。こうしてさまざまにわたってクッキー生地をボール一杯分食べたのです。しかし、十五日目には、さすがにもう二度とチョコチップクッキーを見たいと思わなくなりました。

実に馬鹿げていますが、でも本当のことですから、すべてのワークショップで、私はまず初めにこの話をすることにしています。ワークショップでは、罪の意識なしに自分の食べたいものを何でも、食べたいだけ食べることを夢見ている人がほとんどですが、このような自由（またはこのような狂気）を自分に許す人などほとんどいません。だからこそ、あえてこの話を持ち出すのです。何に邪魔されることもなくチョコチップクッキーを消費し続けた二週間は、手放しの喜びの日々だったというわけではありませんでしたが、まあ、ほどほどの喜びではありました。誰か十五ダースあまりのチョコチップクッキーを食べて癌になった人がいるんじゃないかしら、栄養不足で私の脳細胞は死にかかっているんじゃないかしらと心配でしたし、いったいどんな馬鹿げた考えが私の頭に入り込んでしまったんだろう、私が食べたいものは自分で決めることができると、考えさせたものとはいったい何だったんだろう、と不安に思ったりもしました。私のパンツはだんだんきつくなっていきます。それに体重も増えてしまいましたから、このままずっと増え続けるのではないかと恐ろしくなりました。でも、いつか、きっといつか、最後には私の身体の自然の知恵が浮かび上がってきてくれることを信じて、本当に自分が食べたいものを食べようと自分に誓ったのです。そうなるまでには、いったいどれほど時間がかかるのか分かりませんでした。それでも喜んでそれを見つけ出そうと思いました。私は十七年もの間、ダイエットと過食を繰り返してきました。十七年もの間、体重を減らしたり増やしたりしてきたのです。だからこそ、自分を信じるのにこれからさらにもう六カ月間と六・八キロの体重アップが必要というのなら、それは充分待つに値すると悟ったのです。それに、たとえこれが真実でないとしても、自分を破壊することなく食べるべきものを自分で決めることなど私にはできないとしても、それでも前より悪くなることは絶対ないでしょうし、人生も終わりに近づけば、体重も九キロぐらいは減ってくれるんじゃないかな、と思ったのです。

確かに待つ価値がありました。

私は初め、このチョコチップクッキー欲求を止めてくれるものなど想像できませんでしたし、自分が何かほかのものを求めるようになるということも想像できませんでした。

ところがクッキー欲求の後、今度は野菜を渇望し始めるようになったのです。それほど頻繁にというわけではありませんでしたが、自分の脳細胞への心配を止めてくれるには充分なほどでした。空腹のときにはいつでも、そして多くの場合、空腹でなくても、まず自分が何を食べたいのか自問し、そのうえで、できるだけ頻繁にそれを食べるようにしました。アイスクリーム、ピザ、ホットドック、ポップコーン、それにチョコレート、さまざまな期間を経験しました。その時点では自覚していませんでしたが、自分が何年もの間、自分自身から剝奪してきた多くの食べ物を渇望していたのです。ただ、ホステス・スノーボールだけは例外です。これは子どもの頃同様、大人になった今でも思い浮かべると嬉しくなってしまうのですが、これ以外はどのお菓子も、大人になってからの私にとっては、やたら色彩がピンクピンクで派手派手しく、とても食べられないしろものでした。

チョコチップクッキーの量が落ち着いたのは十一月でした。五月までに私の体重は六・八キロ増え、その後、五月から九月にかけて体重は安定しました。十月になってもまだ自分が食べたいものを食べていたのですが、それでも体重は減り始め、その後、二年間で一三・六キロ減りました。これは今から五年前のことです。今でも私の体重は五・五キロほどの幅で絶えず揺れ動いています。

私たち過食症者が、自分の好きなものを食べてもでっぷりとなりはしないのだと信じられない理由の一つとして、自分はあまりにも多くを求めてしまうと信じ込んでいることがあげられます。私たちは、一人の子どもとして、十代として、青年として自分に許されていなかったものを今だに求め続けていると考えているのです。昨年、先月、または昨日、食べられなかったものを今、欲しがっていると思うのです。欲しかったのに食べられなかったという思いが強すぎて、さあ食べたいものを食べなさいと言われると、それまでの剝ぎ取られる感覚《デプリベーション》があまりにも大きく感じられるのでしょう。そのため、底なしに食べてしまうのではないかと恐しくなるのです。私たちはチョコチップクッキーの二週間か一カ月間の過食で、何年間ものダイエットの歳月の穴埋めをしようとします。大人になったことに気がつくまで、それをし続けるのです。一袋のホステス・スノーボールを前に、私が望めば本当にこれを食べることができるんだと自分に語りかけたとき、私は確かにこれらが欲しかった……十歳だったときにこれらが欲しかった、ということに気がつきました。当時、これは御馳走だったのです。今では、これがピンク色で覆われたイミテーションのチョコレートケーキ、イミテーションのマシュマロクリームに過ぎないことを知っていますし、今なら、もっとすばらしい御馳走を思い浮かべることもできます。今なら、空腹でなければ、食べ物以外のもので自分に御馳走してあげることだってできるのです。

しかし二週間のチョコチップクッキーは、そのときの私にとって、自分が思い浮かべることのできるほかの何にもまして欲していたものだったにもかかわらず、「いいえ、結構です。欲しくありません」と答え続けてきたこれまでの歳月を穴埋めしてくれたわけではありませんでした。ロッキーロードアイスクリームを毎日スプーン三杯ずつ一カ月間食べても天罰が下るとも考えずにアイスコーンを注文できる人を羨みながら、アイスクリームパーラーの側を素通りしてきた何年間もの歳月を償うことはできなかったのです。それからの六カ月でも六年でも、朝から晩まで食べ続けようと思えばできたわけですが、それでもやはり私の人生の十七年間をダイエットと過食の繰り返しに使ってしまったことは変わらないのです。

あの日々の孤独を癒すのに充分な食べ物など、この世にありはしません。全てを剝ぎ取られる感覚《デプリベーション》と、その後に起こる狂気の感情によって生み出された心の透き間を満たすのに充分な食べ物などないのです。

後戻りはできません。食べなかった過去の年月を、今になって、食べて償うことなどできないのです。でも、そのつらさを、現在のうまくいかないことの指標として利用することはできます。もう自分を我慢させることはやめようじゃありませんか。

しかし空腹のときには食べたいものを我慢しないということと、剝ぎ取られる感覚《デプリベーション》の埋め合わせに食べ物を利用することとの間にはある種のバランスが必要です。結局のところ、私たちは欲しいものをすべて手に入れられるわけではないからです。マッシュドポテトかキッシュパイを食べると太ると思って、カッテージチーズとニンジンスライスを食べるということの裏には、人生にはあまりにもたくさんの手に入らないもの、諦めなければならないものがあり過ぎて、マッシュドポテトとキッシュパイを欲しいままに食べることでもしなければ、惨め過ぎてやっていけないという思いがあり、両者はコインの裏表の関係にあるのです。食べたいものを食べるということは、空腹感と無関係にいつでも食べることと誤って解釈されがちです。そのため、たちまち、食事はコントロールを失い、皆さんの戒め「食べたいものを食べてはいけない。そんなことをすれば太るから」の正しさが立証されることになるのです。

私たちの望みにはキリがありません。パン屋の前には香ばしいパンの香りが漂っています。欲しいなあ、と思うでしょう。友達がバタフライシュリンプを食べているときに、あなたはチキンを注文しました。しかし、友達が食べているものの方が美味しそうです。雑誌、テレビコマーシャル、新聞には、私たちをもっと幸せに、もっと美しくしてくれるさまざまな洋服、車、リゾート、レジャー施設が際限なく溢れ返っています。それらはお金さえあれば、買えるものです。しかし、お金を積んでも手に入らないけれど、それでも欲しいと思うものもあります。それは、完全な人間関係、仕事、子ども、親、友人たちです。私たちはこれらのものを望み通りにできませんが、食べ物なら自分の思い通りにできます。結局、私たちは、そのものズバリを手に入れられるから、だからこそ、食べ物を使っているのです。そして体重が増えたときに、自分への信頼は低下します。やはり、ダイエットの権威者の言っていることは正しいんだ、自分自身の心の声に耳を傾けていたら、体重を減らすことはできない、そう自分に言い聞かせます。自分など信用できないのです。

確かに、これは食べなくてはならないから食べたいというような感情は信用できませんが、自分の感じることなど当てにならないとか、自分の声に耳を傾けていたら、体重を減らせないというのは真実ではありません。

私は今、チーズエンチラダとグアカモーレが食べたいと思っています。数時間、ずっと書き物をしてきて疲れたのです。休憩をしてもいいでしょう。空腹ではありませんが、だからといって食べたいという欲求が消えるわけではありません。少なくとも、今の時点ではそうです。もし今、机から離れ、メキシコ料理レストランに車を走らせ、エンチラダを食べたとしたら、きっとそれを満喫するでしょうし、これは、書き物から解放される、嬉しい息抜きとなるでしょう。机から離れ、場所を移して、車を走らせ、人と会い、会話を楽しむことでしょう。空腹ではないときにものを食べたいと思うことは「自分の欲求など信用できない」という意味ではないのです。

自分への信頼は、自分に選択権が与えられているときに（そうでないとダイエット中のようにそれは否定されます）進展し、確立されます。自分への信頼は、自分を惨めにするのではなく、快適にする道を選んだとき、自分を傷つけるのではなく、いたわる道を選んだとき、そのときに進展していくものなのです。

数々の欲求のうち、どれにもとづいて行動をとり、どれを幻想として放り棄てるかを決めるのは自分自身であることを体験から学んだとき、自分への信頼は進展するのです。

欲求に終わりはありません。エンチラダの後には、通りを下り、アイスパーラーに行ってアイスサンデーが食べたいと思ったかもしれませんし、さらにその後に、誰かがチョコレートバーを食べているのを見れば、自分も一つ、と考えたかもしれません。欲しいと思うものは常に次から次へと出てくるものなのです。

満足を約束してくれるものを求めるのは、私たちの心の自然な状態です。それについては、異常だとか、信用が置けないということは何もありません。際限なくものを欲しがるのは当たり前だと教える代わりに、だからこそ自分自身に対して警戒を怠らず用心しなさいと教えること、その方がよほど異常なのです。空腹でないときに食べたいと思うとき、唯一問題となるのは、空腹でないのに食べたいと思うはずがない、という思い込みなのです。

食べようと決心し、それから食べるものを決めたとき、まず第一に自分に問うべき質問は、「食べたいと思う欲求がどこから出てきているか」ということです。そして二番目の質問は、「この特定の食べ物を望む欲求はどこから出てきているか」ということです。もし第一の質問に対する答えが、自分は空腹だからということであるなら、今度は特定のとき、特定の食べ物を食べるという選択について考えるステップに取りかからなければなりません。

カロリーのことは忘れてしまいましょう。この提案およびこれ以後の提案、そして本書全般について言えることですが、これらの前提には、身体的にも経済的にもあなたが選べる限りの選択の幅のなかから食べ物を選んで食べることを、自分自身に許していくということがあります。それは、サラ・リーに始まり、ペプリッジ・ファーム、キャドベリー、それにハーゲンダッツ、ほとんどグルメ級のデリカテッセン、さらにはクッキー、パスタ、ポテト、ライス、パンに至るまで、すべてにわたる選択の幅を意味します。子ども時代から昨年、先月、昨日まで、ずっと自分に否定し続けてきたけれど、それでもやっぱり今、欲しいと思うもの、そのすべてのことであり、禁じられた食べ物を意味しているのではありません。[*] つまり、何であろうと、それを食べたからと言って、それだけであまりに太り過ぎてしまうなどということはありませんし、固ゆで卵一個が七八カロリーであろうと八八カロリーであろうと、そんなことはどうでもいいということです。要は、あなたが固ゆで卵を食べたいのかどうか、なのです。なぜなら、自分がそれを望んでいなければ、たとえ食べたとしても、それでは満足できないからです。そしてこれは、あなたがもっともっと食べるチャンスでもあり、もっともっと多くの食べ物を見つけていくチャンスなのです。まずは低カロリーの食べ物を一口かじってみて、次に中程度のカロリーの物、そして高カロリーの物へと、短時間に次々とかじっていってみるという方法もあるでしょう。なぜなら、本当はラザニアを食べたいと思っているのに、固ゆで卵を食べてしまうと、結局、初めからラザニアを食べた場合の二倍か三倍のカロリーを食べてしまうことさえあるからです。

私たちは食べることで、動いたり呼吸したり話をしたりしていくことができます。生きているためには食べなくてはいけませんから、食べるわけですが、さまざまな理由に従って、そのほか多くのもののなかから、ある特定の食べ物を選んでいくのです。もっと満足したい、もっと腹にどっしりときて、温かくなれるようなものがほしいと思ったり、それが必要なときには、タンパク質を多く含む食べ物や温かい食べ物、スパイシーな食べ物が欲しいと思います。逆に軽い感じの食べ物を食べたいと思うこともあります。冷たいもの、飲み込みやすいものが欲しいと思うこともあります。そのようなときには果物や冷たい飲み物などにするでしょう。実際、空腹だといっても、私たちは身体的な欲求だ

＊　このような、医学的な治療のために制限される食事に対しては、適宜、状況に応じて、これらの提案を適応させていく必要があります。

けでなく情緒的にも満たされるためにものを食べるのです。特定の気分や状況には、特定の食べ物がぴったりフィットします。私の場合、寂しくて、なおかつ空腹なときには、ベイクドポテトが欲しくなります。ポテトのあの白さ、ほくほくとした感触、ほんわかとした温かさには、私を心地よくさせてくれる何かがあるのです。またあのクリーミーななめらかさ、そしてその満足感ゆえに、バニラアイスクリームが欲しくなるときもあります。そのようなとき、私は自分の胃の表面を覆ってくれるものを求めているのです。それは、バニラアイスクリームが生み出す一種の満足感が必要なときなのです。友人のスーは、悲しいときにはミートローフ、エンドウ豆、それにマッシュドポテトを食べると言います。彼女が子どものころに母親が夕食によくそれを作ってくれたので、現在でも、空腹でしかも何か慰めとなるものが欲しいときには、この食事が彼女を力づけてくれるのだそうです。「でもね、これは冷凍の豆じゃあだめなのよ」「ママが作ってくれたようなもの。それじゃないと、効果がないのよ」、彼女はそう言います。

ダイエットをしていると、寂しくても、冷凍の豆かマッシュドポテトにするかという選択はできません。カロリー消費にもとづいたダイエットには、寂しいとか悲しいとか、腹が立つとか、嬉しいといった感情の入り込む余地など残されてはいないのです。自分自身や人間関係、人生について私たちは一週間、毎日同じように感じるという仮定にもとづいていますから、私たちの心理的、情緒的な欲求は、排除されてしまうことになります。ダイエットは、私たちをほかの動物から区別する特徴の一つ――選択という権利を奪ってしまうのです。

自分の食べたいものを食べていいと言われると恐ろしくなってしまうのは、私たちがそれを信じていないということが主な原因でしょうか。いいえ、本当はそうではありません。ほら、今でも次のような声が聞こえてくるでしょう。「多分、そうね、クッキーだわ。あ、やっぱり違う、アイスクリームはだめなの。パンもだめ。だって、ほら、カロリーのことを考えてご覧なさいよ。体重が増えてしまうことはちゃんと考えたの？　そんなもの食べたらだめよ。食べてはいけないのよ」。もう何年もの間、カロリーを計算し、何を食べたらいいか人から指示され続けてきたために、私たちは食べてもいいものとそうでないものの厳密な区別をし、低カロリー食品なら何でも食べていい、というようにしてきてしまったのです。

私のワークショップに参加したある女性は、「私には、ダイエットをしなくてよかったときの記憶なんて全然ありません」と言っていました。彼女は、自分がダイエット食品を食べていないと罪悪感を感じ、かといってダイエット食品を食べていると、本当はこんなもの食べたくないのに、と思うのだそうです。

継続的に活動を続けているメンバーたちは、少なくとも一回、ときには、二回か三回の解放ワークショップに参加するのですが、そのようなワークショップでは「やっぱりまだ、いかにも太りそうな食べ物は自分には許されていない気がしてしまうんです」という声が根強く聞かれます。許されないから、だから、彼女たちはそれをしてしまったとき、あたかも法律違反を犯しているかのような、何か禁じられたことをしているかのような、そんな気分を覚えてしまうのです。自分の食べたいものを食べるということは自分を甘やかすということを意味し、「自分に必要なもの、または自分の欲するものを自分自身に与えるときというのは、何か悪いことをしているときなんだ」と言い換えられることになってしまうのです。

「許されていない」、この声が聞こえてくる限り、食べてはいけない、と感じる食べ物がこの世に存在する限り、あなたはもがき苦しみ、葛藤していくことになります。そして、そのようにもがき苦しんでいる限り、めちゃくちゃに飲み食いし、過食をすることになってしまいますし、過食がやめられない限り、食べ物を口にすることに恐怖を抱くことになるのです。

体重は減るでしょうが、自分が望むものを本当は食べていないのですから、食べたいものを食べることはできません。何かの声の命じるままに食べるか、さもなければそれに反発するか、どちらかなのです。しかしそのような声というのは、あなた自身の声ではありません。それは（あなたの母親、恋人、医者など）誰であろうと、誰かほかの人の声、さもなくば（いくつものダイエットや記事、本など）あなたが自分のなかに内在化させた声です。何年もの間に、あなたはそれをあなた自身の声というだけでなく、正しい声であると信じ込むようになってしまったのです。

自分が食べるものについての選択を自分自身に許すことで、そのもがき苦しみから抜け出たとき、あなたはそれまで自分がぐいぐい手繰り寄せ、力いっぱい締め付けてきたロープの端を手放すことになります。そしてあなたの方がそのロープの一方の端を放したとき、そのロープはたちまちすとんと地面に落ちることでしょう。戦いには少なくとも二つの側が必要です。あなたが、カロリー計算器や自分の恐怖の声ではなく、自分自身の声に耳を傾けようと決心したとき、それに反旗を翻すものなど何もありません。明日、あなたが手にできないものなど何もないのですから、今日それをすべて残らず平げてしまう理由もないわけです。

私が自分の体重について悶え、苦しんできた何年もの間、毎日が我慢、我慢の武者修行のようでした。午前か午後に、「ふさわしくない」食べ物、または太りそうな食べ物を、たとえほんの一口でも口にすると、まるで、自分がその日一日をすべて粉々に吹き飛ばしてしまったかのように感じました。でも、それではなぜその日はもうそれでよしと割り切り、ダイエットはまた翌日からにしようとしなかったのでしょうか。そうすればよかったのです。ところが私は、自分が食べたいものを食べられないでいることを自覚するや否や、その日一日は、翌日からのダイエットに備え、できるだけ多くのものを食べることに費やしたのです。家中のものをすべて食べ尽くしたうえに、さらに、買い物に行って欲しいものを片っ端から大量に買い込みました。午後十一時五十九分、真夜中のこの時刻に、明日の始まりを予感します。そして次の日の朝、自分自身に対する嫌悪感と胃の不快感から目覚めるのです。

次にあげるのは、そのような朝に綴ったものです。

すばらしい夜明け。でも私にはそれも目に入らない。眼中にあるのは、自分がどれほど太ったか、それだけ。目が覚めたら、胃はパンパン。顔は頬に空気を吹き込んだかのよう。身体はピチピチ接着剤を頭まで詰め込まれたかのように細胞がくっつき合っている。怖い。ああ、本当に。私は震え、おののいている。自分という人間と同じくらい惨めな食べ方で、ものを食べたいと思ってしまう。だからこのようにものを食べてしまうのだ。いったいこれをどのようにやめたらいいのだろうか、分からない。

カシューバターがキッチンの隣の食糧庫にある。すると、ほら、あの声が聞こえてくる。「そうよ、ダイエットなんて明日からでいいじゃない。もう一日延ばしちゃったらどう？　どっちにしたって一―キロは減量するつもりなんでしょう。そんなら別に構わないじゃない食べちゃったって。当然よね。だって今日は水曜日なんだもの。週末にならないとダイエットなんて、無理、無理。今やったら、へなへなよ。勉強できなくなってしまうわ」。そして考える。「そうね、あなたの言うことはもっともだわ。もう一日延ばしちゃおうかしら」。こうして起き上がり、カシューバターへと足を踏み出す。これから私はどれほど気持ち悪くなるまで食べるんだろう。今でも、もう充分気持ち悪いのに。そしてもう一度考え直してみる。そう、しばらくの間、考えてみるのだ。時刻は午前七時。こうして苦悩は続いていく……。

行ったり来たり。空腹があまりにもひどくなって、世界中のものを何もかもむさぼり食ってしまうのではないかとびくびくしながら、無理やり自分をダイエットに駆り立てました。これは避けられないことですが、めちゃくちゃな過食に走るときには、自分は何を食べたいのかや、何を食べてもよくて、何を食べてはいけないのか、自覚していたことなど一度もありません。しかも、ほかに何を食べようが、どれほど気分が悪かろうが、とにかく私が欲しかったのは甘い、甘いお菓子でしたから、二十八歳になった今でも、母親に「ねえママ、フローズンミルキーウェイも食べていいよね。ママがだめって言ってもいいもん、こっそりパジャマに隠しちゃうからね」とわざわざ宣言していたころの子どものままなのだと、自ら証明しているような気持ちになったのです。

ワークショップに参加したある女性は、次のように語っています。「砂糖をめちゃくちゃになめて、四十年間も過食してきたくせに、その後、食べたいものを食べることを自分に許したとき、甘ったるいお菓子なんて、ちっとも好きではないということに気づいて、びっくりしました」。

私たちの多くは、リンゴ、パン、肉、チーズにいったいどれほどのカロリーがあるのか、ちゃんと頭に入っています。ですから、もしカロリー成分についての知識をもち、それに従って食べれば痩せるというのなら、私たちの誰もが痩せているはずです。

ところが、絶望や悲しみ、または怒りの瞬間には、カロリーについての知識（痩せていたい理由）などすべて、自分に食べることを許さない限りどこかに吹き飛んでしまいます。何らかの感情から逃れたいと思うときには、自分にのしかかってくるそのような抑圧を打ち破ることでそれを達成しようとするものですし、たとえそれが（自分を縛り付けているダイエットという）束縛からの解放や、（欲求不満や悲しみといった）解放を求める感情とは関係のない場合でさえ、つらさからの解放の欲求は何ものをも吹き飛ばし、解放を達成させることでしょう。追い詰められた感情というのは、一日の消費カロリーを一二〇〇カロリーにしようなどという理性的な決意よりもはるかに強力なものなのです。

自分の食べたいものを食べたとき、ロープを手放し、ふさわしい食べ物とふさわしくない食べ物との間での葛藤に終止符を打ったとき（自分が本当に望む量を越えて食べてしまう傾向は最初こそありますが、それを越えてしまえばその後は）、結局、カロリー成分に引きずられていたときに摂取していたよりもずっと低くカロリーを控えることができるようになるのです。

あなたの身体は生き延びたいと望んでいますし、快適でありたいと願っています。動きたい、走りたい、階段を楽に上がりたい、そうできるようになりたい、あなたの身体はそう願っているのです。あなたが今この闘いから手を引けば、自分の身体のそのような願いに耳を傾けることができるようになります。自分の食べたいものを食べられるようになるのです。あなたが望むことは、自分が食べるものを自分で選択する自由だけでなく、なめらかに活動することのできる肉体をもつ自由やそのような肉体をもつ自分自身はもちろんのこと、自分の肉体そのものを好きになる自由でもあるのです。

空腹のときには、まず一分か二分、腰を下ろし、本当は何を食べたいのか自分自身に聞いてみてください。もし視覚的にも聴覚的にも何の答えも返ってこなかったら、参考のために考えてみるといいと思われる点をリストに従って、さまざまな感触、味、温度の手掛かりをつかんでください。

〈味〉 あなたが望んでいる味は……?

・甘さ?
・酸っぱさ?
・塩辛さ?
・スパイシーな辛み?
・刺激の少ない口当たりのよさ?

〈感触〉 あなたが望んでいる感触は……?

・喉をスルッと滑り落ちていくような滑らかな口当たり?
・ボリボリ音を立ててしっかり嚙み砕かなければならないような歯ごたえ?
・口いっぱいに広がるこくのあるクリーミーさ?
・嚙んだときに口のなかでうるさく音を立てて弾け砕けるパリパリという音?

〈温度〉 あなたが望んでいる温度は……?

・たとえば、紅茶や薄いスープのような温かい飲み物? それとも温かくてこくのあるトロリとしたもの?
・室温程度のもの(たとえば、フルーツ、クラッカー、ナッツなど)?

・ひんやり冷たい物、もしそうなら飲み物がいいですか、それとも食べ物の方がいいですか。

これらの質問を自分自身に問いかけ、答えるための時間をおいた方が、何も考えずにすぐに冷蔵庫の扉を開けてなかにある物に目を走らせる場合よりも、自分が満足できそうな傾向がよりはっきり分かるでしょうし、友達や家族と外食に行く際にもこのようにすれば、あなたもいっしょにレストランを選ぶことができるのです。

現在という瞬間に、しばし足を止めてみましょう。夜、さあこれから寝ようというときに、翌日の朝食や昼食、夕食に食べたいと思うもの、または食べるべきものを決めようという誘惑が浮かんでくるかもしれません。しかし、このような誘惑に駆られた判断というのは、自分が食べたいものを食べることを許すということにではなく、むしろ自分にとって最もふさわしいものは何だろうか、美味しい味のするものは何だろうか、という先入観にもとづいた判断なのです。そして、このような誘惑はとりたててダイエットしているわけではないのに体重が減っているという場合に起きがちです。なぜなら、もしクッキーやアイスクリームを食べても体重が減ったとしたら、ではそのクッキーさえもやめたとしたら、さらにどれほど体重を落とせるかしらと考えてしまうからです。この種の考えは非生産的です。何を食べるべきで、何を食べるべきでないか、また何を食べたいのかということさえも含めて、食事プランのどの時点に着目したとしても、それは一連の期待をつくり上げているだけですから、その期待に沿えないと、体重をめぐるあのお馴染みの敗北感を呼び起こしてしまうことになるからです。ああ、失敗してしまったんだわ……私には正しいことなんて、一切できないのよ……こんなことをしても何の役にも立たないことはよく分かっていたはずなのに……いったい何の役に立つというの……もういい、食べちゃった方がましよ、このような感情は過食の前兆となります。しかし、ごくわずかな例外はあります。明日になったら何かとびきり美味しいものを味わってやろうと考えてみることでかなり気分転換を図れることがあるのです。しかし、欲求というものは日々変化していくものですから、前日に食べたいと思っていたものを実際に今日食べたとしても、結局それでは満足できず、さらにもっと多くの食べ物を求めてしまうことにもなりかねません。

では、食事を食べ始めてしまってから、これは自分が求めていたものではないと気づいたときにはどうすればいいのでしょうか。先週私は、ダンスのレッスンから帰るときに、今日のランチは何にしようかしらと考えました。そのとき思い浮かんだのは、ひんやり冷たいランチ、クルトンとアーティチョークのつぼみ入りのサラダでした。家に帰ると、さっそくニンジン、赤唐辛子、キュウリ、レタスを刻み、クルトンとアーティチョークのつぼみを加えました。ところが実際、席について食べ始めたとき、それが自分の食べたいものではないことに気がついたのです。寒かったので、何か温かいもの、何かコクのあるものが食べたいと思いました。でも、長い時間をかけて野菜を刻み、細かくちぎり、そしてお皿に盛り付けたのです。それに、このようなとき、インドの飢えた子どもたちならどうするでしょう。

私はサラダを見下ろし、ニンジンのスライスをつまみあげながら、以前にも、後になって食べたくないと気づいたものを用意してしまい、結局それを食べたときのことを思い出しました。それは数週間前のことでした。そのとき私はキャセロールを、しかも野菜とチーズとライスを添えた、とってもヘルシーなキャセロールを夕食に作ったのです。しかし、一口か二口食べた後で、アイスクリームが欲しかったということ、その日一日中、ずっとアイスクリームを求め続けていたことに気づきました。サクサクとしたシュガーコーンの上にバニラビーンズをちょっぴり添えたバニラアイスクリーム。ああ、違う、違う、私はこのキャセロールを食べるべきなのよ。だって、この一週間、ずっと野菜を食べていなかったんだもの。それに、今アイスクリームを食べたら、かちかちに冷えきってしまう、いずれにしたって、アイスクリームはカロリーが多過ぎるわ。考えた末、そのキャセロール、サラダ、そしてパンを少し食べたのです。しかしその後、クッキーを二つとリコライスキャンディーを少し食べ、それでもまだ満足できなくて、ボールにいっぱいのポップコーンにまで手を伸ばしてしまったのでした。その間もバニラアイスクリームの姿が頭のなかにこびりつき、出たり入ったりして、ちらちらしていました。

このようなことになったとき、時どき次のような自分自身との対話が始まることがあります。「自分が欲しいと思うときに、欲しいものを必ずしもすべて食べることができないという場合はあるものよ。もしあなたが、もっとよく自分の状態を把握していれば、アイスクリームを買いに出掛けることもできたかもしれないけど、でもあなたは人間なんだもの、過ちを犯すことだってあるのよ。だから自分の状態がつかめなかったの。それに明日になってもまだアイスクリームが食べたかったら、食べられるんだもの。でもね、それは今じゃないわ。今は、眠ろうとしているときなのよ」。ヘルシーなキャセロールを食べたあの夜、それでもやっぱり私はアイスクリームが欲しかったのです。それで夜中の十時、既に六時半に夕食をすませていたにもかかわらず、アイスクリームパーラーへと車を走らせ、お腹はいっぱいだったけれども、心は満たされなかった三時間前に自分が食べたかったものを注文したのでした。

私は今、自分のサラダを前にし、満腹になり過ぎてなかなか眠りにつけなかった、あの夜のことを思い出しました。もう二度とあのような不快な思いは味わいたくありませんでした。だから、サラダを容器に入れ、スープを温めてグリル・ド・チーズサンドイッチを作りました。

私たちは、身体的な欲求だけでなく精神的な欲求を満足させるためにも食べますから、その両方の欲求を認識して対応しないと、依然として満たされない思いを抱えたまま、もっともっとと、更に多くの食べ物を求めてさまようことになるのです。

そこで、食事に取りかかろうとして席についたときに、自分がそれを欲しがっていないことに気がついたら、次のようにしてみてはどうでしょう。

●まずは、そのことをためらわずに認めてください。たとえ何かほかのものを食べたいという欲求を実際には満たせなかったとしても、なぜ自分は満足感を得ていないのか理解できるでしょうし、それを理解することで、その後四時間もの間、むしゃむしゃ食べ続けることは、充分、防げる可能性があります。もし何か別の食べ物を更に用意したり注文したりすることができなかったり、したくなかったりした場合には、明日、空腹のときに何でも好きなものを絶対食べてもいいからね、と自分自身に言ってあげてください（そう言った場合には、ちゃんとその約束を守るようにしなければいけません。そうしないと、効果はありません）。

●一人の場合には、その料理にはとりあえずラップをかけ、片付けてしまってもいいでしょう。自分が何を望んでいるのか自分でもまだよく分かっていない場合には、決まるまで数分間待ってみてください。その後で、その望みのものを得るために、自分で用意をするなり、外に食べに出るなりして自分のできることをしましょう。今日のその残り物は明日食べることもできますし、友達や犬、または鳥にあげることもできますから。

●自分の気の許せる人といっしょに自宅にいる場合には、次のように言ってはどうでしょう。「私ね、自分はこれを食べたいんじゃないってことに、今、気がついちゃったの」「なぜかしら、これね、美味しく感じられないの。今の私の口に合わないのかしら」。もし何の説明も必要ないと感じたならば、もう一枚、別の小皿を用意して、何かほかのものを食べるということもできます。そして誰かに、どうかしたのかとたずねられたら、そのときに説明すればいいのです。恥ずかしがる必要などありません。その人たちも同じように感じていたかもしれませんし、もしそうなら、あなたが自分に正直になったおかげで、彼らもほっとし、彼ら自身安心して、同じことができるようになるからです。

●レストランにいる場合は、次の方法が考えられます。

A　同席の人に、あなたの注文した料理が好きかどうかたずねたり、相手の料理をあなたが気に入った場合は、料理の交換を相手がどう思うか、たずねてみてはどうでしょう。

B　ウェイターかウェイトレスに料理を持ち帰りたいから、ラップをかけてくれるよう頼み、その後で、何かほかのものをあらためて注文してもいいでしょう。

C　次の機会には、もっとじっくり時間をかけて自分の食べたいものを選ぶことにし、今回については、とりあえず注文してしまったものを出来る限り楽しんで食べるよう、気持ちを切り替えてみましょう。それでもやっぱり自分が注文したものでは満足できない場合には、家に帰ってから、ほんの少しだけ、自分が食べたい何かほかのものを食べればいいのです。

初めて自分が食べたいものを食べることを自分自身に許した場合、自分の望む食べ物なら何でも手に入れようと極端になったり、固執したりすることへと結び付けてしまう傾向が自然に現れるものです。チョコチップクッキーについて、私が最初にこれを試していたとき、自分が欲しいものをずばり見つけることができない場合には、二回も三回も、ときには四回もレストランを変更することがよくありました。これは、今度はいったいどんな馬鹿げたダイエットを始めたのかと首を傾げていた私の友達にとっては、いささか迷惑だったと思います。今、私は出来る限り最高の選択をしようと努力し、自分が本当に行きたくない所にはどこにも行きません。レストランや食べ物については、初めてのものは選ばないようにして、私なりの最善を尽くすようにしています。そして、私がずばり自分の食べたいものを食べられないという状況でも、たいてい、食べるということの情緒的レベルを満たすことのできる、別の意味での栄養的要素（コミュニケーション、親密さ、視覚的美しさ）は充分にあるものです。したがってこのようなときには、食べ物自体は二の次にし、それが何であれ、実際に周りにあるもので、栄養を受け入れるようにしています。

先の四つの状況において、特に重要なのは、自分自身に柔軟性を認め、自分の感じるままに感じることを許し、これらの感情を自覚する、という三つです。あなたはおそらく自分の行動を選択する際に、自分の感情に左右されはしないでしょう。それはりっぱなことと言えるかもしれません。必ずしも常に自分の食べたいものを食べることが可能であるとは限らないのですから。しかし、自分が実際に今していることと、自分がしたいと思うことのズレを認識し、受け入れていくことは常に可能です。自分の感情を充分な余裕と充分な理解をもって受け入れたとき、あなたはもはや世界中の何もかもをむさぼり食ってしまいたいなどという、切迫した、しかし無意識の欲求に駆り立てられることもなくなるのです。

心が浮き浮きと活気づかないような食べ物なら、食べる必要はありません。

アリサは、二二・七キロの減量を目標に、解放ワークショップに参加した女性ですが、ある晩、次のような話を語ってくれました。

「水曜日の晩に空腹になったときのことです。インディア・ジョゼのチョコレートトリュフを食べたいと思ったんです。そのことを、夕食にステーキとポテトを食べている最中だった主人に話したところ、最初は驚いた様子でしたが、風の吹きすさぶ雨のなか、はるばる長い道程を越えて二四キロ離れた店のチョコレートを求める私を責めたりしませんでした。しかも私には、二二・七キロの減量の必要があったにもかかわらずです。主人が夕食を終えると、私たち夫婦はインディア・ジョゼへ車を走らせました。そして、トリュフを注文し、数口食べてみたのですが、大部分をお皿に残してしまいました。もう充分満足したのです。主人はそれでもなお協力的で、その残ったトリュフを食べてくれました。それから私たちは、雨の降るなかを、笑いながら山道を車で引き返しました」。

このトリュフはアリサに語りかけてきたのです。そしてアリサは自分に語りかけるものだったからこそ、満足したのですし、満足したから、それをすべて食べる必要はなかったのです。

『心理学者の何でも食べるダイエット』という本のなかで、その著者、リリアン・パーソンとレオナルド・パーソンは、私たちが食べる食べ物について、「騒ぎ立てるもの」と「手招きするもの」という言葉を用いています。騒ぎ立てるものとは、その姿を見る前に既に頭のなかで分かっている食べ物、つまりそれが実際に自分の前になくてもその感触、味、温度を想像できる食べ物のことです。この騒ぎ立てる食べ物は、チーズが欲しいときにはチーズなのであって、エクレアではだめなのです。このような食べ物は、一日の時間帯やそのときいっしょにいる人、抱いている感情によって変わってきます。あなたに騒ぎ立てる食べ物は、その瞬間のあなたの空腹にぴったりフィットするわけですから、情緒的にも身体的にも、あなたを満足させてくれる食べ物です。これらはほかとの交換がききませんから、都合のいい、手軽な食べ物というわけにはいかないでしょうし、簡単にすぐ手に入るものでもありません。これらは巧みなトリックを駆使し、あなたを満足させてくれます。騒ぎ立てる食べ物を食べれば、その後十五分か一時間くらいはそれ以上、食べ物を求めてさまようこともないでしょう。騒ぎ立ててくる食べ物を食べた後には、食べ物のことを忘れてしまうのです。事実、一日中、食べ物のことなどまったく頭にない人を知っていますよね？　あなたも、そのような人の一人になれるのです。

一方、手招きするものとは、その名前が示す通り、あなたに向かって、おいで、おいで、とその指を曲げ、あなたを近くに引き寄せる食べ物のことですが、その魅力は外面的なものであり、それでなくてはというあなたの必要や欲求に相当しているわけではありませんから、それ自体があなたを満足させてくれるというわけにはいきません。手招きするような食べ物を食べるとき、そこにはあなたに食べ始めるよう誘いかけてきた見た目の姿、匂い、味以外には何もないわけですから、いつ食べるのをやめるかを知ることは容易ではありません。食べ物を求める空腹感がなくなったとき、それが食べるのをやめるようあなたに示している合図となります。手招きする食べ物は、たいていの場合、都合よく簡単に手に入りますし、待つ時間も用意する手間もほとんどといっていいほど必要ありません。トースターの前に立ち、数秒毎に生焼けのパンを取り出し、一口かじっては、また元に戻すといったことを繰り返しているとき、このような状態を、食べ物が手招きしている状態といいます。

私たちの多くは、このような手招きする食べ物を食べていることがほとんどです。テレビ、ラジオ、雑誌広告やパン屋のウィンドーで、人を魅了する宣伝文句、食べ物の気配といったものを、何を食べるべきで何を食べるべきでないかということについての自分自身の考えに照らし合わせて、自分に語りかけてくる食べ物のために時間を割いたうえで、食べる判断をすることなどめったにありません。自分が食べたいものを食べたら、体重が増えてしまうのではないかという恐怖が沸き上がってきますし、カロリーを考慮したり、自分には自分の欲しいものを食べる資格などないという感情が生じてくることもあるでしょう。それに自分の食べたいものが分からないとか、あまりに長い間、偏った態度で、偏った食べ物ばかり食べてきたために、自分の本当の食べ物の好みがなかなかはっきりしない、ということもあります。

あなたが食べる食べ物を、生き生きした活発さ、招き寄せの性質に従って段階ごとに評価してみましょう。一枚の紙を、食品項目、騒ぎ立てるもの、手招きするものの欄に三等分し、自分が食べたものを書き出して、それが騒ぎ立てるものか、それとも手招きするものかチェックするのです。まずは一から十までの段階で、それらがあなたに向かって騒ぎ立てる程度を評価します。十は大きな声で、一は囁き声で呼びかけてきます。まずは一週間やってみて、次は手招きする程度の評価に移ります。同じ数値を用いいますが、今度は段階十は、騒ぎ立てるものに近く、あなたはその食べ物について思いをめぐらせることはあるでしょうが、その場にそれについて耳にしたり目にしたりする状況がない限り、わざわざそれを食べることはまずあり得ないだろうことを示します。そして段階一は、その食べ物の手招きする程度が非常に低いということ、つまり、空腹でなく、その食べ物の前を通り過ぎたり、匂いを嗅ぐ以前には、食べ物のことなど考えてもいなかったということを示しています。

私たちの多くは、自分を喜ばせてくれるものを発見しようとはしません。本書では、単に私たちをこのような発見へと優しく促すだけでなく、自分自身にもほかの人に対しても与えることのできる感覚、私たちがそれを実感しようとすればするほど、実際に、より一層深く、実感できる感覚へと促すことを目指しています。

あなたは、本当に自分の望む食べ物を食べることがいったいどれほどあるでしょうか。

自分が望み、夢み、思いめぐらしながらも、何年間も食べることを許してこなかった禁じられた食べ物のリストを作ってみてください。太りそうなものはもちろん、今となってはばかばかしく感じられるけれども子どものころ好きだったものはありますか。家族の好きだったものなど、あなたにとって何か特別な思い出のある故郷の味についてはどうですか。あなたはこれまで自分のダイエットのために、これらの食べ物を閉め出したことがありませんか。どんなものでも、すべて出し尽くすまで、リストにあげていってください。

それから、このリストを片手に、その禁じられた食べ物を毎週一つずつ自宅に持ち帰ってみましょう。一回の食事で自分が食べ切れる以上の量を用意します。そして、自分が空腹のときにそのうちのいくらかを食べ、それが現在のこの時点でどのような味がするのか自覚するのです。それは本当に美味しいですか。記憶のなかの味やイメージしていた味とは違っていますか。もっともっとたくさん食べたいと思いますか。

友人の一人は、子どものころから食べることを自分に許さなかったシュガークッキーのパック詰めに強い憧れを抱いていました。スーパーマーケットで買い物をするたびに、彼女は甘いお菓子の列にちらっと目をやり、そのシュガークッキーを見つけては、だめ、食べてはいけないのよ、絶対食べるもんですかと心に誓い、そのまま買い物の足を進めたのです。私の勧めで彼女は店に行き、シュガークッキーを三パック買いました。その三十分後、彼女から電話がありました。「あのね、こんなこと信じてもらえないでしょうけど、私ね、こんなクッキー、本当は全然好きじゃなかったのよ。三十年間、私はずっとこの瞬間を夢見て、半分死んだような状態だったの。それが今となってみたら、これがね、ちっとも美味しくないの。私の方がもっと美味しいクッキーを作れるわ」。私たちは笑いました。そして、彼女はそのクッキーを犬にあげてしまったのでした。

もし自分の食べたいものを食べるという考えが、あまりに脅威的で、押し潰されそうなら、まず初めはゆっくり、一回の食事で一つの食べ物を試みていくというように始めてみてください。朝、目覚めたときに自分のその日最初の食事に、自分の食べたいものを選ぶ自由を自分自身に認めてください。自分が欲しいものの姿を数分間思い浮かべた後で、それを自分で用意するか、スーパーマーケットに行って買うか、もしくはレストランに出掛けて注文してみましょう。そして、普段なら自分に許可しなかったであろうそれについて、自分は今どう感じているかに着目してください。こんなこともうやめてしまいたいと思いますか。何か最悪なこと、起こる恐れのある最悪なこととは何ですか。もし体重が増えることを恐れているとしたら、恐れていない振りをせず、その瞬間の自分の身体の声に熱心に耳を傾けてください。あなたの身体がもう充分よ、と教えてくれたら（第4章参照）、そのときにはフォーク、スプーンを持つ手を下ろし、手を動かすのを止めてください。今の気分はどうですか。一回の食事で五キロも体重が一気に増えてしまうことなど絶対にないことを肝に銘じ、そのうえで、自分の身体が望むものを身体に与えたとき、自分がどう感じるかを発見するこのチャンスを活かしてください。楽しく感じますか。満足できる感じがしますか。この感情を、自分の食べたいものを食べずに自分で自分を欲求不満に陥らせているときの感情と比べてみてください。そのほかの感情も含め、どれか一つ自分の好きな感情を選べるとしたら、あなたはどのような感情をもちたいですか。

私たちは自分たちの人生が、瞬間とその瞬間についての感情の積み重ねから成り立っていることをしばしば忘れてしまいがちです。私たち過食症者は、すらりと痩せて、過食から解放された幸せな将来の瞬間に自分の人生をかけています。ですから、もしそのような瞬間が実際に訪れたとしても、そのときには、体重の増加を恐れるあまり、再び関心を将来に向けてしまい、現在の喜びを満喫しようとしないのです。

私たちの多くは自分自身の人生を見失っています。自分の時間を決して訪れることのない瞬間の準備のために費やしてしまい、そうしている間に、意識されることもなく、活かされることもない歳月が過ぎ去っていくのです。

途中の道程《みちのり》を飛ばして、一足飛びにゴールに行き着くことはできません。もしあなたが自分に手綱をかけ、自分を裁き、自分自身の存在を信頼しないままに痩せようとしたら、結局、自分自身を欲求不満に追い込み、非難し、脅かすだけで終わることになるでしょう。ひょっとしたら、痩せた身体を手に入れるかもしれませんが、それとて、ほんの一時《いっとき》のことに過ぎないのです。

過食から解放されるということは、これからのことに縛られることなく、現在の瞬間を生きられるようになるということでもあります。それには、自分が今していることを自覚することが必要です。自分が求めるものを手にする、永遠に訪れることのない〝いつか〟のために、食べることに日々、翻弄されている現在の生き方をよく見つめ直す必要がありますし、このためには喜びや満足といったことにも目を向け、自分の人生におけるこれらの意味を再発見することも必要なのです。

自分の食べたいものを食べるということが満足できることだと感じたら、その実感に着目してください。といっても、「私はいつでも自分の食べたいものを食べなければならない」という規則にしてしまってはいけません。そうではなく、少なくとも一日一回（それでもまだ恐怖感が大き過ぎるというのなら、数日毎に一回）は、自分の望むものを食べてもいい、というように自分に許すのです。自分はこうしなければならないとか、こうしてはいけないと頭のなかで考えるのではなく、自分にとって直感的に正しいと感じられること（これはまた、あなたが経験的に発見していくことでもあるでしょうが）に導いてもらうようにするのです。最終的にあなたはそれが何であるか発見するでしょうし、し続けるでしょう。

自分は何を食べたいのか分からないというとき、それはもう何でもいいから食べようという気持ちになるほど空腹になっているか、さもなければまだ充分には空腹ではないかのいずれかです。食べることにほとんど狂っているというほど、がつがつに飢え切っているという状態が分からないということは、まずあり得ないでしょう。こうなってしまうと、もう自分が食べたいものを決めることも、そしていつ満腹になったか知ることも、難しくなってしまいますから、これほど空腹になるまで放っておかないように心掛けてください。半狂乱の空腹がおさまるまでにはしばらく時間がかかりますし、それがおさまるころにはもう既に充分を通り越して食べ過ぎてしまっています。また、それほどまでに切羽詰まって食べ物に飛びついてしまうと、本当に自分が食べたかったはずのものを食べずに終わってしまうため、結局満足できないということにもなりかねません。

食べる必要があるというほどまでには、空腹ではない（でも、食べたいと思う）ときには、食べ物をめぐる何か精神的なイメージが浮かび上がってきますが、それは身体的な空腹とは関係がありませんから、このようなときに何を食べたらいいか決めることは困難です。まったく空腹でないときに満足させてくれるものなど何もないからです。このような場合には、そのイメージが鮮明になるまで待ってみましょう。その方が、食べ物をより美味しく感じられます。

私はグリーンウィッチ・ヴィレッジのパン屋さんのクロワッサンが食べたいのですが、私が住んでいるのは、アーカンソー州のリトゥル・ロックです。昨夜、ワークショップのメンバーで「私は自分が何を食べたいのか決めることが本当にできないんです」と言った人がいました。よくわけを聞いてみたところ、彼女はほかの町までわざわざ食べ物のために出掛けて行くことをサボっていたことが分かりました。彼女は空腹のとき、かつてパリで味わったパイが食べたいと思うそうなのですが、かといって、そう思った晩にそこまで飛行機で行くことなどできませんから、結局もう何でもいいから目についたものを食べてしまうそうなのです。「どうしたらいいのでしょうか。食べたいものを食べることが無理な場合は、どうしたらいいのでしょうか」彼女はたずねました。

自分に騒ぎ立てる食べ物を食べるということと、一万三千キロもの距離を飛んでそれを求めることは別です。自分は、手に入らないものを求めている、ということに気づいたとき、それは何が起きているのか自問してみるときです。キムという女性はこう言っています。「私は、食べたいものを食べることを自分に認めてしまったら、甘いもの以外何も食べなくなってしまうのではないかと、それが恐ろしいのです」。彼女の幻想のはるかかなたの奥底には、現実的で手に届く範囲にあるものを求めるようにしてしまったら、体重が増えてしまうというだけでなく、ものすごく不健康になってしまうのではないかという恐怖感があるのです。「いつもいつも砂糖ばかりなめているなんて、ものすごく恐ろしいことだと思いませんか」。彼女はたずねました。

ええ、確かにそうですね。でも、一概にそうともいえません。レストランでサラダや野菜しか食べないということも、機会さえあればいつでも夢中になって砂糖をなめていることも、明らかに健康的ではありませんが、欲求不満を抱えていることも、健康的といえないことは確かです。こそこそ盗み食いしたり、食べ物を隠したり食べ物について嘘をつくことも健康的ではありませんし、自分自身を罰するということもやはり健康的なことではありません。

確かに、朝から晩まで砂糖をなめることはバランスのとれた食事といえないことは事実ですが、かといって自分自身にビクビクしながら生きていくこともバランスのとれた生き方とはいえません。遅かれ早かれ、野菜やタンパク質を求めるようになるでしょうし、そうなれば、それこそがあなたの食べたいものとなるわけですから、それを食べることになるでしょう。そしてそれらを食べて、テーブルから離れたら、もうその後一時間、ひょっとしたら明くる日まで、自分が何をしでかすかビクビクすることもなくなるでしょう。

これこそ、私が健康的というものです。

どのワークショップでも、「でも、自分が何を食べたいのか分からないというときには、食べたいものをどうやって食べたらいいのでしょうか。それに、自分の食べたいものさえ分からないとしたら、生活のほかの分野で自分の判断が、正しいのかどうか、どうして分かるのでしょうか」という質問が聞かれます。

まずは、まさに今、自分はどのような状態にあるのか把握することから始めてみましょう。自分が何を食べたいのか分からないとしたら、それはあなたにはこれまでそのことについてじっくり考えてみる機会が一度もなかったからであり、自分自身の状態を把握する能力そのものが絶望的に欠けているからではありません。自分が何を食べたいのか分からないとしたら、それは、あなたが、これまで、自分自身の望むものこそが自分のためになると一度も言ってもらえなかったからです。自分が望むものを自分自身に与える誠実さから芽生える自信を実際に目にすることで得られる健康を、あなたは一度も経験したことがなかったから、それが原因なのです。もしあなたが、自分が何を食べたいのか分からないとしたら、それは、米国ではダイエットが年商何十億ドルの産業となってしまっているからです。そのため多くの人びとは多額の金銭を費やさなくては、自分の望むものが、自分を破滅させるものではなく、自分を成長させ、いたわり、満たし、栄養を施そうと待ち侘びている自分自身の声であることを信じられなくなっているのです。そして、まさにこの現在の状況こそが原因なのです。

もしあなたが何を食べたいのか分からないとしたら、それは、今こそ、それを見つけ出すときがきているということなのです。

第3章
ながら食い
――座って食べなければ、食べたことにはなりません

「食べ物は、実際にお皿の上に盛られているときよりも、心のなかで思い描いているときの方が美味しそうに感じます。だって、想像しているときには、これはどんなに美味しいんだろうって、夢を膨らませていられるんですけど、実際に食べているときは、車の修理しなくちゃって考えたり、テレビでイブニングニュースを見たりして、別のことが頭のなかにあるんですもの」

解放ワークショップ参加者

八週間のワークショップの第一回ミーティングの最後に、「席について食事をしましょう」という内容の食事のガイドラインのリストを参加者に配りました。そして、「いいですか、これには車のなかで、ものを食べることは含まれていませんよ」と言い添えたのですが、そのとき会場には嘲笑のざわめきと笑いの渦が起こりました。私自身、笑いはしましたが、でもこれは、車のなかでものを食べるということがどういうことなのか、車のなかで食べて、食べて、何もかも食べ尽くしてしまうというのは実際どういうことなのか、よく承知したうえでの、言葉だったのです。

拒食症時代もその後二五キロも体重が増えてしまってからも、私の車はお気に入りのレストラン、親しみ深いキッチンテーブル、大切な食事友達でした。昔はよく、店に行って食べたいものを何でも買って、茶色の買い物袋をどっさり助手席に積み込んだものでした。どこか行き先があったり、先約があったりする際には、途中の車のなかでできるだけ多くの食べ物を口に詰め込んで、当の場所にいる間はそこへ来る前に口にしたものに思いめぐらすことで気を紛らわせ、用事がすむと、まるで恋人の温かい抱擁を求めて家路を急ぐように、自分の車に戻ったのです。食べ物は、私を抱き締めてくれる抱擁、キス、そっと寄り添ってくれる温もりでしたし、行くあてもないまま、ただ食べるためだけに車を走らせることさえよくあったものです。

車のなかで食べていれば安心でした。知っている人に自分の姿を見られることもありませんし、何かたずねられたり、批評されることもないからです。それに車のなかで食べても、それは本当に食べたこととは見なされませんでした。テーブルにきちんとついていない限り、お皿から料理を食べていない限り、車を走らせ、ギアチェンジ、ブレーキ、ハンドル操作に意識を集中せざるを得ない限り、それは食事とは見なされなかったのです。自分のキッチンであろうが、レストランであろうが、腰を下ろさないで食べたものは、考慮の対象にはならなかったのです。

どれほど食べようと、それは食べなかったことと見なされたなどと言っても、決して信じてはいただけないでしょう。

「どこで」食べたか、「どれほど」食べたかということは、「自分がものを食べた」という認識の最初の基盤ですから、これらは「何」を食べたかということと同じくらい重要なことなのです。

たとえば、次のような場合にはたとえ食べたとしても、食べたこととは見なされない、つまり、本当は食べていない、ということにされてしまうのです。

・ガスコンロで調理をしながらの味見。
・他人のお皿からちょっと失敬した数口。
・どこかに立ったままで。
・テレビや映画を見ながら。
・本、新聞、雑誌を読みながら。
・激しい感情、不安を駆り立てる会話をしながら、または会話に熱中しているとき。
・車のなかで。
・他人の家または、誰も周りにいないとき。
・食事は終わってしまったのに、当の食事で自分の食べたかったものが食べられなかったために、後でキッチンに戻って（または、そのまま食卓で）自分が本当に食べたかったものを食べているとき。
・どこであろうと、いつであろうと、自分自身に食べることを許していなかったときや予想外の場所や時間に食べてしまった場合。

これは、このようなときに食べたことで自分を非難するとか、このようなときには身体は満腹にならないという意味ではありません。本当は食べているのに食べないことになるというのではなく、むしろ食べてはいるけれども、関心がどこか別のところに向けられているために、その食べ物に満足できなかったり、罪悪感を感じたり、食べ過ぎたりしてしまう、ということです。そして、そのために、更にもっと食べてしまうことになるのです。

自分は本当はここにいるのではなくて、どこか別の場所にいるかのような感覚、つまり、「あっ、ご免なさい。それはどういうことかしら、すみませんが、もう一度教えていただけないでしょうか」というような、心ここにあらずの感覚はよく御存知でしょう。自分の意識がそこにないために、同じことを何度も繰り返したり、繰り返してもらう必要が生じるのです。会話や出来事は確かに起こってはいるのですが、関心がそこにないために、自分のなかでは起きていないことと同然に見なされてしまうのです。

食べつつも、意識はどこか別のところにあるときには、食べ終わったとしても食べたようには感じられません。しかし食べ物を求めて店へ行き、買い、運び、自分の口に入れたあなたは、確かにそれを食べたのです。鏡に自分の姿を映し、洋服がぴったり合わない自分の肉体に絶望を感じているあなた、食べたのはそのあなたです。体重が増えてしまうのもあなた自身なのですが、食事時には本当にほんのわずかしか口に入れないのですから、どうしてそのあなたの体重が増えてしまうのか、皆目、検討がつかないでしょう。

次にあげるのは、関心を食べることに集中させるために作られたガイドラインのリストです。

(1)　友人、夫または妻、両親、子ども、職場の同僚がはっきりと見ている前で食べましょう。
(2)　きちんと席に座って食べましょう。
(3)　ラジオ、テレビ、新聞、本、ボリュームたっぷりの音楽など、意識をそらせるものなしに食べましょう。

(4) 食べるときには出来る限り楽しく、栄養になる状況をつくるよう心掛けましょう。

(5) 食べているときには感情的な会話は避けましょう。

あなたは本当に食べるということをせずに、どれほどの食べ物を口にしているでしょうか。このガイドラインをそれぞれ紙に書き出してみてください。食べ物を口にし、これらのガイドラインのどれか一つでも守れたときには、いつでもそのリストに印をつけるようにしてみましょう。三つ守れたならば、その三つとも印をつけ、すべて守れたならすべて印をつけるのです。一週間も経つ頃には、食べ物を味わい、噛み、そして食べることから得られる満足から自分がどれほど関心をそらせてきたか、あなた自身に鮮明になってくることでしょう。

【ガイドライン1】

友人、夫または妻、両親、子ども、職場の同僚がはっきりと見ている前で食べましょう

高校生のとき、私のボーイフレンドのお母さんは毎晩、家族の夕食に私のための席も設けてくれました。「私はいつも食べるものを充分用意しておくの、だからあなたが最後の一分に現れても大丈夫よ。だって、あなたったら〝小鳥が餌を啄ばむみたいに〟、ほんの少ししか食べないんですもの」、彼のお母さんは言いました。しかし〈私自身〉は、自分ひとりのときや、友人のマリリーンといっしょのときには、ピザを半分、アイスクリームを三・八リットル、そのうえクッキーを一箱、ペロリと平

らげてしまうことをよく分かっていました。私は食べ物に狂っているということも、自分が何を食べることができ、何を食べることができないかに従って一日の計画を立てているということも、そして、本当は同じテーブルについている誰よりもたくさん食べられるのに、決してそうしないということもちゃんと分かっていました。それはほかの人びとがはっきりと見ている前で食べているからというだけでなく、同じくらい重要なこととして、それが食事だからでした。取り皿やナイフ、フォーク、ナプキン類などといっしょにきちんとテーブルに用意された食事だったからです。

大変太っていましたから、食事をとってはいけない、と思っていたのです。

体重過剰の人は食べることが許されるはずはない、という仮定でした。そのような人はたとえ食べることを許されたとしても、出来る限り少量、しかも低カロリーの食べ物しか食べてはいけないのです。今でさえ体重過剰なのにそのうえ本格的な食事をきっちりとってしまっては醜いほどでっぷりと太ってしまいます。これは、体重が過剰な人は、ひたすら食べずに、自分の時間を減量に費やすべきで、きちんと席について食事をとるということは体重を増やすということに等しいという仮定でもありました。結局、体重過剰でありながらしかも食事をとる人というのは、自分の外見を恥じもせず、体重を減らす必要のない人と同じように食べることで、実際には自分の肥満をこれみよがしに見せびらかしているようなものだといっても決して過言ではない、と考えていたのです。

仮定としては、体重過剰の人は食べるべきではないかもしれません。それでもやはり、生きるためには食べる必要がありますし、これでは食べるときには永遠に食べていない振りをしていなくてはならないことになってしまいます。そして何の嘘偽りもないとき、つまりほかの人がはっきり見ている前で食べるときとか、自分の意識をその食べ物に完全に集中させているときには、人目につかないようにし、まさしく「小鳥が餌を啄ばむように」食べなくてはならないのです。

食べてはいるのですが、関心の大半は、ものを食べ、味わい、嚙み、そして満足するという行為以外のことに向けられているときというのは、自分はものを食べているのではないという振りをしているのも同然です。

あなたは許されているのです。

おそらくあなたは、自分が食べることを許されていることを知らないのかもしれませんね。

呼吸し、歩き、おしゃべりをし、眠りにつくのを許されているのと同様に、食べることも許されているのです。あなたは生きているのですから、当然、そうしていいのです。これらはすべて、あなたに必要な権利ですし、食べなかったらあなたは生きてはいけません。食べるという権利を否定することは、あるレベルで自分の生命の重要性と価値を否定することでもあります。「自分のあるべき姿や理想とする姿以上に太っていたり、そう感じるために、自分にはもりもりと食事を楽しむ価値などない」と思ってしまうのです。そして発作的に、こそこそと隠れて食べるようになり、嘘を生きるようになる、つまり人の見ている前でものを食べるときと、自分一人で食べるときと、完全に違った食べ方になってしまうのです。「もし人に、私の真実を知られてしまったら、どれほどたくさん食べられるか知られてしまったら、そして、どれほどがつがつと貪り食うかを知られてしまったら、人びとは仰天してしまうでしょう」。このような思いは、「もし本当に私のことを知られてしまったら、もう決して愛してもらえなくなってしまう。私という人間は愛に値しないのだから、外に漏らさず、隠しておかなければならない」という思いと、さほどかけ離れたものではありません。偽りの生き方は、精神的な死活問題をもたらします。嘘をつかざるを得ない、人から愛されるためには自分自身を押し隠さねばならないということになってしまうからです。しかし体重が増えると、人目につきにくくなるというわけではありません。むしろ自分の食行動を隠せば隠すほど、ますます隠れられなくなってくるのです。

これはあまりにつらい生き方です。真実を告げることができないとき、自分とほかの人びととを結び付けている絆、すなわちつらさ、喜び、恐れ、幸せという共有の感情の絆を断ち切ってしまうことになります。自分とほかの人びととの間に橋を架けるどころか、自分の周りに壁を張り巡らし、自分の車、寝室、浴室などで、人目を避けて、もっともっと多くの時間を食べることに費やすようになってしまうのです。私にはどこかよくないところがあるんだわ、私ったらこんなことをして、ああ、誰にも言えない、誰にも理解してもらえない、と確信し、食べ物に訴えていくことになります。再び慰め、快さ、温かい抱擁を求めて。そしてあなたの周りに張りめぐらされた壁は、ゼイ肉の壁へと変わっていくのです。

他人についた嘘偽りの行動よりももっとつらいのは、自分自身についた嘘です。つまり、どれほど多く食べようと、自分は本当は食べていないのだと、自分に対して嘘をつくことです。あなたの到着点、自分は食べているのだということに気がつく地点まで、あなたは歪みの世界を、屈辱感に苦しみ、食べ物を貪り食いながら進んでいくのです。

ワークショップの女性である、マリアンは次のように述べています。

　仕事からの帰り道、私はめちゃくちゃに飲み食いしたい、過食をするんだと決心しました。私は車を止め、クッキーを一袋買って、そのほとんどを車のなかで食べると、残りを窓から外へ捨てました。家に持ち帰って主人に見つかりたくなかったのです。

その次の日、私は、クッキーが食べたい、「私が捨てたあのクッキーが食べたい」という思いで目が覚めました。そしてあの残りのクッキーを捨てた地点まで車で引き返したのです。一晩中、雨が降っていましたから、クッキーの袋は濡れてしまっていました。でも、それを拾い上げ、車の座席でびしょ濡れのクッキーの袋から、残りのクッキーを食べたのです。

湿気たクッキーなんて美味しくありません。湿気たクッキーは、糊のようにねちねちとし、じっとり重いでしょうし、一晩中地面に置きっ放しになっていたというなら、さぞかし泥臭い匂いや味がしたことでしょう。吐き気を催すものだったかもしれません。びしょ濡れクッキーと新鮮なクッキー、どちらか一方を選んでいいと言われて、前者を選ぶ人など誰もいないでしょうし、彼女がそれを選ぶと、予想する人もいないでしょう。マリアンは、あまりにも長い間、こそこそ隠れ、偽り、嘘をついてきたために、もはや他人の目から隠さなければならないことと、自分自身に隠さなければならないこととの区別がつかなくなってしまったのです。彼女はこのように嘘をついてきたために、徐々に浸透してきた自分についての確信、つまり、自分は人間が当然浴するに値するはずの品位や尊厳をもって楽しくものを食べるには値しないのだ、という確信を、振り払うことができなくなってしまったのです。

私はビッグ・サーにいたとき、相思相愛の男性といっしょに住んでいたのですが、それでもなお彼に見つからずに食べられる方法、場所、そして時を見出そうと多くの時間を費やしていました。〝何かよくないことを見事やり遂げる〟ということには、スリリングで意欲をそそるものがあり、私はそれに、自分が陥っていく、自分の気が狂っていく感じを抱いていたのです。彼が寝室に入るや否や、私はグラノーラを一掴み自分の口に詰め込んだものでしたし、彼が一、二時間家を留守にしようものなら、それを〝食べるチャンス〟と考えました。このようなときには、熱狂し、パニック状態に陥っていますから、ものを口にしても、味も何もあったものではありませんでした。これは、凝りに凝ったゲーム、私が足を深く踏み入れたゲームでしたし、精神生活の大半はこのようにして内密に営まれましたから、これは私と彼とを隔てるゲームでもあったのです。自分の食生活やボディサイズを批評したり、何を食べるべきで、何を食べるべきでないかを規制する、本来なら私自身がするべき役割を、無意識のうちに彼に託していたのです。そして、こそこそ隠れて食べたり、彼に嘘をついたりして反旗を翻すときというのは、実際には、自分自身に反旗を翻し、こそこそ隠れて嘘をつくことだったのです。唯一自分自身に責任がある食べ物は、ほかの人がはっきりと見ている前で自分が口にしたものだけでした。こうして私は、それまで彼に対しても私自身に対しても、実に巧みに嘘をついてきましたから、現実に自分の体重が増えたときには驚いてしまいました。

ほかの人に対して嘘をつき、こそこそ隠れて立ち回り、偽っているときというのは、実は自分自身に対して嘘をつき、隠し立てをし、偽っているときなのです。自分は人が見ている前でものを口にするに値しないのだとはっきりと自分に言い聞かせるとき、それは、自分は完全に人目に晒《さら》され、知られるに値しないのだと自分に言い聞かせているときです。自分自身の、覆いをかぶせた部分、傷つきやすく、はかなく、最も人間らしい部分、他者を求めて手を伸ばし、他者とつながる部分、そんな自分の一部分を外に締め出しているのです。

あなたは、自分が最も求め、必要としているもの、共感、親密さ、人間関係から自分自身を切り離しています。びしょ濡れのクッキーなどではない、温かい抱擁の可能性を切り捨ててしまっているのです。

私たちの多くにとって、食べるということは人目を忍んでこそこそと立ち回ることとほとんど変わらなくなってしまっています。数カ月前、私はきちんと席についてランチを食べました。そのとき、周りにはほかにも人がいたのですが、ふと気づいたら、その食事を慌ててすましてしまわなければならないような気持ちになっているだけでなく、食べることで、何か自分が悪いことをしているかのように感じていたのです。

六歳か七歳ごろ、私は地元のドラッグストアから『バンビ』のレコードを盗んだことがありました。このとんでもない行為は少々洗練さに欠けており、自分のセーターの下にレコードを隠したものの、運悪くレコードの角が胸の部分からはみ出していたのです。これは後になって分かったことなのですが、そのとき母の友人が偶然その場に居合わせ、事の次第に否が応でも気づかざるを得なかったことから、事態はますます悪化することになったのです。夕食後、母は刺繍を施したソファに私を座らせ、レコードを盗んだことを自分は知っているということ、ドラッグストアに戻り、盗んだレコードを返して、既に私の行為に気がついている、年寄りで禿げ頭の大男、薬剤師のハロルドおじさんに謝るべきであると言いわたしました。私は屈辱感を覚えました。「謝る？　あのハロルドおじさんに？　私が『バンビ』のレコードを盗んだことを認めろっていうの？　まさか冗談でしょう」。

次の日、母は私を車で店に連れて行き、母が車で待っている間、私は店に入り、レコードを元の位置に戻してからカウンターに行きました。「私、お店のレコードを盗んでしまったの。だから謝らなければいけませんって、ママが、ママがそう言っています。ご免なさい。ご迷惑をおかけしました。

じゃあ、失礼します」。私はそれだけ言うと、もうこれですんだんだという思いで、夢中になって駆け出しました。子ども心に最悪に感じられたのは、自分が道徳的に悪いことをしてしまったということではなく（なぜなら、私は『バンビ』が大好きで、バンビはお母さん鹿が亡くなってしまってかわいそうだと思っていたからです）、盗んだことがばれて、捕まってしまったということでした。

私はものを食べるとき、あのレコードアルバムのカバーが自分の胸の部分からはみ出していて、誰かがそれに気づき、おまえは悪いことをしているから謝らなければいけない、と言われるのではないかと感じることが時どきあります。捕まえられるのではないかとビクビクすることもあります。食べるということがなぜ悪いのか、それが本当に悪いことなのか私には分かりません。ただ、あの禿げ頭のハロルドおじさんに謝るという屈辱感から逃れたいために、謝るくらいなら、こそこそ隠れたり嘘をついた方がいい、つまりこの場合、もっと腕を磨き、洗練されたやり方（すなわち、自分の車やアパートやハンドバックのなかに食べ物を隠しておいたり、すぐに取り出すことのできる特定の場所を確保したり、歩きながら自分の口のなかに食べ物をうまく移動させる優れた技を身につけたり、さもなければ食べ物を歯で噛むのではなく、むしろなめるといった技に磨きをかけて、ほかの人といっしょにいるときでも、その人に気づかれずに食べていることができるようにすること）を身につけた方がまだましだと思ってしまうのです。

私たちは自分についての真実に……あたかもそれは、ひどく身の毛もよだつものであるかのように……気づかないようにしています。それは凝ったゲーム、一つの儀式です。自分の欲求や恐怖、つらさに関する真実に気づかないよう、凝ったゲームをしているのです。

ある日の午後、友人のルーと、自分でも恐ろしいことだと思いつつも、しでかしてしまったことにのです。ところがこのとき、彼は次のように言ったのです。

「でもさあ、君が自分自身についてひどく嫌悪していることって、僕にしてみれば、それこそまさに、すごくおもしろく感じるところなんだよね。それは君という人間の、つまり、君自身の内面を外へ開き、より深く、より広くしていってくれる、そういう部分なんだ。君が、隠そう、隠そうと必死になっているところはね、結局、君に翼を与えてくれる、そういう部分なんじゃないかなあ……」

真実とは、私たちがこそこそ隠れて立ち回り、偽り、食べ物をめぐって自分自身を欺いているときには決して明らかにされないものなのです。


それでは、紙を一枚取り出してください。

●まずは、「もし……（人名）が、私の食べたものや食べたかったものを本当に知ったとしたら」という書き出しで始め、……部分に当てはめる人びとの数だけ、それぞれ結果があり、それらはいずれも、あなたにとって真実であるという文句で、これらの文を終えてください。もし友人のベティ、あなたの恋人、母親が、あなたがどれほどの量を食べたか、食べたいと思ったかを知ったら、はたしてどうなるでしょうか。彼らはあなたといっしょに食べることを恐ろしく思うでしょうか。もし知ってしまったら、知らないでいる今よりも、あなたを魅力的に感じなくなってしまうでしょうか。それとも今までと変わらずあなたのことを好ましく思い、愛してくれるでしょうか。

●次は、「私は隠れ食いをします。それはなぜかというと……だからです」という冒頭で始めてください。あなたはなぜ隠れ食いをするのですか。もししなかったとしたらどうなりますか。自分の食べたいものをすべて貪り食うようになってしまうのでしょうか。たくさん食べてしまうからといって、人を拒絶するようになるのでしょうか。それともあなたが隠れ食いをせず、人前で食べたら、誰かに、食べるのをやめるよう言われるのでしょうか。

もう一度、数分間かけて（数秒間ではありません）このリストを完成させてください。何でも構いません。思い浮かぶ答えを書いてみてください。あまり深く考え込まず、あれこれチェックすることもやめてください。そうして、もう何も答えが浮かんでこなくなるまで書き続けてください。

迅速かつ正直に完成させたなら、このリストはあなたの行動や確信の基盤となっている動機や決心、仮定、判断を明らかにするうえで極めて有効なものとなるはずです。このようなリストを作ることには、これらの動機を明らかにすることで、自分でも何をしているのかわからない間に、思い込みから行動に走ることがなくなるというメリットがあります。それでもまだ、あの特有の仮定を信じるのかどうか、信じないならこのことに関して、今後どうしていきたいのか、自分自身に選択の機会を与えることができるようになるのです。

たとえば、先述の一番目のリストを次のように完成させるとします。「もしサラが、私が本当は何を食べたかったのかを知ってしまったら、彼女は私のことをもっとよく見るようになり、私がなぜこれほど太っているのか気づくでしょう」。即興的に、あまり考え込まずに答えると、私は太っているけれど、服や姿勢、それに少ししか食べ物を口にしないことでそれをサラに隠している、というようになります。ここには、もし彼女が私が食べたものを知ったら、私が太っていることに気がついてしまうだろうし、私が太っていることに気づいたら、もうこれまでほど私のことを愛してはくれないのではないか、という口には出せない仮定があります。そしてこのような反応が私のなかで作用しているからこそ、サラと食べ物をめぐって不快な感情を抱いたり、こそこそ隠れて立ち回ったりするようになってしまったのだということに気づいたとき、これが実際に真実なのかどうか自問してみることができるようになったのです。第一に、私は本当に太っているのでしょうか。第二に、彼女といっしょにいるときには小鳥のようにわずかしか食べないことで、私の最も親しい友人のひとりから身体を隠すことができると本当に信じているのでしょうか。最後に、私が本当はどれほどたくさん食べるのか、食べたいと思っているのかということを彼女が知ったら、それは私の自分自身に対する感じ方やサラの私に対する感じ方にどのような違いをもたらすことになるのでしょうか。

最近、ある友人が、私が今よりも一八キロも体重が重かったころの写真を送ってくれました。それをサラに見せました。すると彼女は、「これ、誰？」と聞いたのです。私は本気でそんなことを聞いているのかとたずねました。「そうよ、本気よ。これは誰なの」彼女は言いました。

「これは、私よ、サラ。あなたが初めて私に会ったころよ。初めて会って、私のことを美しいと言ってくれた、あの頃の写真よ」。

「まあジェニーン、あなた、本当に変わったのね。でも、私、あのころ、あなたって美しいなあって本当にそう思ったのよ」。

それから私は、当時自分がどれほど自分の身体を嫌悪していたか、サラが私の方を向いてあなたって本当にきれいねとよく言ってくれたことを思い出しました。そして彼女のことを信頼していた自分自身も思い出したのです。

サラは、私の身体について全然批評的でも何でもなく、私に対する友情に私の身体は何の影響も与えなかったというなら、私が彼女の目を盗んでこそこそ隠れ食いをしている現実は何の意味もなかったということになります。私のこの即興的な返答には、過去の確信や過去の出来事が反映しているのかもしれません。たぶん私には、子どものころ、自分の体重のことで友達から批評されたりからかわれたり〝した〟記憶があったか、もしくは私自身がいつも他人の体重を気にしてばかりいたために、相手の方も私の体重に批評の目を注いでいると思い込んでいたのかもしれません。ひょっとしたら、隠れ食いにあまりに慣れてしまったために、この習慣を続けていく、至極もっともな言い訳を見つけようとしているのかもしれません。理由は何であれ、それらは先ほどのリストによって明らかにされたように、実際は、私が信じているものとは違っていたのです。そしてこれを発見したことにより、私は自分の即興的な、多くの場合無意識な反応をじっくり検討するチャンスを手にすることができます。また、この発見のお陰で、私の確信の重い金属の鎖に小さなひび割れが生じることにもなるのです。この発見は私にこう語りかけます。

「ちょっと待って、ジェニーン。あなたは、盗み食いをしなければサラはもう愛してくれなくなるのではないかと考え、だから盗み食いをするのね。でも、彼女はこれまでも、そして今でも、あなたのことを愛してくれているし、あなたの主な性格が変化しない限り、これからも愛してくれるわ。だから、盗み食いなんてする必要がないのよ。それでもやっぱりあなたはしたいのかしら」。

リストを作ること（何であれ、私たちの無意識の動機を明らかにしてくれることをすること）で、私たちを突き動かす力、確かに昔はその通りだったかもしれませんが、今ではあまりにも絶大になり過ぎてしまったために、多くの場合正当性を失っている力に着目することができます。毎日の主な行動の基盤となっていながら、現状にそぐわない確信を自覚することで、新しい確信が生まれるチャンスが訪れます。これによって私たちは選択の機会を手にすることができ、古い確信に縛られることなく、自分自身で自分の人生を歩んでいくことができるようになるのです。

終始食べ物を盗み食いし、嘘をつき、偽り、食べる資格がないと感じている自分に気がついたとしたら、それにはそれなりの理由があります。あなたは気が狂っているのではありませんし、異常なわけでもありません。強制されている、やめるのが恐ろしい、という気持ちがある限り、それに対する防衛策、自分を守る手段として、今の行動から離れることができません。自分の行動を自分自身から無理やり剝ぎ取ろうとしてはいけません。そんなことをしても、ますます恐れおののき、自分が恐れるものから自分を守ろうとする必要をさらに一層強めるだけです。ゆっくりゆっくり変えていくことにしましょう。あなたは自分自身に対する防衛策としてこのような行動をとっているのだということ、何かもっともな理由があってこのような行動を発展させてきたということ、さらに、まずその目的を見つけなくては、これらの行動をやめることはできないということを信じてください。私はワークショップの方々にそう話しています。私たちがここにいるのは、その必要があるからです。もし何か意味のないことをしているように思えたら、それをもっと深く見つめてみましょう。意味のないことにも、きっと意味があるはずです。

私は十一、二歳頃から盗み食いをするようになりました。夜、パジャマのパンツにミルキーウェイ・アイスキャンディーを二本隠して階段を上がり、両親の寝室の前を通って自分の部屋に入りました。母が入って来たらすぐに口に入れたものを吐き出せるように、丸い木製のくず籠《かご》を下において、ドアに背を向けて座り、食べたのです。ある晩、アイスキャンディーを二本とも食べ終わってしまってから、床に座り込んでシクシクと泣き出しました。こんなにもカロリーを取ってしまった自分がほとほと嫌になったのです。とことん痩せていたいというのが私の願いでしたし、体重は母と私の一大関心事だったからです。母に関心を払ってほしかったから、だからつまみ食いしたのです。捕まえられ、体重が増えてしまったことがバレれば、母の関心を確実に得られることを承知していたのです。盗み食いをすることで私は、愛されるためには痩せていなければならないという、到底まともとはいえないながらも、私自身が信じ込んでいた仮定に私なりに怒りを表現しようとしていたのです。それは、「ママがどう考えようと、何を言おうと気にしない。私のことを愛してくれようとくれまいと、そんなことは構やしないのよ。私は食べるの。ママがそれをどう思おうが、私は食べる」と伝えたかった、私なりの言葉でもありました。ミルキーウェイ・アイスキャンディーは……私のではなく……母の好物だったのです。

ビッグ・サーに住んでいたときにも、これと同じようなことがありました。恋人のリーから絶対に自立したかったのですが、どのようにそれを表現したらいいのか分かりませんでしたし、自分がどのような仕事をしたいのか、時間をどのように使っていいのかも分かりませんでした。途方に暮れ、混乱し、無性に彼の関心を求めました。いつも自分の体重について話題にしていましたから、彼も私の体重を大変意識していました。ところが、私は食べ物に関して嘘をついたり、食べなかった振りをすることで彼を遠ざけてしまったのです。そして彼の好みの朝食、グラノーラとミルクをめちゃくちゃにやけ食いしたのです。

このような経験をしてきたにもかかわらず、もし今、食べ物を盗み食いしている自分に気づいたら、今でも同じことを繰り返さずにはいられない妄想に自分がどれほどかられているか、ということよりもむしろ、今、いったい誰の目を逃れようとしているのかということに着目します。これまでの経験から、自分が盗み食いするときというのは、何か、そのときに自分が求めたり必要としているもの（愛、いたわり、関心）が自分にはないということを示そうとしているんだと分かっています。それに、そうすることで自分の拒絶感を示そうとしていることもあります。このようなとき、盗み食いは「もし私が、あなたの目の前にいる今の私でいられなくなったら、私の後ろに隠れているもう一人の私が現れてしまうのよ」と伝える、私なりの言葉です。

子どものころの私は、「私は怒っているの」「ママ、私の方を振り向いて」と伝える言葉をもっていませんでしたし、はたしてそれを口に出していいものかどうかも分かりませんでした。ひょっとしたらそれは、口に出しては〝ならない〟ものだったのかもしれません。たぶん、母が当時、人生の極めて傷つきやすい時期にいたことを感じとっていたのではないかと思います（実際、母はそうでした）。仮に私が自分の怒りをぶちまけたとしても、とても理解ある寛容な反応など示してくれるはずはないと子ども心に感じていたのでしょう。当時の私には母親を疎んじる余裕などありませんでしたし、ほかの母親を選ぶこともできません。精神的な面だけでなく、食べ物、衣服、住居といった物理的な面でも、生きていくために母が必要だったのです。この状況を自覚し、知っている最善の方法、ミルキーウェイといっしょに自分の感情をも飲み込んでしまうことで必死に生き抜いたのです。

子どものころの私に選択の自由はなく、私の母親はただ一人、現在の母だけでした。しかし大人の女性となった今、自分が親しくしたい友人や人びと、それに私を理解し、寛容に受け入れてもらいたいと思う人びとを自分で選ぶことができます。私が自分の人生に求める人というのは、私の怒りや好奇心を敏感に感じとってくれるような人だけです。常に頼りがいがなく横暴で、他人の気持ちを気づかう余裕のない人など、人生に必要と思ったことは一度もありません。私は、「あなたを愛しているの」「私は怒っているのよ」と相手に言うことがなかなかできませんし、逆に、私に向かってそのような言葉を向けてくる友人も必要とは思いません。今なら私を受け入れてくれる、話を聞いてくれる、私の価値を認めてくれる、と私自身が感じることのできる人びとで、自分の周りを固める生き方を選ぶことができますし、事実、そうするようにしています。

自分は何の意味もないことをしているのではないかと感じるときには、そのことにもそれなりの意味があると仮定してみましょう。そして、自分はそのような行動をとることで何をしようとしているのか、何を伝えようとしているのか、自分自身に聞いてみてください。あなたがしていることはあなたにとってどのように役立っているのでしょうか。それはあなたに代わって何を伝えてくれているのでしょうか。

こそこそ人目を忍んで盗み食いをしたり、車のなかで隠れて食べるということが、あなたにふさわしいとは思いませんが、あなたのそのような行動を変えるためには、その前にその特定の行動を通じてあなたが表現しようとしていることは何なのかあなた自身が発見する必要があるのです。そのような行動は過去のつらさを思い出させる状況や感情によって誘い出されます。だからこそあなたはかつて自分がとった方法、その当時は確かに有効だったかもしれませんが、今となってはそのほかの、たとえば食べるためではなく話をするために口を使うといった、より直接的な行動ほどは有効でない方法に、即座にとびついてしまうのではないでしょうか。

【ガイドライン2】
きちんと席に座って食べましょう

立ったままで一口、または一つまみ食べる食べ物とは、座っているときには食べないもの、決して食べようとはしないケーキや料理などです。立ったままでチョコレートケーキを食べればすばやく口のなかに放り込んで、それで納得し、自分が食べたということをさっさと忘れることができます。座るということは、自分は食べるんだと判断したことを意味します。立ったままものを食べるときには、食べようという判断をせずに食べているのです。とにかく一刻も早くそれを口に放り込んでしまうことで、自分がしていることに気づかずにいたいと望んでいるのですが、反面、結局満足感を感じないままに終わってしまうことになります。

座るという行為は、自分は食べることを認めたんだ、自分にそうすることを許可したんだということを意味します。自分にそれを許可したとき、あなたはゆっくり落ち着いて食べ物を味わい、自分が食べたいと思う量を見極め、判断することができます。ものを口にしながらも自分の意識をそらせて食べているとき、あるいは食べようとするとき、それは一つの競争、一つの挑戦となります。自分の意識がストップをかける前にどれほど食べ物を頬張ることができるでしょうか。その答えは、たくさん、そう、たくさんなのです。

立ったままものを食べるとき、どのような食べ物を食べますか。

思わず立ち食いをしてしまうような特定の状況や感情はありますか。
立ち食いしていて楽しいですか。

次の一週間、あなたがものを口にしているときに、自分が立ったままであることに気がついたら、その都度、以下のことを試してみてください。

●それではまず、座ってみましょう。あなたが今どこにいようとです。たとえば、今、冷蔵庫の前にいるとしたら、扉を開けたままで結構です。その場に腰を下ろしてください。台所の流し台やテレビの前に立っているとしても、そこで座ってみてください。会社にいるなら椅子に着席すればいいでしょう。腰を下ろしてみて、自分がしていることに対する感じ方に何か変化があるかどうか、着目してみてください。急いで、あるいは自分がしていることに気づく前に、食べてしまおうという衝動に何か変化があるかどうか着目してみてください。

●次はそれを書き留めることにします。以下の質問に答えてみてください。
・あなたがこれを食べ始める前、いったいどのようなことがありましたか。
・立ち食いをすることで、あなたが得られるものは何ですか。

調理台に向かって立ったまま、料理をしながらものを口にするというのは、本当に食べたことにせずにものを食べる、もう一つの方法です。「お料理をテーブルに出す前には味見をしなくてはいけないんですよね……だって、お塩が効き過ぎていたら大変でしょう？」これは限定付きのイエス、もっともな理由です。しかしより大きな視点から考えると、これもまた身体的・精神的どちらにおいても自分を満足させることのできない食べ方です。料理を作りながら調理台でものを食べるとき、あなたの頭のなかには自分がこれからテーブルにつくという意識はありませんから、いざ食事時間となったときには、満腹のうえに、さらに食事を詰め込んで、気分が悪くなるか、せっかくの美味しいものを食べ損なってしまったかのような気持ちを抱えながらも、何とかそれをごまかし、ごまかしして、食べずに過ごすか、どちらかになってしまいます。

このようなとき、そうならないようにするには、次のような方法があります。

(1) 誰かほかの人に味見をしてもらいましょう。

(2) 自分で味見をする場合はほんの少しなめるだけ、ほんの一口噛んでみるだけ、またはスプーン一杯だけにとどめておくようにします。

いずれにしても、調理台の前に立って食べるということがどのように感じられるかに着目してください。腰を下ろして食事をするよりも、立ったままの方が楽しいでしょうか。少しでも多く食べたいから、そのような食べ方をしているのではないでしょうか。調理台で食べることで、あなたは、そのような場所でものを食べるのはどのような人間で、どのようなときであるかについて、自分の考えを表現しようとしているのではないでしょうか。あなたのお母さんは調理台で食べましたか、それとも座って家族といっしょに食べましたか。それは、あなたがすべきだと思っていること、それまでいつもやってきたことですか。それともあなたがしたいと思っていることですか。

【ガイドライン3】
ラジオ、テレビ、新聞、本、ボリュームたっぷりの音楽など、意識をそらせるものなしに食べましょう

このガイドラインをワークショップで話すと、睨みつけるような視線やしかめっ面、冗談じゃないと言わんばかりの言葉が飛び交います。一瞬の沈黙の後、「そんなこと無理だわ」「そんなの馬鹿げてる」「『ニューヨーカー』の漫画を読みながらでないと、私、食べているものを楽しむことができないわ」「アン・ランダーズは消化を助けてくれるんですもの」「主人の言うことを聞いておくべきだったんだわ。主人は私にこんな所に行くなって言ったんです」「トム・セレックがあるからこそ、過食をせずにすんでいるのに」という声が返ってきます。

確かに、ものを食べるとき、私たちの周りには、意識をそらすものが実にたくさん存在しています。食べるときには食べることだけに集中するというのは実際本当に難しいことなのです(何をするにしても気をそらさずにそれをするということは難しいことです)。しかしいくら私たちが食べることが好きとはいえ、食べている間中、終始何かほかのことに意識を傾けているとしたら、はたしてどれほど食べることを楽しめるでしょうか。

食べることから気をそらせることの裏には、働きながら、読書をしながらでなく、ものを食べるためだけに時間をとるのは自分に対する一種の甘え、贅沢だという確信があるとしたら、あなたは常日頃から食べ過ぎているのではないでしょうか。でもそれは自分に食べる権利をまったく許すことができない現実を補ったり、反抗するための食べ過ぎなのです。

本を読みながら食べる、テレビを見ながら食べる、何であろうと、食べ物以外のものに意識を集中させながら食べるということは、盗み食いほどあからさまではありませんが、食べることに対する責任を負ったり、それを自覚する必要をごまかして食べ物を自分の口に運ぶ方法であることに変わりありません。このような状況ではその食べ物を存分に味わうことはできませんし、満足感という微妙な感覚に意識を集中できませんから、食べ過ぎてしまいます。食べて、なおかつそれを意識せずにいられる、もしそれがあなたの望みというならば、それはそれですばらしいことと言えるかもしれません。私にも、意識的に無意識でいようと決める瞬間があります。それは自分の行動をしっかり自覚して、責任を負っていくことに疲れたとき……つまり、一息つきたいときです。そのようなときには実際そうすることにしています。流し台の前に立ったままプレッチェルをカリカリやったり、本を読みながらスパゲッティを食べたりもします。しかし、このようなときでも別に私の心臓は、ドキドキしたりしません。自分は何か悪いことをしている、もし誰かが入ってきたらこれをベッドの下に隠さなくては、という気持ちはないからです。

あなたが断固として、食べている間中、本を読んだりテレビを見たり、仕事をすることをやめたくないというなら、まさにそれ、そのこと自体に着目してください。そのような気持ちの裏にある強いこだわり、それほどまでに思うその拘りに着目してください。ひとまずそれを受け入れるのです。押しのけてしまう代わりに、そのように意識をそらしながら食べている間、あなたはどれほどその食べ物を味わっているか、どれほど自分の身体に食べ物を詰め込んでいるか、その食事に関して自分は何を楽しんでいるのか、ゆっくりと落ち着いて自覚していってください。

一回だけでいいのです……一回の食事の間、決してテレビを見たり、本を読んだり、仕事をしたりしないと心に誓ってください。さあ、どうなるでしょう。見守ってください。

それを不快に感じたら、なぜなのか自分に聞いてみましょう。それは、自分には自分の意識をすべて食べ物に費やす資格などないと感じているからですか。自分が食べることで無駄にしてしまった時間や、本来ならその代わりにすべきだったことについて考え、だからこそ、そう感じるのではないですか。

これらの質問にもし「はい」という回答が返ってきたら、四、五日間に一日、一回の食事を、食事以外のことに気持ちをそらさずに食べてみてください。その方がスムーズに食べられませんか。もしそうならば、今度は一日に二回、間食で、食べることに集中してみましょう。一回の食事時間があまりに長くかかってしまうときには、気持ちをそらさずに食べてみてはどうでしょう。そのとき浮かび上がってくる感情をあれこれ詮索せずに、注意深く心に留めてください。ただ着目するだけでいいのです。

ながら食いは、日常的な習慣もしくは儀式のようなものになっていますし、習慣や儀式を変えるのは難しいことですから、気をそらすことなしに食べるのはきっとつらいことと思います。

あなたは食べることに集中することで、家族のメンバーや親しい友人と席を並べるのがつらいのでしょうか、彼らとの団欒がつらいのでしょうか。

【ガイドライン4】

食べるときには出来る限り楽しく、栄養になる状況をつくるよう心掛けましょう

夕食に来客があるときには、テーブルをセットし、キャンドルに明かりを灯し、かわいらしいテーブルクロスやナイフ、フォーク、鍋敷きなどを置いたりして、手間暇かけて用意しますよね。大切なお客様をお迎えするのですから、きちんと準備を調えたいと思うことでしょう。

でも、それはあなた自身についても同じことです。

誰かほかの人、本当に好きな人のために費やすであろう時間を、あなた自身のためにも費やしてあげましょう。

これは素敵なことに聞こえますが、実際には容易なことではありません。「たった一人のためにそんなことをするなんて、面倒臭いわ」。一人暮らしならばきっとこう言うでしょうし、一人暮らしでなくても、「そんなこと、面倒臭すぎるもの。ただそれだけ、だからしないの」と言うかもしれませんね。

新しいパターンを開拓するためには努力と忍耐が必要です。時間をかけて新しい習慣を確立するよりも、古い習慣に安易に流される方がはるかに簡単だからです。しかし、いったん新しい習慣が確立してしまえば、それは古い習慣に取って代わり、以前と変わらず続けていけるようになるものです。

あなたは大切なのです。それに、もしあなたが自分にも、このような心遣いを受ける価値があると考えたとき、食事はまったく別なものへと変わるでしょう。食べることで何か悪いことをしているわ

けではない人間の一人として、腰を下ろして食べるのです。あなたは食べることを許されているのですから、人間として、当然、腰を下ろしていいのです。

【ガイドライン5】食べているときには感情的な会話は避けましょう

私の場合、怒っていたり悲しかったりすると、胃がキューキューと締め付けられるような気がし、喉がこわばってきます。

一方、幸せだったり興奮したりしているときには、心臓がドキドキし、やはり胃がキューキューと締め付けられます。

私は現在三十三歳ですが、十七年間もの間、幸せなときに食べ、悲しいときに食べ、興奮したときに食べてきました。十七年間、あらゆる感情に食べることで応じてきたのです。そして今から五年前、やっと、感情の虜《とりこ》になっているときにものを食べるということは、もう既にあふれんばかりで、新たに入れる余地などまったくないグラスに、さらに水を注ぐようなものであることに気がついたのです。

身体と精神が相互に反応し合っているようなときに、食べることはふさわしくありません。そのようなときには食べ物を利用してはいけないのです。身体がほかの作用をしている間は消化速度が落ちます。心臓の鼓動は速まり、アドレナリンが分泌されて緊張が高まります。身体は自己防衛体勢をとり、次に何が起きようともすぐに反応できるよう準備を調えているのです。

食べている間に感情的な会話や緊張した会話にかかわると、食べ物といっしょにその感情をも飲み込んでしまうことになります。不安や不意打ちを食らった神経、トラブルに陥った感情を飲み込んだとき、あなたに残されるのは、不安に駆られ、不意打ちを食らい、トラブルに巻き込まれ、そして既に満腹となった身体だけです。アイスクリームはあなたの喉の詰まりを溶かしてはくれないのです。

もし食事中に友人や職場の同僚に会うときには、食べ終わってしまうまで、精神的に負担の大きい会話は避けるよう心掛けるか、お茶か散歩のときに相手と会うようにしたり、会って話をするだけにしましょう。それで充分なのです。

「感情を食べるというのはどういうことなのでしょうか」。仕事のことを話し合ったり、詳しく議論を検討したり、新しいアイデアを話し合ったりするための、恋人、友人、同僚とのビジネスランチやディナーをやめてしまうなどという考えはばかばかしいように感じられます。

しかし食べるときには食べる、働くときには働く、悲しいときにはどっぷりと悲しみに浸る、そして何もないときには、何が起こるのかじっと見守っている、それがどのようなときにも当てはまる考え方です。

私は、あなたに何かをするよう強制しているのでもなければ、自分の行いをもとに自分自身を批評するよう求めているのでもありません。これは、とことん突きつめて考えていくということ、つまり切羽詰まったり、熱狂したり、がんじがらめに罪悪感に陥ることなく食事をするためには何が有効なのか、とことん見極めていくということなのです。

最後に、あなた自身にとって有効なものは何か発見しなくてはなりません。これらのガイドラインを規則や真実として絶対視しないでください。これらを試してみて、あなたが自分自身についてより良い感情を抱くために役立つかどうか確かめていただきたい、私はそうお勧めします。もし役立たないならば、何か役立つようなことをしてみましょう。大切なことは、あなたの生活の質を改善することであり、このうえさらに減量の失敗に上塗りさせて、あなたを惨めにさせようとしているわけではないのです。

第4章
いつ箸を置きますか
――もう充分ならば、それでもう充分なのです

「一つ食べて美味しかったら、もっとたくさんあればもっといいのに、って思うの」
私の母

一年に二回、私たちの家族はテキサス州の祖父母を訪れます。到着するとすぐに、ブリンチェ、ボルシチスープ、ブリオッシュパン、クネッケン、それにコーヒーケーキがずらりと並んだ、豪勢な食卓につくことは分かっていましたから、何週間も前から祖母の作る料理を楽しみにしていました。私たちの食べ方はそれぞれ個性豊かで、母はボルシチスープとブリオッシュに熱中していましたし、兄はすべての料理から一つずつ取って自分の皿にどっさり山盛りにしていました。私はというと、まず一つの料理を取って、それを食べてから次の料理を取り、一番のとっておき、ブリンチェは一番最後まで残しておきました。私たちがもう満腹になり、テーブルから自分の椅子を引こうとすると、祖母は、「さあさあ、もう一つお食べなさい。もう充分満腹になっても、さらにもっと食べるの。そうすれば、満足するものよ」と言ったものでした。覚えている限り毎年毎年、食事が終わる度に祖母はそう

言っていたのですが、私はいまだに祖母が何を言おうとしていたのか分かりません。さらにもう一つ何を？　もう一口、もう一切れ、もう一さじ、それともボールにもう一杯？　それに、もう充分というのはどういうことなのでしょう？　私は空腹から満腹へ、更にはあまりにも満腹になり過ぎて、吐き気を催すほどになったことを覚えています。充分というのは満足したということだったのでしょうか。それとも満腹ということだったのでしょうか。

これは、どのワークショップの最中でも何度も私が耳にする質問です。過食から解放されるための第一のステップは、空腹のときに食べるということを自分自身に認めることです。そして次のステップは、自分が何を求めているか自覚し、それを食べるようにするということで、その後、充分という状態が本当にもう充分となるまさにその時を認識するステップに入るのですが、空腹というのはいつまでもしつこく声高に騒ぎ立て、到底間違いようのないものなのに対し、充分という状態は微妙で、物静かで見逃しやすいものなのです。

三年ぶりに恋人ができた友人のジャニスが、つい数日前、こんなことを私に言いました。「私ね、セックスを始めたら、いつやめたらいいのか分からなくなっちゃうの。何時間もセックスした後でさえよ。もうくたくたでただただ目を閉じ、ひたすら眠りたいのに、それでもまだセックスを続けていたいと思っちゃうの」。

ジャニスは恋人と肉体的に親密な関係となった今でも、依然としてそうなるまでの何年間ものつらさを抱えているのです。彼女のなかにはまだ、独りぼっちで寝ていた自分自身に泣いている部分があり、今の彼女自身の状態に追いつけていないのです。彼女は過去と未来、その両方のなかで生きていて、かつて自分になかったもののせいで今でも苦しみ、今後またなくなってしまうのではないかという恐怖から何とかそれを蓄えておこうとしているのです。

欲求不満と底なしの強欲さは、表裏一体です。自分はその食べ物を口にすることを許されてはいないと感じつつも、とにかくそれを食べてしまっているとき、あなたは、それを食べる最後のチャンスともなりかねないその機会を手放したくないと思うことでしょう。それを食べることを許されてはいないと感じるとき、無理をしてでも、出来る限り多く食べなくては、という気持ちに駆られるのです。これは満足感とは関係のないものであり、このようなときの充分というのは、物理的に、もう一口も飲み込むことができない状態のことをいっているのです。

いつ食べるのをやめるかということは、なぜ自分は食べているのか、自分はもう既に食べたというときをどのように感じたいと思っているかによって決まります。

ワークショップが始まって数週間経った頃や、自分の食事パターンに自分なりに取り組んでみたりした後には、空腹感を認識しやすくなってきます。空腹はグーグーと呻《うめ》き声をあげてもがきます。それがあまりにもひどくなると、イライラ、ピリピリし、気も狂わんばかりになることもあるでしょう。ワークショップの参加者が、「そうよ、今だわ、今なら私、空腹のときにものを食べてるって言えるわ。でも、いったん食べ始めてしまったら、食べ物をすべて平らげ、お腹にパンパンに詰め込んでしまうまで、止まらなくなっちゃいそうな気がするの。こんな今、どうしたらいいんでしょう」と口にしだすのは、まさにこの時点です。

この「今、どうしたらいいか」という問題ですが、それにはこのようにしてみてはどうでしょう。

まず食べ始める前に、自分が空腹であることをしっかり確認してください。確信がない場合、あなたには食べ始めるよう誘いかける身体的引き金が初めから何もないわけですから、満腹近くになっても食べるのをやめるよう誘いかける身体的引き金もないということになります。空腹でないときに食べると、食べ過ぎてしまう可能性が常につきまとうことになります。これでは、あなたの身体がその時点で求めてもいなければ、必要ともしていないものをお腹に入れてしまうことになり、疲れてもいないときに何とか昼寝をしようと無理しているようなもので、適切とは言えません。

空腹でないときに食べたからといって何も悪いことではありません。つらかった一日が終わった後には、自宅の玄関に足を踏み入れた瞬間、食べ物以外何も……抱き締めてくれる腕も、キスも、長く待ちわびていた手紙も、友達からの電話も、もう何もかも全然ほしくないというときがあるものです。だからといって、それはあなたが悪い状態にあるということではなく、ただ身体的な空腹以外のものを満たすために食べ物を用いようとしているだけなのです。自分はいったい何を食べたいのか、出来る限り特定してみましょう。そして次に、これは私のところに来る人たちに言っていることなのですが、座って、それから食べるようにするということをしていただきたいのです。満腹になる前から、自分の身体に食べるのをやめるよう語ってくれることを期待してはいけません。この場合あなたの身体はあなたに食べ始めるよう語ってくれなかったわけですから、それではなぜ今、あなたは食べているのか説明できません。ここでは先のガイドラインは忘れ、その食べ物の温かさ、感触、新鮮さゆえに食べることを自分に許し、食べ物を必要としたのがあなたのなかの何であろうと、それが充分満たされたならば、そのときにこそ食べるのをやめていただきたいのです。ほんの数口食べただけで満足できるときもあるかもしれませんし、ズボンのボタンがはちきれ、もう後はひたすら眠りたい、それ以外は何もしたくないというほどにならないと、充分満足した気持ちになれないこともあるでしょう。でも、ほら、スカーレットも言っています、明日は明日の風が吹く、と。

満足感はあなたの気分、精神的欲求、身体的な健康状態に関係があります。ある日にはあなたを満足させてくれたことでも、その翌日にはそれではまだ充分とは言えないこともあるでしょう。私はほとんどの場合、空腹のときに食べ始めたいと思いますし、まだ食べ物の入る余地がある時点で食べるのをやめたいと思っています。身体がほどよく軽い感じ、つまり空腹ではないが満腹というわけでもないという感じを心地よいと感じます。

これはそれほど昔のことではないのですが、私は自動車事故に遭いました。時速八八・五キロで突進して来た相手の車に私の車の運転席側は押し潰され、危うく頭をぶつけるところだったのです。幸い私はかすり傷一つ負いはしませんでしたが、ブルブル震え、自分という人間のはかなさを強烈に実感しながら身体を起こしました。この事故があった直後、私は何かに触れてもらいたいと思いました。何か、生きて息をしているもの、心臓が鼓動している、温かい生身の肉体をもつ何かに、隣にいてほしいと思ったのです。そして、たった一人っきりで暮らしていて、そのような肉体的な温もりを保てないことに泣き疲れ、眠りに落ちました。翌日、空腹になったとき、ライスに野菜、ベイクドポテト、ラザニア、パン、さらには卵やトーストといった、どっしりお腹にたまる、温かい食事を大量に食べたいと思っている自分に気がつきました。私は満腹になりたかったのです。それに温かくなりたいと思いました、自分の肉体の確かさや強さを実感したかったのです。私は生きている、それが本当に嬉しく、私の知る限り、人間の次にすばらしいもの、つまり食べ物に助けを求めました。そして普段、私は二食なのですが、その日は一日に三度も重い食事をとっている自分を見つめ、自分の身体が事故に適応しようとしていることを理解するとともに、身体が何を必要としているかを悟ったのです。しかしそれでもなお、心の奥では、今ではもうお馴染みとなったあの声、ああどうしよう、こんなにたくさん食べているなんて信じられない、こんなことがこのまま続いたら、私は飛行船のように膨れてしまう、夕食はニンジンにしておこうかしら？　というあの声がこだましていたのでした。

もしあのとき誰かに触れてもらえていたら、寄り添い、愛情を込めて抱き締めてもらえていたら、こんなにもたくさんの食べ物を求めはしなかっただろうとも考えられますが、それでもやはり私は、自分の身体のはかなさに対する感情、いつ何時自分の身体は粉々になってしまうかもしれないという圧倒されそうな恐怖を抱え、うろうろさまよい歩いていたに違いないと思っていますし、依然として、満腹、温もり、強さを実感したいと思い続けていたと思います。しかし、たとえ私が人に助けを求めることができないからというただそれだけの理由で食べ物に助けを求めていたとしても、それはそれでいいのではないでしょうか。人生の最大の課題は、ありとあらゆる犠牲を払ってまでも痩せていることではありません。私たちは出来る限り自由に、かつ愛情豊かに、自分が必要とする助け、栄養、温もりを自分に与えたい、と願っています。そしてその源が食べ物であるならば、そのときには自分に食べることを許してもいいのです。しかし、それにはその自覚がなくてはいけません。ところが私たちは、自分の背後には悲しみ、孤独、恐怖がある、だから自分は食べているんだ、幸せだから、どきどきしているから、嬉しいから、だから自分は食べているんだ、食べ物ほど美味しいものはほかに何もないから、だから自分は食べているんだという自覚もないまま、ただただ無心に、何も考えず、ただそれ以外にすべきことが何もないという理由から、食べ始めてしまうのです。

時どき私たちは、単に端目から見て軽やかな自分の姿が好きだからというだけでなく、現在の自分の生活にそれがふさわしいという理由から、軽やかに感じられるようになりたいと強く求めることがあります。それは身体を動かしたり、ダンスをしたり、旅行をしたりしているときかもしれませんし、年間を通して最もエネルギッシュで創造的に感じているときかもしれません。ところが、重い食事をとることはそれだけでエネルギーがいり、結局疲れるものですし、一応それなりに食べられるとはいえ、日によって、季節によって、私たちの食欲は変化しますから、当然それに応じて私たちを満足させてくれるものも変わってきます。

痩せていることを究極的に自分に課し、融通性のない欲求にもとづいて日々生活しているとしたら、あなたは痩せていることこそが自分を満足させてくれることだと信じ込んでいるでしょうから、自分を満たしてくれるものを食べることのできる自分の能力への信頼を発達させていくことは不可能です。実際に痩せていないときには、痩せているということは単なる頭のなかの考えでしかありません。でも、それではあなたの温もりを保つことはできません。一方、実際に痩せていても、誰かに触れてもらうことが必要ならば、その痩せた今のあなたに触れてもらう必要があるのです。痩せているからといって、事故で頭をぶつけてほとんど死にそうな目に遭ったという現実を拭い去ることはできませんし、痩せていることがあなたに触れてくれることも、あなたを抱き締めてくれることもあり得ないのです。

私たちは、自分の生活が継続的に展開していくなかで、自分が理想的なバランスと明快さへ日々近づきつつあることを忘れてしまっています。痩せていることが自分を満足させてくれることだと信じるあまり、本当に重要で問題なのは、痩せていることではなく、満足ということであることを忘れてしまっているのです。もし私たちが、広告やメディアや文化的な期待に影響され、それを軸として思想を展開してきたために、実際に自分を満足させてくれるものは何なのか分からないとしたら、どうなってしまうのでしょう。だからこそ自分に既にある考えや仕事の背景ではなく、自分が求めているのは満足感なんだと自覚することからスタートし、それに向かって自分を一歩一歩近づけていってくれそうなものを見つけていこうと努力してみてはどうか、と思うのです。

満足というのは身体的なものであることはもちろん、精神的なものでもあります。精神的にどのように感じているか、つまり心の浮き沈み、一日のちょっとした喜びや悲しみは、身体の感覚に影響をおよぼします。どのような感情を抱いているかによってあなたの食べる量は左右されるでしょうし、何を、どれほど食べるかが、今度はあなたの感じ方を左右するようになるでしょう。

さあ、いよいよ食べようというとき、あなたは空腹でしょうか。自分自身に聞いてみてください。自分自身に誠実になっていただきたいのです（もし、いいえ、空腹じゃないわ、という答えが返ってきたとしても、それはあなたは食べることができないという意味ではありません）。次に、本当に何でも手に入れることができるとしたら、まさにこの瞬間、あなたは何を選ぶでしょうか。自分に聞いてみましょう。仕事の手を休め、日中または夜に休憩をとることですか。散歩や入浴、またはキスですか。何か新しい道具を一式揃えることですか。それとも恋人、家、車ですか。それが何にしろ、食べ物以外のものを求めているとしたら、おそらくあなたは自分の心を静めたいと思っているのでしょう。しかし、心を静めようと思っても、そのままでは満足できるわけではありませんから、あなたは食べて食べて、詰め込み過ぎになるまで食べてしまうのではないでしょうか。新しい家、車、恋人を手に入れることは実際には無理かもしれませんが、それでも自分の満たされなさに一層拍車をかけないことはできます。新しい車が欲しい、自分自身のそのような欲求を自覚したら、そのときにはもう、アイスクリームサンデーではどうしようもなくなるのです。

空腹ではないけれど食べようとするときに、本当に自分が求めているものは何なのか、自分自身にたずね、その答えが食べ物であったならば、更にもう一度、たずね直してください。「食べ物が確かにあなたの求めているものなの？」。あなた自身が質問役になってみましょう。数回、そうたずね直してみたうえで、それでもなお、「そうよ、ジミー、食べ物を求めているの。今、それが欲しいのよ」という返事が返ってきたら、そのときには、食べ物を自分に与えてあげてもいいでしょう。しかしそうなったら、もう何ものにも縛られることなく、心を自由にし、自分は何か悪いことをしている、という感情は抱かないでください。なぜなら、自分は許されていない、という気持ちを抱いたとたん、もっともっと欲しくなってしまいますし、そうなってしまうと、あなたが満足させようとしているものは何なのか、つまり、自分は誤解されていると感じ、言われたこととは反対のことをしたがる反抗的な子どもなのか、それとも空しくなったり悲しくなったり腹を立てたり、寂しさに打ち拉がれたりし、食べることで自分をいたわろうとする大人なのかあやふやになってしまうからです。

食べたら、それはそれでよしとしましょう。衝動的に食べ物に手を出してしまうこと、それは誰にでもあることです。食べ物は手っ取り早くすぐ手に入るから、美味しいから、食べることのほかに何をしたらいいのか分からないし、自分の感情をどう扱ったらいいか分からないからという理由で食べることは誰の人生においても時どきあることなのです。ただ、ほかの人びとと食事に問題を抱えるあなたとの違いは、彼らは食べた後何時間も、または何日も、ねちねちと自分を罰し続けたりはしないということです。彼らは食べたら、その後さっさと次の行動に移っていきます。そして、それはあなたにもできることなのです。

あなたにとって〝充分〟というのはどのような状態なのでしょうか。数週間にわたり、注意深く見守ってみましょう。何かものを食べるときにはその都度、一から十までの段階で自分の空腹度を評価してみてください。そして食べ終わったら、もう一度自分の状態を評価してください。段階五は快適、五以下は徐々に空腹になりつつある状態、五以上は満腹になりつつある状態です。段階六、ないしはそれ以上で食べるのをやめたとき、あなたは自分自身についてどう感じているでしょうか。着目してみましょう。

あなたは満腹の感覚が好きですか。それによって、揺るぎなさやしっかりとした土台に根づいているという感覚を得られますか。

一日だけ、一回の食事だけでいいですから、取り立てて何かに困っていたり不幸に陥っているという感情を抱いていない状態のときに、段階四まで食べるということに挑戦してみてください。この段階はあなたにとってどのように感じられますか。しばし時間をかけてこのような身軽さがそのほかの考えや感覚、およびそれらとの相互作用にどのように影響するか着目してみましょう。

歩く、ダンスする、階段を思い切って駆け上がるなど、何らかの動作をしてみて、その身軽な感覚が、あなたの身体に何らかの影響を与えるかどうか、与えるとすればそれはどのようにであるか着目してください。さらに、その同じ動作を段階六か、それ以上食べたときにも試してみて、その違いに着目してください。どちらがより快適でしょうか。更にもう一度、別の食事でも同じことを試してみて、自分の反応を注意深く観察してください。

食べ続けようと思えばそうすることもできるけれども、あえて、やめることを選んだとき、あなたは強迫感に駆り立てられてはいないはずです。自分をいたわりたいという気持ちからそうしているのです。そうです。あなたは自由になりつつあるのです。

「私、もう充分よ」そう囁《ささや》いている、かすかで静かな声が聞こえますか。耳を澄ましてみましょう。空腹と充分との違い、といってもおそらく一口か二口程度でしょうし、たいてい、そういうことが多いのではないかと思います。どこか別のところに関心を向けず、じっと静かに心を落ちつかせていれば、満足に移行していく身体の声が聞こえてくるはずです。充分に食べたとき、まるでドアに掛け金がかかるように、何かが閉まる、何かがカチッと音を立てて閉まる音が聞こえます。「もう充分だわ。食べ続けようと思えばそうすることもできるでしょうけど、でもね、もうやめるつもりよ」。あなたの身体はこう言っています。その声は小さく、聞き逃しやすいものです。とりわけ、そのような声に聞き慣れていなかったり、その食べ物がとても美味しくて、その声を聞きたくないと思っているときにはなおさらです。

ワークショップで、「私にはそんな声なんてありません。本当にないんです」という言葉をしばしば耳にします。しかし、私は信じません。このような声が聞こえてくるようになるまでには、時間と、自分の身体の基本的な知恵に対するあなた自身の確信が必要だと思います。この正当性をきっぱり否定する理論は実にたくさんあります。なかでも最も一般的なのは、脳があなたの食べた量を登録し、もう満腹ですよ、という信号を送るまでには二十分かかるという論や、あなたの胃は何年間にもおよぶ過食で伸び切ってしまっていて、胃に自制を求めることは無理だという論で、あなたはこれらの論にがっちり縛られてしまっているのではないでしょうか。しかし、これら二つの理論のどちらかを信じ、それに従って食べたとしても、より自分の食事をコントロールできるようになるわけではありません。むしろこのように思い込んでいるからこそ、ものを口にしたとたん、まさにその瞬間にコントロールする力をすべて失ってしまうのです。それでは、仮にあなたの胃が満足感を認識しないほどに伸び切ってしまっているとしたら、充分に食べたという時点をどのように判断したらいいのでしょうか。

食事の真っ最中、しかもそれがあまりに美味しくて、頭のなかにあるのはその美味しさだけ、それ以外何も考えられない、食べるのをやめたくないというときには、あえてやめる必要はありません。自分の好きなだけ、全部食べてしまいましょう。そしてその後は？　今どのように感じていますか。満足感を感じていますか。それともはなはだ最悪の気分、ないしは罪悪感、自分への嫌悪感を感じているでしょうか。もし食べるということが、人から見て自分がどのように見えるかということには何の関係もなく、このように自分の好きなだけ食べ、しかも自分の望む体型を保つことができるとしたら、あなたはこれほどの量の食べ物を食べ続けたいと思うでしょうか。あなたは今、快適ですか。自分の身体にくつろぎを感じていますか。

食事の真っ最中、しかもそれがあまりに美味しくて、頭のなかにあるのはその美味しさだけ、それ以外何も考えられない、食べるのをやめたくないというときには……でも、今度はやはり、やめてみましょう。手から口への動作、食べ物を運ぶ動作のために、催眠術をかけられたかのようにうっとりし、ものを食べている間中、まるで世界が停止してしまったかのように感じることでしょう。だからこそ食事の真っ最中に手を休め、自分の皿、台所のカウンター、冷蔵庫がこの世の心臓、この世の鼓動ではないということ、食べるのをやめても、必ず自分の居場所、自分のするべきことがほかに見つかるということを思い起こすことは有効なのです。

ものを食べている際に、手から口への動きの虜になってしまったときには、自分は今、無意識であるということ自体を意識してみてください。これこそまさに極めて〝必要かつ充分〟なことですが、別に難しいことではありません。自分の身体、部屋のなかのほかのものに意識を向けることで、この動きの魔力を打ち破ることができるのです。さあ、深呼吸してみましょう。食べ物から顔を上げてみてください。そして何か、何でもいいのです、何かに意識を集中させるのです。

誰かほかの人といっしょにいる場合には、フォークやスプーンを置き、周囲で起こっている会話、活動、部屋の装飾などに関心を寄せてみましょう。今どう感じているか、自分にたずねてみるのです。まだ空腹なのかしら。私の（心ではなく）身体はもっと食べ物を欲しがっているのかしら、と。もし車を運転している最中だとしたら、そのとき、食べ物が必要だと感じるでしょうか。単に食べ物が目の前にあるから食べたいと思っているだけなのでしょうか。自分が満足しているのかどうか分からないのなら、あともう二口か三口、食べてみてください。その後でもう一度、一呼吸を置いてみます。あなたの身体は今度は何と言っていますか。満腹でもなく、かといって空腹でもない、しかも自分がはたして満足しているのかどうかも分からないという場合は、五分間食べるのをやめてみましょう。そして、自分に語りかけて下さい。「もし望むならば食べ続けてもいいわ、でもね、あなたは今、やめようとしつつあるのよ」と。

食べ物に吸い寄せられるような力や、手から口への動きを止めることの難しさには多数の要因が絡んでいます。次にその例をいくつかあげてみます。

●「出されたものは全部きれいに食べようキャンペーン」。別の言い方をすれば、「自分の皿のものを全部食べてしまったら、デザートを食べてもいいわよ」「自分の皿のものを全部食べてしまったら、テレビを見てもいいわよ」というものです。これは、「自分の皿のものを全部食べたら、自分のしたいことをしてもいい」、または逆に「自分の皿のものを全部食べなかったら、罰せられる」、ということを言わんとしています。そして子どもの頃のこのような甘い駆け引きを下地にして、あなたの身体は信頼できる情報源ではないという、言葉に表されないメッセージが存在しているのです。あなたの身体、好き嫌い、満足のレベルなど当てにならない、何をどれだけ食べるべきかは、あなた自身よりもほかのものの方がよく知っているというメッセージです。

三十年後、この、出されたものは全部食べましょうキャンペーンのメンバーたちは相変わらず自分の皿に盛られたものは全部きれいにたいらげて、自分の身体の欲する以上に食べています。そして、自分の身体については批判的な感情を抱いて、自分の皿に食べ物が残っているときに席を立つのはどうしてこんなに大変なんだろう、と首を傾げているのです。

何であれ、食べ物が駆け引きに利用され、その甘い響きそのままに、ほんわかと私たちを慈しんでくれるとき、その利用された食べ物はその後、特別の意味をもつようになります。それは、もはや単なる食べ物ではありません。それについて考えをめぐらし、あえてそれを脇へ押しやることは、身体的なレベルではもちろん、精神的なレベルでも非常に重要な意味をもつことになるのです。そしてその結果、その食べ物には、直感的メッセージと権威的メッセージが対立して染み付いてしまうのです。

今でもまだ自分の皿に食べ物を残すことに抵抗を覚えるとしたら、あなたは相変わらず子どもの頃に受け取った、言葉に表されないメッセージや仮説にもとづいて行動しているのです。自分の皿のものをすべてたいらげることをやめるには、まさにそのような仮説の正体を認識する必要があります。自分の皿のものをきれいに片付けることが一大問題であったときの家庭での状況を少し時間をかけて振り返ってみてください。そのような状況のなかで、あなたは自分自身について何か特別な感情を抱いていたことを覚えていませんか。自分の皿の食べ物をきれいにたいらげることで、あなたは誰か、自分が喜ばせたかった人、その愛が必要だと感じていた人を喜ばせようとしていたとは思いませんか。あなたが自分の皿のものをきれいに食べ尽くさなかった場合には、どんなことが起こったのでしょうか。

●「インドの子どもたちは飢えているのですよ、だからあなたは自分の夕食をちゃんと食べてしまいなさい」。こう言われると、自分に出された肉を食べなかったら、まさにこの肉そのものがピョーンとインドへ飛んで行ってしまう、だからこの肉に翼が生えてくる前に急いで食べてしまわなければいけない、という意味に受け取っていたものでした。このほか、「私の子どもの頃（不況や貧困の真っ只中での生活）にも、こんな食べ物が食べられればよかったのにねえ……。あなたはとっても恵まれているんだからね、さあ、食べなさい」というのも同様のものと言えるでしょう。

飢餓が世界的な問題であることは事実ですし、それが少しでも改善するよう努めるのも大切なことです。また、私たちの両親のなかには飢えと貧困のなかで育った人がいることも、それが非常につらいものであったことも事実でしょう。しかし気分が悪くなり、適量を超えてまで食べたとしても、これらの問題のいずれも改善しはしません。これは絶対です。しかも、これによってこれらの問題にあなたがより共感できるようになるわけでも、あなたの政治意識が高まるわけでも決してないのです。必要以上に食べても、それはただあなたの体重の増加に手を貸すだけ、〝それだけ〟のことに過ぎないでしょう。

私の友人のなかには、ご飯茶碗を前にテーブルについている幼い男の子に「ご飯を食べないといけませんよ。アメリカの子どもたちのことを考えてご覧なさい。あの子たちはジャンクフードばっかり食べているのよ」と話しかけている中国人女性を描いた風刺漫画を、自宅の冷蔵庫に貼っている人もいます。

●次は、自分の皿の料理を残すということについてです。最近、ある男性と初めてのデートをしたのですが、その男性は夕食の席で、自分の分の大層豪勢なサラダ（クルトン、チーズ、ガーバンゾービーンズとパスタ入り）、ベークドポテト（サワークリーム、チャイブ、バター、ベーコン添え）、七面鳥のスープをラージサイズのボールに一杯、さらにビールをグラスに一杯たいらげた後に、テーブルを越えて私の半分食べかけのサラダ、スープ、ベークドポテトにまで手を伸ばし、何食わぬ顔で平然とそれらをパクパクたいらげ始めたのです。彼が私のサラダをさっさと片付け、さあ次はベークドポテト、というとき、私は彼に、まだ空腹なのかとたずねました。返事は、「いや、全然」。

「自分が先に食べないと自分の分が食べられてしまうわけでもないのに、どうしてそんなに何もかも全部食べようとするの？」

「僕はね、食べ物を無駄にすることが我慢できないんだよ」、彼はギラギラ睨みつけるような目で言いました。「僕はね、たとえどんなものでも、無駄にすることが耐えられないんだ」。

まず一番目の抵抗、つまり食べ物を無駄にすることへの抵抗は、まあ、よしとすることができました。しかし二番目の抵抗、つまり自分の高尚さと正当性を暗にほのめかす、この種の抵抗については、そのままやり過ごすわけにはいきませんでした。このときの私たち二人の会話の展開の模様を、次にあげてみることにします。

私　ねえ、あなたは〝無駄なもの〟をどう定義してるの？

彼　そうだなあ、ええっとね、何であろうと無駄にされたり乱用されたりしたものだよ。本当はまだ利用できるのに残っているものなら何でもそうさ。

私　利用されるって、誰に利用されるの？

彼　それを残している人間にだよ。

私　でもね、もしもよ、それが食べ物の場合、その人がもう自分は充分食べたというときにはどうするの？

彼　充分食べるっていったいどういうことだい？　それはちょっと自分勝手だとは思わないかい？　人は、自分の皿に盛られたものを全部食べ終わるまで食べるべきなんだよ。そうすれば、食べ物を無駄にしてしまうこともないからね。

私　もし、大皿の方にまだ食べ物が残っていたらどうするの？　あなたはそれも食べるの？

彼　いや、自分が満腹だったら食べないね。

私　残飯というのは自分の皿に残されたもののことで、大皿の上のものは違うってこと？

彼　そりゃそうさ。

私　〝それこそ〟ちょっと自分勝手よ、もっと適切な言い方をすれば、とんでもないほどいい加減なんじゃないかしら？　あなたはいったいどの時点で、これはまだすべて食べ終わったわけではないって判断するの？　あなたがレストランで、自分の皿に料理を全部盛ってもらえるわけではないとしたら、そのときはどうするの？　ウェイターに、食べ物はまだ厨房に残っているかどうか聞くつもりなの？　だって、もし残ってたら、結局あなたはそれを無駄にしてしまうことになるんじゃないの？

彼　君はこの問題を少々飛躍させ過ぎてるんじゃないかなあ。僕はね、自分の手でコントロールできるものを無駄にしないってことについて言ってるんだよ。

私　そうよ、問題はまさにその点なのよ。つまりね、問題となるその時点でもう、自分の料理の量や空腹か満腹かということを自分ではコントロールできないということは、実際、よくあるってことなの。でもね、自分の身体に何を入れるかや、それによってその後、どのように感じるかは、自分でコントロールできるのよ。

彼　そうだよ。そう、だから君が言っているように、僕は自分の身体に何を入れるか、自分でコントロールできるときには、自分の皿の上のものを全部食べ終えたいってことだよ。それにね、僕は、そうしたときの方が気分がいいんだよ。

私　私が言っているのは、もしあなたがレストランか誰か他人の家にいるとしたら、あなたに出された分の料理は必ずしもあなたのお腹の空き具合と一致しないかもしれないってことなの。あなたが自分の身体のことを考えずに、自分に出された分の料理を必ず全部たいらげたとしたら、それは結局、強迫的に自分の身体に詰め込んでるだけなのよ。現状も考えないで、とにかくそうしなければというのは、強迫観念よ。あなたは選択を断念してるんだわ。自分の体重に対する責任も放棄してるのよ。だって自分の身体の必要以上に食べるのは、食べ物を無駄にしているということだもの。それは食べ物を脂肪に変えてるってことでしょ。脂肪は余分よ。つまりあなたの言う、無駄なものなんじゃない。

彼は自分の意見を取り消し、落ち着いて食べたいからもう話すのをやめてくれないかと言いだし、ディナータイムの気軽なおしゃべりに、食べ物の話題をもち出すなどという間違いはもう二度と犯さないつもりだと言いました。「おしゃべり」、私は目をしばつかせ、彼を睨みつけました。「これはおしゃべりなんかじゃないわ。それに、もしあなたが自分の失言を取り消さなかったら、あなたの口にはもう私のポテトの入る余地なんて絶対になくなるわよ」私は心のなかで言いました。

無駄とは何かということについては、誰もが自分なりの定義をしています。私にとってそれは、身体が必要としていない食べ物のことで、身体に負担をかけることは食べ物を捨ててしまうことと何ら変わりなく、まさに無駄と同じことに感じられます。

いったん無駄ということの自分の定義の主観性とそのような定義にもとづいた状況を自覚すれば、今後自分はどのように行動していきたいかについて、選択できる立場に立つことができます。貧困や食糧不足によってひどい影響を受けた経験のある人の場合、自分の習慣を変えるにはかなり時間がかかるかもしれませんし、必ずしもすべての人がそうしたいと思うわけでも、その必要を感じたいと思うわけでもないでしょう。もし食べ物を無駄にしないということが、そのような人びとの人生の障害になっていないとしたら、その奥深いところに染み込み、習慣となってしまった反応を表面化させる刺激が充分とは言えないということですから、なぜそれほど自分の時間を費やしてまで変えなくてはならないのか、自分自身で判断しなければなりません。

たとえば無駄ということについて、自分の確信をしっかり自覚しているとします。それについて既に考え、書き記し、語り、もう一度しっかり定義し直したという場合です。外へ夕食に出掛け、とても楽しい食事を始めます。食べている途中で、自分はもう充分食べたことに気がついたとしましょう。しかし、それはあまりにも美味しいのです。自分の皿を見下ろします。そして、インドの飢えた子どもたちのことを、この食べ物を無駄にしてしまうことはどれほど罪深いことかを考えます。当然、それは食べるべきなのかもしれません。しかし、このとき、自分はもう二度とこんなことをするつもりはないということを、この食べ物は決してインドにたどり着きはしないということを思い出します。しかし、それでもまだその食べ物は美味しそうに見えます。そこで一口……ああ、もう少し欲しい。さあ、あなたは決定的瞬間を迎えます。では、この最大の山場を切り抜けるためにいくつか提案をしてみることにしましょう。

●自分の皿を押し退けてしまってください。脇に退けてしまうのです。ウェイターに皿を持って行ってくれるよう頼んでください。もうそれ以上その姿が目に入らなくなれば、あなたの心は何か別の方に向くことでしょう。もし自宅にいるとしたら、自分の皿を退けるか、席を立ってそれを台所のカウンターへ片付けてしまいましょう。衝動的に食べてしまうのは、食べ物が自分の目の前にあり、絶えず手を伸ばしてそれをつまみ続けているからなのです。食べ物がそこになければ、もう手を出すことはできません。

●レストランにいるのなら、食べ残し用の〝持ち帰り袋〟を求めてみてはどうでしょう。残った料理を家に持ち帰り、もし食べたいのなら次の日にそれを食べればいいのですし、そうしたくなければ犬にあげてしまうか、もしくは何かオリジナル料理を工夫して、残りものもそのなかに混ぜて活用すればいいでしょう。

●自宅にいる際には、その残りをラップに包み、とにかく目の前から片付けます。次の日それを食べるなり捨ててしまうなり、もう一度料理し直すなり、何でも結構です。自分のしたいように処理すればいいのです。

●思い切って捨ててしまってはどうでしょうか。しかしワークショップで、私がこの提案をすると、反対の声がざわめきます。人は誰でも、自分独自の倫理観と、それなりに至極もっともな理由をもっているものです。

私は、食べ物を捨てることを三回挑戦してみるよう提案しています。初めの二回は精神的な負担があまりにも大きく、恐れ以外の何ものをも感じることができないかもしれませんが、挑戦も三回目となれば、それを捨てたとき、何者かにコントロールされているのではなく自分自身でコントロールできていると実感することでしょう。食べ物の魅力を殺ぐためには、トイレに流してしまったり、冷たくなったコーヒーの滓といっしょにごみ箱のなかでグチャグチャにしてしまうことがなによりです。

●数日間ないし一週間は、毎回食事の度に自分の皿の上に料理を残すようにしようと、前以て心に誓ってください。これはあらかじめ決めておき、今まさに食事をしようという時点は避けた方が無難です。心に誓うのです。食べ物を食べるということを一貫して快く受けとめられるということ、そして自分の食行動に力強さと責任を感じるということ、それはどういうことなのか、自分は知りたいんだと覚悟を決めてください。まずは一回の食事で、そしてその次の食事でも、というように次々と実行していってください。それは必ずしも常に簡単にいくとは限りませんが、①空腹になればいつでも食べることができる、②たとえこの時点ではそのように思えなかったとしても、自分は今、自分のことを気遣っている、ということを思い出すことで、あなたはこのつらい瞬間を乗り切ることができます。食べてしまったときにどのように感じたいと思っているのか、自分自身に聞いてみてください。自分自身をおおいにいたわってあげましょう。

●「これを食べるのは、最後の、唯一のチャンスなのよ。だから、これを手にできる今のうちに食べてしまわなくては」といって合理化してしまわないように注意してください。このような理屈はたいてい真実ではありません。なぜならレシピを求めることはできるのですし、次の日、空腹のときにもう一度出掛けて行って、まったく同じものか似たようなものを手に入れることはできるのですから。

それを食べるのは、これが唯一のチャンス、ということが真実である場合に（たとえば外国にいる場合とか、どこか自宅から離れた所を旅行している場合など）でも同じことが言えます。つまり、その特定の食事をするのは、これが唯一のチャンスであることは歴然としているかもしれませんが、空腹でもないのに食べ続けたときには、その食べ物の味は二の次になってしまう事実に変わりはないのです。早くしないと奪われてしまう、これは滅多に手に入らないんだという〝感情〟、充分満足できないんじゃないか、という恐怖に餌を与えようとしているだけなのです。このようなパニックは過食をも引き起こします。「明日から、ダイエットをしよう。そうしたら、もうこれを食べることはできなくなってしまうんだもの、今のうちに、食べられるだけ全部食べてしまわなくては」ということになるのです。これは「もたもたしてたら、なくなってしまう」という感情です。美味しいものは何もかもすべてなくなり、自分はどうすることもできず、つらさと空腹のまま取り残されることになってしまう。だから、いつとも分からない未来の瞬間のために、それを蓄えておこう、パック詰めしておこうというのです。

感情を蓄えておくことはできません。あなたが今それを全部食べたとしても、二日もすれば、再びそれを食べたいという思いで目覚めるかもしれませんし、そうなっても、それはもうそこにはありません。再びそれが欲しくなるつらさを絶対に味わわなくてもすむように、食べられるときに相当、病的に食べることで、欲しいけれどもそれはないというつらさを押し殺そうとしているのです。この機会を最後に今後何年もアイスクリームを食べられなくなってしまうとしたら、そして今夜、その四分の一ないしそれ以上食べたら、もうその後はアイスクリームを味わうどころか、頭に思い浮かべるだけですっかり気分が悪くなってしまうとしたら、それならもう、その後一年間はアイスクリームを欲しいと思わないかもしれません。

しかし食べ物によって自分の感情に栄養を施すことはできません。自分の皿の上のものをすべて食べ尽くしてしまっている限り、再びそれを手に入れられないかもしれない、という可能性があるのですから、絶対満足できないのではないかという恐怖も消えないのです。

あなたがそれを手にすることはもう二度とないかもしれません。しかし、再び食べることになる、これは絶対です。美味しくて、エキゾチックで、香り豊かな料理を食べるチャンスは、再びめぐってくるでしょう。どの国、どの町、どの家庭にも目を見張るようなすばらしい料理があるものです。ですから、これが美味しいものを食べるあなたの最後のチャンスとなることは決してないのです。

私たちは、何かすばらしい事柄、気分、味をいつまでもいつまでも永続させておこうとすることが、実は、不自然でつらいものであると知っています。それでもまるで何か永続するものがあるかのように……文化的、個人的に、若々しい外見を少しでも長く保とうとし、年齢を増やすことや死の重要性を否定しようとするのです。

初めて男の子とデートに出掛けることになったとき、土曜の夜のデートについて何時間も何時間も空想していました。デートの夜には、何を着ようかしら、何を話そうかしら、何をしようかしらと予定を立て、彼は私にどのようにキスをするのかしら、そのときどのように彼を押し退けようか、いや押し退けまいか、と何日間も夢見ていたのです。彼と結婚し、彼の子どもを産み、南アメリカに行っていっしょに象や飛行機に乗ったりしている自分を夢見ました。そうしてデートの当日、土曜日は、一日中、シャンプーをしたり、洋服の皺《しわ》を伸ばしたり、服を着、お化粧をしたりして準備に費やします。いよいよ土曜の夜になり、それから日曜日になってデートは終わってしまうのですが、私にはそれが信じられませんでした。こんなのフェアじゃない、どうしてこんなに早く終わってしまうの、もう一度、戻って来て。私は思いました。しかし実際に求めていたのは、土曜日当日というよりも、むしろ、土曜日が訪れる前の、あのワクワクするような興奮の日々だったのです。何か、自分が待ち望むことのできるものを求めていたのです。日常生活は、期待するものもなければ待ち望むものもない、退屈で意味のないものですから、生活を築き上げていく際の軸となり、私に代わって期待を担ってくれるような、別の人物や別の出来事を求めたのです。私は土曜日を待ちながら生きました。それ自体は絶対来てほしくはない瞬間です。なぜならそれはその後、終わってしまうからでした。そして私は、来てほしくはない瞬間を待ちながら、この何年間もの歳月を生きていたのでした。

食べるということをめぐる最悪の点は、それがあまりにも早く終わってしまうということです。それを楽しみに心待ちにし、それを中心として自分の生活プランを立てているのに、その後、それはやっぱり終わってしまう。それが最高の時点に到達したら、その後は、次のことを進めていかなければならないのです。そしてその次のことは、もしかしたら食べ物ほど即興的な喜びをもたらしてくれるものではないかもしれません。ひょっとしたら、全然、楽しくも何ともないことかもしれません。だからこそ終わってほしくないのです。

といって、だらだらと食事を長引かせたところで、終わりがなくなるわけではありません。遅かれ早かれ席を立って、次のことに移っていかなければならないのです。このとき、気分よく、満足感を感じながら次に進んでいくか、それとも惨めな思いで、食べ物が喉もとまで詰まった感じを抱えながらそうするか、選択することになります。

再び空腹になる、楽観的にそうとらえることができるでしょう。食べることを再び待ち望み、実際、再びそのチャンスはめぐってきます。食事の終わりを迎えることを受け入れられたとき、再び新たな、ひょっとしたらその前の食事よりも、もっとずっとすばらしいかもしれない食事へと、進んでいく道が開かれるのです。

このように、食べるということの最悪の点が、それがあまりにも早く終わってしまうことだとすると、その対極の最高の点とは、それが早く終わってしまえばしまうほど、再び食べられるチャンスもそれだけ早くやって来るということです。

関心の的が、食べ物の美味しさから、食べられるうちに食べられるだけすべて食べてしまわなくては、という焦燥感や欲求へと移り変わっていく時点を注意深く見つめてみてください。このような変化は、たいてい、もう充分食べたけれども、それでもまだその食べ物が残っているときに起こります。このときの、食べるという自分の行動の変化、自分が自分自身に伝えているメッセージの変化に着目してください。メッセージのなかに、こんなに美味しく食べていることに対する安心や喜びから、徐々にもう充分という状態となっていくことに対する恐怖へ感情が移り変わっているかどうかに着目していただきたいのです。

この過程で当の食べ物がどのような役割を担っているのかに着目してください。たとえば、あなたはまだその味を噛みしめているのでしょうか。まだそれを美味しいと思っているのでしょうか。

望めばいつでも好きなときに再びそれを食べてもいいと言われたとしたら、それでもまだ、あなたはそれを食べ続けるでしょうか。

気持ちよく箸を置き、「気分よく感じていたい。自分を大切にいたわりたい。食べ物を喉まで詰まらせて、惨めで、ぼーっとした気分でこの席を離れたくない」と言えるのは、いったいどの時点でしょうか。

自分をいたわるか、それとも自分を不愉快にさせるか、毎回、食事のたびにそれを決めるのは、あなた自身なのです。

第5章 過食《ビンジィング》すること

——もう充分、でもやっぱり充分じゃない

本章では、食べ物に溺れ、身動きがとれなくなり、世界中の何にもましてこんなことやめたい、やめたいと気が狂わんばかりに思っているまさにその一方で、それにもましてやめたくないと思っている、そんな自分に気づいたらどうしたらいいのかについて述べるとともに、そのようなことにならないよう、未然に防ぐためにはどうしたらいいのか、さらにはもしそうなってしまったら、その後どうしたらいいのか、についても述べていきたいと思います。

過食《ビンジ》は必ずしも、冷たくなったピザと昨晩の残りのミートローフがあなたの口に入る順番を待ちわびているなかで、冷蔵庫の前に立ち、一方の手を野菜の鍋へ、もう一方の手をクッキーの箱に突っ込んでいる行為だけを意味しているわけではありません。過食とは一つの心の在り方、質的なものです。どのような症状を伴って現れようとも、その根本的原因を理解することが必要ですし、その原因のかなりの程度が解消されなければ、そのような症状が消えることはありません。過食というのは、食べるという行為やそれに伴う感情だけでなく、そのような行為に至るありとあらゆる瞬間、決断、感情のすべてのことでもあり、全体としての一つの症状なのです。いったん行為として現れると、その

行為自体が問題となってしまいますが、最も注目すべきなのは全体の症状、つまり自分自身や自分の人間関係、過食開始前の食べ物に対する決断、感情、心の在り方が自分自身のために役立っていないという、症状全体なのです。結局、過食とは氷山の一角に過ぎないというわけです。

前著『心の渇きを癒して』のなかで私は、「過食とはそれなりに目的のある行為であり、気の狂った感情ではありません……過食とは……いたわられていないと感じたときに何とかして自分自身をいたわろうとする切羽つまった試みなのです。……過食は生き残りをかけた必死の叫びです、……ときにはぞっとするほど検討違いなこともありますが、それは自分の必要とするものを、身体的（食べ物）ないしは精神的（親密さ、仕事、人間関係）のいずれかにおいて、自分で自分から奪っているというシグナルなのです。そしてこれは、欲求不満に抵抗する最後の砦なのです」と述べました。

過食を特徴づけるのは、その切迫さ、「それが欲しい。今、それが欲しいの」という切羽詰まった感情です。「今、それが欲しい。行く手に立ちはだかるものは何であろうと突き倒してしまうほど、ものすごくそれが欲しい」という感情なのです。食べ物以外何もかも一時的に信じられなくなってしまうことも、過食の特徴です。何もかも忘れ、忘却の彼方に陥った状態、それが過食。過食とは、目も虚ろな酔っ払いなのです。かつて大量の酒に溺れていたころには、ワインをグラスに四、五杯も飲まないと世界は朦朧としてきませんでしたが、今では一杯で充分です。大量に食べ物に溺れていたころには、休むことなく一時間食べ続け、その結果気分が悪くならないと、その行為を過食として認識することができませんでしたが、今では、それがどのような食べ物であろうと、どれほどの量であろうと食べ物を求める際のあの切迫さを自覚すると、それを過食として認識しますから、たとえクッキー二つだけでも過食ということはあり得るのです。

何もかも忘れて頭のなかを真っ白にしてしまいたいという気持ちは誰にでもあります。生きていることがあまりにもつらく、手に負えないということもあります。時どき、本当は「一時間、何もかも消してしまいたい、心のアンテナを引っ込めたい、何もかも、絶対に何もしたくない」と言いたいのに、ふと気づいたら、リキュールの味など好きでもないはずの私が「お酒を飲みたい」と口にしていたこともあります。友人関係に責任を負わなくてもいい、他人の食べ物に関するトラブルに耳を傾けなくてもいい、執筆活動もしなくていい、そうしたい、本当にそうしたいと思うこともあります。規律正しく、責任をもって働いている一人の大人、作家、ワークショップリーダー、友人、恋人、娘、これらすべての自分の立場を投げ捨ててしまいたい、そして、私が自分自身のことをいたわっている間には、周りの世界にも自分のことは自分で面倒をみて欲しい、そう思うことがあるのです。

これはリビングルームに身体を投げ出し、床に大の字に寝そべって、三十分ほど横になっているときや家の窓の外のポプラの木が葉を落としてしまったことに気がついたとき、そして過食への欲求がいつの間にか消えていくとき、そのようなときです。

何かを食べているというのは何かをしているということ、だから私たちは、ものを食べていれば、ほかには何もしない言い訳を自分にすることができます。空腹だから食べているのか、それともこの(何かをしていなくてはいられない)回転木馬を降りたいのに、そうするにはこれ以外に方法がないから、だからこうして食べているのか、食べている最中に誰が部屋に入って来ようとも、それを見分けられる人など一人もいないでしょう。食べるためなら、自分自身のために時間を費やしても社会的に認められます。しかし、そのほかのことはすべて自分への甘え、利己主義、無駄、もしくは時間の浪費と見なされてしまうのです。

誰もが皆、自分を一切忘れてしまいたい、と望んでいるのです。

過食を未然に防ぐための第一のステップは、食べ物やお酒以外で、何か忘れさせてくれるようなもの、自分にとってのそのようなものを見つけ、それを一日に一回、十五分、実行してみることです。

ワークショップでこれを話す度に、すぐに参加者の方々は、私にとって忘れることとはどのようなことかを知りたがります。私は口ごもり、赤面してしまい、どうしてそんなことを知りたがるのかと、彼女たちにたずねたうえで話します（それが本当の忘却ならば、誰にもそれについて知られたくないと思うでしょう。それに本当に忘れることというのはそう在りたいというイメージとは噛み合わないですし、確かに政略上正しいとはいえません）。つまり、これは記録として残すためにあえて申し上げるのですが、私を忘れさせてくれるのは、『オール・マイ・チルドレン』や『ピープル』を読むこと、派手なレッグウォーマーを買うこと、ジャスミンの香りのバブルバス、わが家のリビングルームの床、それからこれは最近思い描いている幻想なのですが、将来を何も約束してくれないまま死んでしまった昔の恋人が花束を抱え、胸には「永遠に君のもの」と入れ墨をして私の部屋のドアを再び叩いてくれる情景です。

「でもね、結局、食べることが一番なのよ、ほかじゃこうはいかないわ」。これは、ワークショップで最も一般的に口にされる不満です。確かにこれは事実と言えますが、そもそも〝時間の浪費〟は私たちの文化では認められていませんから、何かほかにやりたいことがあったとしても、所詮、自分を忘れるための食べ物と比べられるはずがないのです。心の安らぎがほしい、何かから逃げたいというとき、私たちの大半が食べ物に救いを求めるのは、自分は何か食べること以外のことをしてもいいということを知らないからです。誰もが食べなくてはなりません。生きるためには食べ物が必要なのです。一方、バブルバスやメロドラマ、それに『ピープル』は必要ではありません。私たちの社会の労働論理では、生産的で必要なことだけに自分の時間を費やすことが当然とされ、私たちはそれに従うのです。

　しかし友人のバーバラは次のようにも言っています。「私たちの文化は私が必要と思うことを自分への甘えと定義し、私が自分には関係ないと思うことを必要と考えているのよね」。

〝全てを剝き取られること《デプリベーション》に対する最後の抵抗〟としての過食、それは私たち自身の声です。〝文化〟はそれを必要と考えていなくても、たとえそれが自分自身への甘えであっても、自分としては、どうしても諦め切れない、一部分だけならともかく、一切合切すべて拒否してしまうのは、絶対いや、と訴えている私たちの声なのです。ところが、このような自分の声に応じて、過食を受け入れ、何ら気兼ねせずに、必要なものをたっぷり満喫していく余裕の必要性に気づくどころか、逆に、ダイエットをしていくことで、そのような自分の声に抵抗し、今でさえ既に自分の声に気づいてもらえず、関心に飢えているのに、心に巻き付けた縄をさらに一層固く、ぎりぎりと引き締めようとしている人が大半なのです。

　しかも彼らはこのような自分の確信に、例外というものを一切認めません。しかし、何かを変えていくためにまずしなければいけないことは、自分が今、信じていることがはたして自分の行動にどのように影響しているのか理解することなのです。自分が何を信じているのかさえ分からないようでは、何も変えることはできません。自分が現に信じ、自分の行動の元になっているものに名前をつけることは、変化のための前提条件と言えます。自分自身の確信を自覚するためには、誠実さと忍耐が必要ですが、それはとりたてて難しいことではありません。それでも、多くの例にみるように、これは自分が真実として重んじ、受け入れてきた確信に、あえて自ら進んで異議を唱えることですから、思い切った行為と言えるでしょう。

それではまず、文化的に一般化され、メディアによって一層強化されている、過食についての三つの確信について見てみることにしましょう。

(1) 過食は、意志、決意、自制心が欠けているために起こるものである。
(2) 自分自身のために時間を割くことは甘えであり、利己的である。
(3) 過食をやめるためにはしっかり自分をコントロールし、自分のなかに、より強い意志、決意、自制心を養わなければならない。

これらの確信に端を発し、それぞれ次の一連の行動が伴うことになります。

(1) 過食をすると、自分を快く受け入れられなくなり始めます……つまり、過食は性格上の欠点を表していると考えてしまうのです。「私はどうかしているのではないかしら」「私のいったいどこに意志があるのかしら」「私は今後の人生をこのまま軟弱に生きていくことになってしまうのかしら」。

(2) 自分に甘かったり、利己的になったりしないように、またそう見えないように努めるなかで、他人のためにますます忙しく駆け回るようになります。この行動は太り過ぎていたり、自分がそう感じている場合、とりわけ顕著になります。「太った人間は喜びを受けるに値しないんだわ……ほら、見てご覧なさい、あの人たちの身体を……。彼女たちは、これまで目いっぱい自分を甘やかしてきたのよ……」。こうして自分の時間は、何かをし、どこかへ行き、いつでも動き回れるよう維持することに費やされていきます。心のなかは、カラカラに渇き、ゴツゴツと岩だらけのように荒れているのに、それでもなお何かをし、どこかに行き、動き回れる状態を保ち続けようとするのです。

(3)　過食と増えつつある体重に気も狂わんばかりになり、ダイエットを決意します。そう、明日からこそ。自分に喜びを与えてくれる食べ物を日々の食事のなかからもっと、もっと、切り捨てていこうと決意するのです。自分の体重、自分の身体、自分の優柔不断さに対して容赦ない判断を下し……自分自身に優しくしなくなり……ぴったり合った服を買おうとしなくなり、社交的になろうとはしなくなり、自分自身を受け入れようとしなくなります。自分自身を好きになろうとしないのです。決して、決して、決してそうしようとしなくなってしまうのです。他人には期待しながらも、自分では決して自分自身の価値を尊重しようとしないのです。

過食しているということは、自分にたっぷりと関心を注ぐ必要があることのサインだという考えかたは、過食は甘えという世間の考えかたと正面からぶつかるものです。過食《ビンジ》の後、世間からは受け入れられない仕方で心地良く過ごす勇気を持って〝自分に優しくする〟、このようなことをしようものなら、世間の決まりを破っていると思われるでしょう。もしあなたが、周りの人びととは違う自分でありたいと思い、「今、時間がないの、行けないし、できないわ。あなたの気持ちは分かるんだけど、今お風呂に入ってるの」と言おうものなら、人びとは足を止め、じっとあなたを睨みつけるでしょう。チェッ、チェッ、と舌を鳴らし、あなたを利己的だと言うでしょう。するとあなたは、彼らの言うことは〝正しい〟、自分は利己的なんだと考えてしまいます。自分には自分のために時間を割く価値などない、と感じ、その時間にひょっとしたらしていたかもしれない、ありとあらゆることから目を背けてしまうのです。あなたがそうすれば、周りの人びとの機嫌は良くなるでしょう。彼らはもう、あなたがあなた自身のために時間を費やしたことで〝彼らのなか〟に起こる感情に対処しなくてよくなるからです。あなたはもう、彼ら自身の揺れるアイデンティティ、自分の時間を切り詰める彼らの生活のけちな節約を脅かす脅威ではないからです。けれど、今度はあなた自身のためにしてみましょう。あなたは再び、過食をしてもいいのです。

かつて私といっしょにワークショップを受けたある女性から、数日前に電話がかかってきました。「私、今まで、ダイエットをしなかったり、ランチタイムにケーキを食べたり、自分のために時間を割いたりすることが、どれほど革新的か、気がついていなかったわ、そうすることで、自分がどれほど多くの人びとに脅威を与えることになるかなんて思いもしなかったの。でもね、今、自分は、みんなの感じやすく弱い部分に踏み込んでしまってるんじゃないかって気がするの。みんな私に脅かされて、腹を立てているんじゃないかしら。私ね、本当に自分が独りぼっちの気がするのよ」。

ダイエットをしないでいるよりも、している方が、気が楽ですし、過食にふけっている方がそれをやめようとするより、簡単です。世間一般的に考えれば、ダイエットと過食、自分の体重に対する不平不満はあたりまえと見なされていますが、自分に優しくして、食べたいものを食べ、したいようにすることは認められません。しかし、世間で評判の良い減量法に盲目的に従いながら、内心こんな減量方法は何の効果もないのに、と考えている人は大勢います。かと言って、思い切って立ち上がり、世間から反対や拒否を浴びることを覚悟して、人びとの欲求不満や苦痛の代弁者をつとめることはさぞかし恐ろしいことでしょう。ここで考えるべきことは、世間の反発を避けて、いつまでこの苦痛を耐えればいいのかということです。

まず初めに、そうするだけの価値が自分にあるのかどうか自問してからでなければ、過食以外の方法で自分のために時間を費やすことはできません。あなたは、単に自分に、自分のためだけにこのうえない喜びをもたらしてくれることをしている日に、朝食を食べる資格などあるのでしょうか。このような息抜きによって、影響を受けるのは誰でしょうか。その人たちはどのような影響を受けるのでしょうか。彼らはあなたを批評したり、拒絶したりするでしょうか。〝何もしていない〟人のことをどう思いますか。あなたの家族で、まさに自分自身のために、時間を費やしたことのある人はいましたか。いるとしたら、そのときどうなりましたか。

あなたが自分のために使える時間は、どれほど賢いか、かわいいか、痩せているかによって決まるわけではありませんし、その日、どれほどの成果をあげたかによって決まるものでもありません。自分のために使える時間は、生きているあなたに本来備わっているものです。

それでは、心からやりたいと思うことをリストアップしてみましょう。何の意味もなく、取るに足らない、何の責任も負わなくていい、そんな事柄のリストです。そして、その翌週のそれぞれの日に、このリストのなかから少なくとも一つ、最低十五分間、実行してみることにしましょう。その後で、もう一つ別に、過食に対して抱いている思い込み《ビリーフ》、および、その思い込みが引き起こす行動のリストも作ってみてください。このリストは、あなたの行動のもとにある、言葉にされない考えに〝名前をつける〟チャンスを与えてくれるでしょう。このような考えにいったん名前を付けてしまえば、その次に、そのような考えにもとづく自分の行動をこのまま続けるつもりなのか、それとも、もっと大らかで、自分を癒してくれる考え方に新しく変えていくのか、自分自身に聞いてみることができます。

長年抱き続けてきた思い込みというのは、一見、真実に見えますが、それはそう思い込んだ時点でたまたま自分が手にしていた情報にもとづいているに過ぎませんから、新しい情報を取り入れることでその思い込みを変えることができます。ただし、このような思い込みの転換のためには、粘り強さと、それに代わる考えかた、少なくともこれだけは必要です。

過食《ビンジング》するということは、〝食べながら食べない〟ということで、ここにもまた剝ぎとられる《デプリベーション》感覚がかかわっています。

以前、三人の子どもたちが一本の鉛筆で遊んでいるのを眺めていたことがありました。その子どもたちはそれぞれその鉛筆を欲しがり、メソメソと哀れな声でねだったり、泣き声をあげたりして、何とかそれを手に入れようと相手にすがっていました。するとまもなく、そこにもう一人別の子どもがやって来て、三人のうち二人はその友達を出迎えに外へ駆け出して行き、三人目の子どもとあの鉛筆だけがそこに取り残されました。ところが、その後、その子はすぐに、その鉛筆には見向きもしなくなり、おもちゃで遊び始めたのです。あなたが手にすることのできないうっとりするような女性美、手にしている平凡さについても、これとまったく同じことが言えるのではないでしょうか。

もしベルベットで覆われた箱を持って部屋に入って行き、この箱のなか以外なら、部屋のなかのものを何でも見ていいと言って出て行ったとしたら、あなたは何をすると思いますか。

私たちは食べ物を箱のなかに入れ、それをきらびやかなベルベットで覆い、自分自身に、これは見てはいけないのよと言い聞かせています。でも、その後、なぜこれほどまでにそれを引き裂き、開けてしまいたいという切羽詰まった要求を感じるのだろうと首を傾げることになります。食べ物を箱のなかに入れ、それをきらびやかなベルベットで覆い、そのようにしたうえで、それを開けてしまったときに、意志の力、決意、自制が欠けている、といって自分を非難するのです。

実際に、チョコレートが欲しいわけでもないのに、それを食べてはいけない、という思いから過食に走ってしまうことがあるのも、まさに、このせいです。

空腹のときには、いつでも食べたいものを何でも食べていい、と自分自身に許せば、過食をしたいという欲求は、ゆっくりゆっくり消えていくことでしょう。ただしこれは、本当に許した場合……「そうね、アイスクリームが食べたいのなら、ダイエット用のアイスクリームをスプーンに半分、それならいいわよ」「でもねえ、でもちょっと考えてご覧なさいよ、あなたはアイスクリームを欲しがっているけど、ほら、アイスクリームって太るでしょう。だから、ほら、代わりにヨーグルトにしておいたらどう。バニラアイスならまだしも、チョコレートはちょっとねえ。だってチョコレートの方がカロリーが高いじゃない」などと言って自分をごまかさないで……本当に許した場合です。空腹のときにはいつでも食べたいものを食べられるというなら、明日、もう一度それを食べてもいいのですから、何も今、それを全部食べてしまう必要などないわけです。過食というのは、もうそれを食べることができなくなってしまうから、だからその前に食べたいものを〝全部〟食べてしまおうとする最後の最後の、やけっぱちの手段なのです。

「アレルギーについて一言」、私のもとに相談に訪れる多くの方から、ある種の食べ物にアレルギーがあるという場合、それらを食べるとさらにもっともっと食べたいという激しい欲求が起こり、その食べ物をめちゃくちゃに食べて過食に走ってしまうのだが、同時にアレルギー反応が起きてしまう、という話を聞いたことがあります。もし何か食べ物アレルギーがあるのではないかと心配な方は、ぜひ……この人のガイドラインや考えにならい耳を傾けることができると思う栄養士や健康の専門家に相談に行き、健康診断を受けてください。そうすれば、自分で自分の身体を傷つけているのではないかと心配しなくてもすみます。

砂糖を口にすると、突如としてもっともっと食べたいという激しい欲求が沸き上がってきて、結局、そのまま砂糖を過食してしまうことになるというのは、多くの人びとが口にすることですが、これは、事実でもあり、かつ事実ではないんじゃないか、と思うようになりました。私の場合、日頃から欠かさず砂糖を口にしているときには、このまま、毎日砂糖を口にし続けていきたいと思います。甘いものなら何でも好きですし、もし砂糖で甘いものへの欲求を満たしたとしたら、たいてい次の日も、その次の日も、砂糖が欲しくなります。だからといって、自分が砂糖を過食しているとは思いません。なぜなら……たいてい三口で充分ですし……私が求めているのは単にその味、口のなかで感じるその甘味だけだからです。その一方で、日常的に砂糖を口にしていないときの方が体調がいいことも事実です。毎日砂糖を食べ続けていると、二週間も経つ頃には、自分の身体が丸太のように鈍く感じられ、いつもほどエネルギーを感じなくなってしまうのです。この丸太のような感覚を自覚すると、すぐに心のなかで、自分の最近の食事を振り返ります。そして、砂糖が自分の日常食の一部になってきていることに気づいたらストップをかけます。こうしたときに砂糖を断つことと、ダイエットをしていたときの砂糖断ちとの違いは、恐怖心に駆られてすることと、自分自身の意志ですることの違いです。今の私はもう、クッキーを二枚だけなら食べてもいい、と自分に許したら結局、一箱全部食べてしまうのではという心配はしていないのです。

食べ物を箱のなかにしまい込み、禁断のものとしなければ、箱をぴったり閉じてしまう瞬間と時を争うかのように熱狂的に、その箱を引き裂いて、なかのものを食べ尽くしてしまいたい衝動に駆られることもなくなるでしょう。

しかし……これらをすべて試みて自分のベストを尽くしてみても、それでもやはり、食べ物から抜け切れず、この世の何にもましてこのような狂った食べ方をやめたいと思う一方で、まだやめたくないという思いも消せなかったら……。

●腰を下ろしてください。どこにいようとも、とにかく腰を下ろし、そして食べてください。腰を下ろすことで、あなたの脳に「これは現実なのよ。実際に今、あなたは食べているのよ」という信号を送ることになるでしょうし、あなたのその行為が、食べること以外の何ものでもなくなれば、その食べ物をより美味しく味わうことができるでしょう。

●食べていないというフリをしようとしてはいけません。過食には、食べるという行為を、まるでその真っ只中にとらわれ、それ自体には何ら正当な根拠などないかのように感じさせる性質がありますが、実際にあなたは今、食べているのですから、きちんと正当化して認めた方がいいと思います。

いったん、自分は今過食《ビンジィング》していることを納得し、認め、受け入れたなら、もうやめようと思うかもしれません。もしかしたら、やはり続けようと思うかもしれませんが、それでも、自分が過食をしていることに着目しない限り、あなたは自分が今していること……食べ物を自分自身に向かって乱暴に押し込むこと……を続けることしかできないのです。こんなことは馬鹿げていますし、初歩的なことに聞こえるかもしれません。「自分が過食をしていることぐらい、もちろんちゃんと自覚しているわ」そうおっしゃるかもしれません。しかし、食べ物にいきなり飛びついてしまい、三十分後、その食べ物がすべてたいらげられてしまったときに、ふと気がついて、あら、ここは、どこ？　と不思議に思ったことがこれまでいったい何度ありましたか。私が話しているのはそのことなのです。

●過食をしてもいいのよ、自分にそう言ってあげましょう。ワークショップでこう言うと、紛れもない脅威の表情を向けられます。なぜなら、この言葉を聞くと、即、「もし自分に過食を許してしまったら、二度と止まらなくなってしまう。そう、もう二度と」という恐怖が皆さんの胸に浮かび上がってくるからでしょう。でも、これは本当のことではありません。なぜなら、自分に過食を許可せず、それはだめ、それはやってはいけないことなの、あなたにはどこか本当によくないところがあるのよ、だから自分の生活も身体もきちんと作りあげていくことが絶対にできないんだわ、と自分自身に言い続ければ言い続けるほど、あなたの心は食べ物ではなく、過食をしている自分自身への批判に向けられ、ますます、ずるずると、過食を長引かせてしまうことになるからです。食べ物を口に運び、噛み、飲み込む。この一定の動きは、あなたが自分自身を忌み嫌うことに没頭している間も、あなたの関心を余所《よそ》に続いていくのです。しかし、いったん自分にそれを許せば、食べ物を味わい始めることができます。そして食べ物を味わい始めたとき、そのときこそ、気分をリラックスさせ、自分はこうしていることが〝好き〟なのか、それともそうではないのか、自分で許す間もなく始まってしまったこの行為をこのまま続けていきたいのか、自分自身で決断することができるのです。

●過食を許し、関心を食べ物に集中させたなら、その後、自分とゲームをしてみましょう。食べ物の感触、味、温度に着目してください。口のなかで、喉を降りていくなかで、胃のなかで、食べ物はどのように感じられるでしょうか。さあ、着目してみてください。自分はこの味を好きではない、これを食べると寒くなる、または暑くなる、身体のなかで本当にいいという感じはしてこない、と感じるかもしれませんし、この味が確かに好きなんだと実感し、やっぱりこのまま食べ続けようと思うかもしれません。いずれにしても、自分の身体と連絡を取り合い、どれほどの量を、または何を自分は食べたいのか判断することができるようになるでしょうから、過食を楽しむことができるのです。（一時間たっぷりかけて）過食をしよう、という気持ちが自分のなかにある限り、食べ物を楽しむことは意味のあることになりますが、あなたにそのつもりがないと、それは、自分に対する拷問ということになってしまいます。自分に対して拷問をかけることで、過食を食い止められるというのなら、それも有効と言えるかもしれませんが、やはりそれは苦しみとなるだけで、何の助けにもならないでしょう。

●過食の真っ最中に、テーブル、床、ベッドから離れ、鏡の前に行ってみてください。そして顔、腕、脚に触れてみましょう。自分は確かにここにいる、存在している、生きている、それを自分に思い出させてください。つい三十分ほど前、あなたは自分の口に食べ物を入れることに完全に没頭していました。しかし、今、確かにあなたはもう、単なる口だけの存在ではありませんし、食べたいという欲求だけの存在ではなくなっているのです。それをはっきり認めてください。自分の目を見つめてください。さあ、にっこり笑いましょう。それでももし、食べ物の所へ戻りたいと思うのなら、それならば、どうぞ。

●あなたが今、一人なら、大声で話しかけてください。食べ物に直接話しかけるのです。今、過食をしているその食べ物に、あなたがして欲しいことを教えてあげてください。直接言うのです。意識を麻痺させて欲しいの、打ちのめして欲しいの、眠らせて欲しいの、あなたはそう言うかもしれません。ある出来事を忘れてしまいたいから、だから私はあなたを食べているのよ、と言うかもしれませんし、いたわって欲しいからなの、と語りかけるかもしれません。

過食の真っ最中には、その場を離れ、昼寝をしてもいいかな、などと期待することはまったく非現実的かもしれません。過食の激しさ、その勢いは、あなたを駆り立てるばかりで、あなたとしては昼寝をしたいのに、一日のなかで、自分にどのようにそれを許していいのか分からず、だから結局、食べてしまったのではないかしら、などと気遣ってはくれません……そのため、あなたはそのまま食べ続けてしまうのではないでしょうか。

過食をしながら、既にそのような勢いにのってしまっているときにはそのまま過食を続行します。食べ物を通じて、しかも唯一食べ物を通じてのみ、自分を消費することを求めるような激しさをもつ過食もあるからです。この時点でなすべきことは何もありません。ただなすがまま。このような感情は、一気に沸き上がり、そして、静まるときがくれば静まります。それをじっと観察してください。

●もし過食の最中に誰かが入って来ても、食べているものを隠そうとしないでください。あなたは何も悪いことをしているわけではないのですから。何をしているかとたずねられたら、食べている《イーティング》のよ、と教えてあげましょう。その人が本当に気の許せる人なら、過食《ビンジング》をしているのよ、と言ってもいいでしょう。ひょっとしたら、その人は仲間に加わりたいと思うかもしれませんし、驚きの目であなたを見つめ、笑うかもしれません。しかめっ面をするかもしれません。人がどうしようと、あなたがそれを望んでいるのなら、食べ続けていていいのです。先週、友人の一人が部屋に入って来たとき、私は台所のテーブルに座り、アイスクリームのボールを食べている真っ最中でした。隣には紅茶クッキーの食べかけの包みが置きっ放しになっています。彼が入って来たとき、私はこう言ったのです。「あら、こんにちは。私ね、今、過食の真っ最中なの《ハーイ・アイム・イン・ザ・ミドル・オブ・ア・ビンジ》」。

過食の後……。

決定的に重要なこと、それは、自分自身に優しくなるということ、それまでの長い年月にもまして、今、自分に〝優しくなる〟ことです。今は、あなたが最も自分自身を必要としているときなのです。どこかへ行ってしまわないで。今は、自分を非難し、罰し、すべてが剥ぎとられた感じ《デプリベーション》にとらわれていますが、もしそのような落とし穴にはまってしまったら、自分を取り戻す深い思いやりをマスターしない限り、途方に暮れたまま、抜け出せなくなってしまいます。

そうですね、何か素敵なことをしましょう。お風呂に入る、外に出掛けて何かとっておきのものを買う、散歩する、遠く離れた友人に電話をかける、うとうと昼寝をする、雑誌を買う。何か素敵なこと、それは自己非難の大洪水を鎮めてくれるでしょう。あなたに今、必要なこと、それはあなたがまだ自分自身のことを信じているということ、それを自分に知らせることなのです。

●自分を許してあげてください。あなたは最善を尽くしたのですから。過食をし、それ以外では得られなかった幸せを少しでも得られたというのなら、そうする以外、しかたなかったではありませんか。あなたは人間なのですから。ほら、銀行の窓口に「少々お待ちください。神はお見捨てになられません」と掲示してあるでしょう。神はきっと、あなたのこともお見捨てになってはいらっしゃいません。

●書きものをする、座る、考える、いずれの方法でも構いません。少し時間をかけて過食から学んでください。

過食へと駆り立てるきっかけとなったのは何ですか。

それは、以前にも感じたことのある感情ですか。記憶によみがえってくる状況ですか。

そのきっかけをイメージしてみてください。ただし今度は、食べようとはしていない自分をイメージするのです。どこであろうが、あなたが食べ始める前にいた所に座るか立つかして、湧き上がる感情を感じます。

それはどのような感情ですか。

その感情が湧くと、なぜそんなに恐ろしいのですか。

食べ物といっしょにその感情を飲み込んでしまわずに、それが表面に浮かび上がるままにすると、どんなことが起こりますか。過食の後であなたがした通りのことを、今ここで、続けてみてください。あなたが過食をしないときには、その状況（あなた自身、ほかの人びとに対するあなたの感情）はどのように変わりますか。

もし何か、その状況に違いがあったとしたら、次回の過食の際には、何を変えていこうと思いますか。

過食から何かが学べるなら、それは決して時間の浪費ではありません。そこからあなた自身のより深くへ迫っていくことができますし、自分の動機や欲求をはっきりさせることもできます。そしてそれは、次の機会に役立つはずです。

●過食の翌日に食べ物から遠ざかってしまうのはやめましょう。過食をすると、おそらく絶食したり、食事を一回だけにしたり、運動教室を三つも受講するなどして、即、自分の摂取カロリーを制限しようとするかもしれませんが、これでは懲罰です。カラカラに渇き切って、もう死にかかっている自分に水を与えることを拒否し、飢えている自分の腹に巻いた縄をキリキリと引き締めるようなものです。

過食の後には、精神的にはもちろん身体的にも自分自身により優しくなる必要があります。諦《あきら》めてしまったわけではないことを、自分自身に伝える必要があるのです。再び空腹になったら、何を食べたいか、自分自身に聞いてみましょう。そして、それを自分に与えるのです。過食の後にあなたにできる最善のこと、それは空腹のときにもう一度食べることです。今度は、その食べ物の味や感触、満腹になった感じに充分注意してください。自信をもちましょう。自分は、食べたいものを食べることができると同時に、自分をいたわることもできるということを。食べることは自分を破壊しないということを。食べたいものを食べても太りはしないということを。これらを思い起こすことが、必要なのです。これは常に心に留めている必要があることですが、とりわけ今、あなたはこれを肝に銘じなくてはなりません。

三カ月前、父がスイスから好物のチョコレートを一箱送ってくれました。五年前の私なら一晩でそれを全部食べてしまうか、さもなければその大半を食べ、翌朝残りを捨ててしまっていたことでしょう。先週、まだ食べ残しの入っていたその箱を捨てました。そのチョコレートが風味を失っていたからです。五年前の私なら、チョコレートを一箱受け取ってもそのことをすっかり忘れ、冷蔵庫のなかで腐らせてしまうような、そんな人のせめて右腕だけでも自分にあれば、と思っていたことでしょう。

でも、今では私もそのような人の一人です。しかも、私はチョコレートを冷蔵庫に入れる腕を二本も授かったのです。

第6章　家庭での食事
——両親の罪

「両親は、私が豆を全部食べてしまわないと席を立たせてくれませんでした。私がそれを食べようとしないと、兄はそのなかに私の顔を押し込んだんです」

解放ワークショップ参加者

親であるということについて

ワークショップでは最初の数時間に参加者が自己紹介をし、体重をめぐって、家庭ではどのような経験をしてきたか、それぞれ簡単に説明することにしています。私がいっしょに活動してきた人びとのうち、十六人中いわば十四人までが自分の問題の痕跡を、子ども時代、食べ物、自分の身体について家族から受けたメッセージに遡って語っています。多くの女性たちは、母親がダイエットをしていた姿を見ていますし、母親が、痩せようとしていながら、その一方で、食べ物を盗み食いし、罪悪感を抱いていたことを目にしたり、感じたりしていました。母親から、あなたも食べるものには気を配りなさいと言われ、夕食の後クッキーを食べたり、夜こそこそと自分の部屋にキャンディを持って行ったりして叱られた人も少なくありません。また、食べ物が交換条件（「夕食を食べてしまったら、テレビを見てもいいわよ」）やご褒美（「まあ、おりこうさんね、野菜を全部食べたのね。そう、それじゃあ、もうデザートを食べてもいいわよ」）として使われたこともよくあったと言います。

伝統的に、夕げの食卓はその日の終わりの家族団欒の場ですから、食べるということが、嬉しいことや悲しいことと関連づけられるようになり、その関連があまりに深く入り組み、結び付いてしまうために、本来の目的——つまり身体に栄養を与え、心を満たすこと——が見過ごされてしまうのです。

いかに食べるかということは、いかに生きるかということの一つの現れですから、喜んだり栄養を与えられたり、自分のために時間を使ったりすることに対する感情やボディイメージも、親から子へと受け継がれることになります。子どもは直感的に親が自分の身体についてどう感じているかを感じとるはずですし、それをモデルとして、自分の身体についてどう感じたらいいか学んでいくでしょう。子どもは、自分が目にするものを真似するか、さもなければそれに反抗し、正反対の行動をとるかのどちらかです。いずれにしても親が示す見本は、子どもたちの後の人生において、大きな影響をおよぼします。

最近、新しく知り合いになったある友人のお宅を訪ねたのですが、そのとき彼女の非常に太っている娘さんが、リビングルームに座っていました。「ねえ、こちらがジェニーン・ロスさんよ。彼女はね、ほら、ママが前に過食症に関する本を書いた女性のことを話してあげたことがあったでしょう、あの方よ。ねえ、ボビー、彼女にね、ママとあなたが今週どれほど上手にダイエットできたかお話ししてあげてちょうだい」。彼女は一瞬言葉を止め、私とボビーを見て、再び言葉を続けました。「私たちね、二・二七キロも減量したんですのよ。ね、そうよね、ボビー？」。私は、彼女が更に次の言葉を発する前に、時計、キャンドル立て、猫、そのほか、何でもいいから、彼女の口に突っ込んでやりたいと思いました。ボビーは、私の方を睨みつけながらそこに座っていました。じっと身動きせず、笑いも瞬きも、話しもしませんでした。あまりにも長い沈黙の後、私はとうとう言いました。「ねえ、ボビーさん、二・二七キロも減量したということは、確かにすごいことよね。でも、これが、ママにとってと同じくらい、あなたにとっても大きな意味をもっていてくれればいいんだけど」。ボビーが部屋を出て行ったとき、友人の腕を摑んで言いました。「もう金輪際《こんりんざい》、あんな馬鹿な真似はしないでちょうだい。もし私があなただったら、あんな真似はしないわ。これって身の毛もよだつほど、恐ろしいことなのよ」。

彼女は、鳩が豆鉄砲を食らわされたかのようでした。「いったい、何がどうしたっていうの？　だって本当のことなのよ」。

彼女がボビーを指して「私たち」という言葉を使ったこと、このように複数形を用いることで、ボビーの成果から彼女自身の責任、能力、満足を奪ってしまったことについて話しました。ダイエットや体重測定、それから、自分が食べたものについて、そのプライバシーを守りたいボビーの気持ちを尊重すべきことについても話しました。「あなたが、自分の娘を助けたいと思っているんだとしたら」私は言いました。「あなたのやっていることは違ってるわ。私はね、五年ほど待って、そのうえで、彼女に解放ワークショップに出席してもらい、鈍感で横暴な自分の母親についてみんなの前で話をしてほしいと思うわ」。

母は昼のお弁当にメルバトーストを詰めたんですという話や、父は私のヒップをからかったんですよ、という話を聞くと、子どもの自己評価に親が与える影響力を、親自身がもっとよく承知していてくれたらと思います。親の口から安易に飛び出した言葉の数々、食事についてのルールや思い込みは、子どもの心の奥底にぴったりと張りついて、生涯にわたるわだかまりを残してしまうからです。

子どもが現在抱えている、または抱えることになるかもしれない食事問題の責任を両親に求めるつもりはありません。私たちは親として最善を尽くし続けることを厭《いと》いません。私たち大人は、自分が心得ていることをしますが、子どもは人から言われたことをそのまま自分のものとして受けとめていくのです。私たちの言葉が別の人間の心の片隅や隙間にどのように染み込んでいくか、それらの言葉がどのように変化し、展開し、成長していくかは、それを聞いている側の人間にもよりますから、まったく同じことを二人の子どもが聞いても、それぞれ別の解釈をするということはあります。自分が口にしたすべての言葉のうち、相手が何を聞き、何を用いるか、また、なぜすべてのうちほかのものではなくその一つだけにこだわることになってしまうのか、それはまったくその相手次第なのです。私は親を責めたいと思っているわけではありませんし、責めなければならないと思っているわけでもありません。

しかし親が自分の言葉に敏感になり、気づくことは大切だと思っています。

私の母は子どもの頃、大変太っていたそうです。母は自分の思春期を思い出すとき、太っていたことがとても恥ずかしかったそうです。母が販売員として働いていたある夏の日、非常にふとい両脚

＊　イナゴを煮て裏ごししたソースをかけたトースト。

が、互いにこすれ合い、ヒリヒリして、立ち上がれないほど痛んだときのことを話してくれました。母は自分の母親、すなわち私の祖母に電話し、スキンローションを持って来てくれるよう頼みました。到着した祖母は同僚の前で、母に向かって金切り声をあげ、こう言ったそうです。「まったく、お前がこんなに太っていなければ、こんなことにはならなかったのよ。もうそろそろ体重を落とさなくちゃいけないって思わないの？」。

母は、二十四歳のときに兄を生みました。母が退院した日、祖父はいっしょにエレベーターを待っていた母に「ルーシー、今だよ、今こそ、体重を落とすときだよ」と言ったそうです。

今、母はこう言っています。「私はね、あのとき自尊心がすごく傷ついたの。結婚して二人の子どもがいたのよ。それなのに両親は、相変わらず私にしつこく痩せろと、言ってたの。あのエレベーターでの事件の後、私はダイエットの薬を飲むようになったわ。そして一六キロ減量したのよ」。

この母が、後に脚の長いひょろひょろとしたのっぽのおてんば娘になるとは到底思えない娘をもったとき、自分の子ども時代の恥ずかしさを娘の私が繰り返し、自分と同じ思いをしないよう心配したとしても驚くべきことではありません。しかし、母はそう心配するあまり、自分の母親の過ちを自分自身もまた繰り返してしまったのです。母はさすがに友人の前で私に怒鳴り散らすようなことはしませんでしたが、言葉に出す出さないにかかわらず、私は太りがちだから、何であろうと口に入れるものすべてに気をつけていなければならないことを、私に分からせようとしました。そして私は気をつけたのです。そう、母が自分の方を向いてくれるように。

そのとき十一歳だった私は、体重に対する責任から逃れ太り過ぎているのかどうか、充分痩せているというのはどのような状態なのか、何を食べるべきで何は食べるべきではないか、などの判断をすべて母の責任に負わせてしまったのです。その代わりに私は盗み食い、過食をするようになりました。母が周りにいないときには、休む暇なく食べ続けました。私の体重は私たち、母と私の、一大関心事となりましたが、実際にはそれは、私自身、私の身体、私の食べ物の問題ではなくなってしまったのです。

母は恐れていました。もし私が自分の食べたいものを食べたら太ってしまい、惨めな思いをするのではないかと、ビクビクしていたのです。母の恐怖心を感じとり、そのことで母と言い争いもしました。それでも、私はこれを真実だと信じていたのです。私と母は食べ物をめぐって何年も格闘し、その後の私は何年も自分自身と格闘し、心のうちで母に語りかけ、怒鳴り散らし、母に対して自分の能力を証明しようとしました。体重が落ちる度に母に電話をかけたいと思いましたが、逆に体重が増えたときには、知られたくありませんでした。自分は太っていると感じているときには、ニューヨークの母のところに行く予定になっていても、行きたくありませんでしたし、実際行かないこともよくありました。

それほど昔の話ではないのですが、ニューヨークで母といっしょに二、三日過ごしたことがありました。その二日目のことです。母はこう言ったのです。「あのねえ、おまえにちょっと言いたいことがあるんだけど。でもね、おまえの気持ちをかき乱したくてこんなこと言うんじゃないのよ。でも、おまえ、体重増えたんじゃない。脚を見れば、私にはちゃんと分かるわ」。私はギョッとしました。それは本当でした。私の体重はだいたい二・三キロほど増えていたのですが、それについては、別にまあいいやという感じでしたし、どうせ、また元に戻ることは分かっていました。しかし、母からそれを聞いたことで、体重が二・三キロ増えたという事実そのものが変わってしまったのです。これは事実以上の意味をもつことになり、二・三キロどころか、もっとずっと多かったかのように感じられることになってしまったのでした。とたんに私は、自分が心配になり、不安を抱き始めました。「ママ、ママは今でも私のことを愛しているの?」私はたずねたくなりました。そして、食べたくなったのです。カップボードを開け、クッキー、クラッカー、ピーナッツバターを丸ごと一瓶、さらに五種類のドライシリアルを食べたいと思ったのです。

母は私の様子を観察しては、逐一それについて意見を述べるのですが、それは母に言われるより先に、私自身、既に気づいていることなのです。しかし母の口からそれが出ると、自分のルックスや価値について私が抱いていた自信に手榴弾を投げ付けられたかのような気がしました。ほんの数日前までは、この二・三キロの体重は私の頭からすっかり離れていました。それなのに、なぜあのとき、これを自分の人生がどこかひどく間違っていることの現れに違いないとまで、考えるようになってしまったのでしょうか。

パニックになりそうな自分を感じ、散歩に出掛け、自分の身体についての感情や自分がどれほどこの身体を気に入っていて、素敵だと思っているか、元の気持ちを取り戻そうとしました。前よりも丸々しちゃったけど、でもまだまだ充分素敵よ。散歩をしながら、私は、自分が今でも二・三キロ体重が増える前の自分と何も変わりはなく、これまでもずっとそうだったように、人生は愛と苦しみに満ちたものであることを実感しました。私は太ってなんかいない、散歩するうちにそう感じるようになりました。そして、五十二歳でほっそりと均整のとれた体型をしている母は、私を太っていると思い込んでしまっていることに気がついたのです。家に帰ると、リノリウムの丸テーブルに腰掛けている母の所に行き、こう言いました。「ねえママ、私ね、ママが私のためを思って言ってくれたことは分かっているのよ。でもね、お願いだから、私の体重についてはもう一切、何も言わないで。すごくつらいの」。その後、私はもう二度とこの問題について、母のため息を耳にすることはありませんでした。

それでは、親はどうすれば……

●まず、わが子をつらさから守ることは親にはできないということを心に留めてください。

●守っているつもりでも、それでもやはり、充分注意し慎重になる必要があります。なぜなら、それがわが子ではなく、親である自分自身を守りたいという思い、自分自身の、かつての、よく似たつらさを蘇《よみがえ》らせたくないという思いであることがよくあるからです。

●食べ物に対する責任を子ども自身に任せましょう。子どもたちは話をし、自分で論理的にものを考えることができる年齢になれば、食料品を買ったり料理したりしている最中に親に相談してくれるはずです。

●冷蔵庫に食品のリストを貼りましょう。それぞれの子どもに、週に、二、三の特別料理を選択する権利を与えます。このようにすることで、食べ物について考えたり、それにもとづいて行動したりするためには、自分自身の判断や感情が大変重要である、という意識をゆっくりと、子どもたちに教えていくことができるでしょう。

●週に、二、三回、夕食に関する決定権を子どもに委ね、食事の準備、調理、後片付けの際に、彼らに協力してもらいます。買い物、調理、食事について、子どもたちがもっと自由に選択できるようにし、彼らの選択の価値が認められることを彼らが認識できるようにすればするほど、彼らはより一層自分自身の価値も認識し、自分の判断を信頼するようになるでしょう。

●栄養ということについて話をし、親子でいっしょに本を読み、読んだことにもとづいて食事プランを立てましょう。ギチギチに窮屈で、権威的なものにするのではなく、興味をそそる、柔軟性のあるものにしましょう。子どもというのは好奇心旺盛ですし、興味津々ですから、きっと知りたがります。彼らの興味を彼ら自身の最大の長所のために活かし、自分自身をいたわる喜びをもてるよう教えるのです。

●夕食時間を不平不満のはけ口、喧嘩の仲裁、しつけ、たとえどのようなものであろうと、何らかの感情的な議論の場としてはいけません。食べるために席についたのなら、食べるようにしましょう。話し合う必要があるのなら、夕食の前か後に、そのための時間を双方合意のうえで別に用意してください。

●食べるためではない時間が別に用意されていれば、夕食時間に余計な負担をかけなくてすみます。子どもたちの年齢が増すにつれて、それぞれのスケジュールが異なってきますから、食事時間の調整がしづらくなってくることもあります。私も、家族団欒の夕食は好きですが、家族の親しみを育むためにそれを代用しようとは思いません。なぜなら、ただ家族が毎晩いっしょに夕食をとったからといって、親しくなれるという保証はありませんし、夕食時間が長くなりすぎると、逆にむっつり黙り込んだままになったり、腹立たしい喧嘩を招くことにもなりかねないからです。第一、いっしょに過ごす時間が何よりも優先されて、別に確保されていれば、何も、いっしょに食事をとらないからといって、その家族がばらばらになってしまうこともないでしょう。いっしょに散歩したり、公園や美術館、コンサート、映画に行ったりするなど、時間を共有する方法はほかにもあります。

●週に一度、「自由な夜」を設けてみましょう。いつであろうと、何であろうと、それぞれが自分の好きなときに、好きなものを夕食に食べてもいいというようにするのです。冷凍ピザ、コーヒーケーキ、ポップコーン……何でもオーケー。これについては、否定的な批評は一切してはいけません。

●「ボジャングル」。私の友人のリックの家族には、昔から、彼らが「ボジャングル」と呼んできた習慣があるそうです。一年に一回、家族全員、子ども三人と両親が総出で車に乗り込み、地元のアイスクリームパーラーに繰り出します。彼らはそこで、それぞれアイスコーンか皿に、どれか一つ、自分の食べたい好みの味を選ぶのです。そして、アイスクリームを手に、車に戻ると、座って、そのアイスクリームをなめます。こうして第一ラウンドの分を食べ終わってしまうと、彼らはもう一度そそくさと車を降り、店に引き返して第二ラウンドを注文します。そうしてまたアイスクリームを手に車に乗り込むのですが、これもまた食べ終わると、更にまた、店に戻るのです。そして、もう誰も、これ以上アイスクリームをなめることなど考えられなくなるまで、これを繰り返すのだそうです。

この話をリックから聞いたとき、私は感動のあまり叫び声をあげてしまいました。僕たち家族はみんなこの夜を心待ちにしてたんだ、何週間も前から話してたし、終ってからも何週間も話題にしてたんだよ、彼は語ってくれました。一つの家族としてこれは、彼らに何か心待ちにするもの、いっしょに過ごす楽しい時間、そして良識の枠にとらわれない自由を与えてくれたのです。

ボジャングルは誰にも――両親にも子どもにも――、熱狂的にくだらないことをしてみたいという気持ちがあることを認識させてくれる一つの方法だったのです。私たちの心のなかの、子どもらしい息吹を生き生きと守り続けていくことは至難の業ですが、このような子どもらしい新鮮な目なしでは、生活はたちまち〈～すべき〉と〈～ねばならない〉のオンパレードになってしまいます。ボジャングル自体は、自然に発生したわけではありませんが、このおかげで、子どものような喜びを自然に生み出すことができたのです。

これはまた同時に、栄養的にうんぬん、などということは蹴飛ばしてやりたい、という私たちの欲求を認識させてくれるものでもあります。このような方法で、彼の両親は、「確かにね、炭水化物や根菜や菜葉類、それにタンパク質が健康にいいことは分かってるわ、それに、日頃からこれらを食べていれば、薬にもなるってこともね。でも、いいの。今夜は、そんなルールは忘れてしまいましょう。今日はね、夢の世界を生きていいの。今夜は、あなたのための夜なのよ」ということを伝えていたのです。

本当に何て粋《いき》なご両親でしょう。

それでは、子どもたちが自分自身を好きになり、自分の健康や身体を気づかう自分の能力を信頼するとともに、親は子どもを審査したり、説教したりしているわけでもなければ、子どもの自然な行動に疑問を抱いているのでもなく、子どもの手をとり、いっしょに歩いてくれているんだ、と子どもたちが感じられるような親子関係を発達していけるよう考えていきたいと思います。そのためには、まず親自身が自分の身体についての恐怖心に注意深く目を向けなければなりません。親であるあなた方自身が、何を食べたらいいかは自分の身体が教えてくれるということを信じていなければ、わが子のそのような信頼を育てることは難しいでしょう。子どもとその身体および食べ物の間の健康な関係を支えるためには、親自身も自分への信頼、ボディイメージ、自己評価という問題について、自分との葛藤を始めていかなければなりません。ただし、これらの問題について、すっかり解決してしまわなければいけない、ということではありません。親自身、依然として学習者であってかまわないのです。新しい発見に対して基本的に開放的な姿勢を保ち、親の権威をふりかざさないことが大切です。子どもが親から学ぶように、親であるあなたも子どもから学ぶ必要があるのです。

自分の食べ物妄想をわが子にまで引き継がせたくないという思いと、子どもたちに自由に食べ物を選ばせてしまったら、ツウィンキーズとホットドックしか食べなくなってしまうのではないかという懸念は、本来微妙に異なるように思われます。というのも、彼ら子どもたちは、こと食べ物に関しては賢明な教師だからです。これは私の友人やワークショップ参加者で子どものいる方々が注目していることなのですが、子どもというのは、ペロペロキャンディとチョコレートキッスだけしか欲しがらないほど、べっとり砂糖漬になったり、食べ物がお仕置きやご褒美に利用されるようになる以前には、自分の身体が必要とするものに自然に引き付けられていくものなのです。子どもたちは、ブロッコリーやリンゴのシロップ煮しか欲しがらない日があっても、その翌日には、ポテトやチーズを欲しがるものです。しかも彼らはまだ、食べ物を悲しみや怒り、恐れに代用することを知りませんから、空腹のときには、食べ物を求めますが、もう充分となれば退けてしまいます。ですから、子どもたちをじっと観察し、むしろ彼らから学んでいただきたいのです。そして自分自身や自分自身の身体についてのあなたの不安を、影響を受けやすい成長期の子どもたちの心から引き離すようベストを尽くしていただきたいのです。

ワークショップのメンバーが、自分のことを信頼してくれる人間、実はリーダーの私のことなのですが、そのような人間がいることに気がついたとき、彼女たちにいったいどのようなことが起こるのか、私は目にしてきました。このような信頼がもたらす自信は、燦然《さんぜん》と光輝く反応となって現れます。自分の食べたいものを食べ、着たいものを着、感じたことを口にできるようになるのです。それまでは、まさか自分にもこんなことが可能とは、彼女たち自身絶対に信じていなかった方法で、自分自身をいたわり始めます。実際、彼女たちの様子は週を追う毎に変化していきます。瞳はキラキラと輝きを放ち、顔は若返って見えるようになるのです。

彼女たちは、私の彼女たちに対する信頼を感じると、彼女たち自身の自分に対する信頼を受け入れるようになります。

あなたの子どもたちも、親のあなたが彼らのことを信じていると感じれば、彼ら自身自分を信頼し、信用できるようになります。そうなればもう、二十年後に、彼らがわが家のリビングルームを訪れ、自分は十一歳のときに母親からどのようにダイエットを押し付けられたか、と私に訴えることもなくなるでしょう。

八週間の私のワークショップに、三人の子どものいる女性が参加しています。彼女は、解放ワークショップを受けて以来、自分の食べたいものを座って食べるようになりましたし、自分のために時間を割くようになりました。すると、彼女の子どもたちも同じことをするようになり始めたそうです。その一人、まだ幼い娘さんは、それまで時折、思いついたように気まぐれ食いをし、お弁当を食べかけで家に持ち帰ってきていたそうなのですが、母親が、さまざまな食べ物のなかから彼女に自由に食べ物を選ばせてあげるようにしたところ、この娘さんは何一つ食べ残さなくなり、今では家に持ち帰ってくるのはナプキンだけになったそうです。

数日前の夜、彼女たち親子が夕食の席についたときでした。この娘さんが、ポスターほどの大きさの板を首から二枚、サンドイッチのように前後にぶら下げて、部屋に入って来ました。前面には「もうこれからは本を読みながら食べません」、そして背面には、「もうこれからは自分の食べたくないものは食べません」とそれぞれ書かれていました。母親は、結構やるじゃない、と思ったそうです。本当にそうですね、私もそう思います。

帰省

数年前、母が、ある興味深い現象について話していました。兄と私は、母の家に入る度に、いつも同じことをするというのです。私たちは二人とも真っすぐ冷蔵庫に向かい、扉を開け、そこに立ったままじーっとなかを見つめます。冷凍庫、戸棚を開いて、すべて見尽くしたうえで、やっと自分のスーツケースを広げて書斎に腰を下ろし、話を始めるというのです。それがどれほど久しぶりの帰省であろうと、また普段はどれほど遠くに住んでいようとも、この冷蔵庫は私たち兄弟がまず最初に立ち止まるところなのです。「でもね」母は言いました。「おまえたちは、何か食べるものを探しているようには見えなかったわ。ただそこに立って、じーっとなかを見つめているの。おまえたちって、二人とも妙だわ」。

このことを母から聞き、関心をもって振り返ったとき、私は母の冷蔵庫のなかにどんな食べ物がどれだけ入っているかを知ることで、何か、自分にとっての安心を得られることに気がつきました。私が育ったこの家には、私がその周りで育ち、猛烈に攻撃を仕掛けてきた、あの冷蔵庫が置いてあるのです。

四年前まで、ニューヨークの実家に帰省すると、二日間であろうが二週間であろうが、やけ食いに走り、過食にふけりました。帰省の前の週になると、今回こそはやめようと心に誓うのですが、それでも向こうに着いた途端、どれだけ食べてしまうんだろうと心配になったものでした。ある年、友人と私は、帰省する前の晩、一晩かけてキャロット・ビーフスープを作りました。そしてスープを二本の魔法瓶いっぱいに詰め、それらを持って飛行機に乗り込んだのです。ところが、この魔法瓶の一本は、私の白いドレスと友人のベージュのパンツ、それに私たちの隣の席に座っていた女性のパウダーブルーのスカートにこぼれてしまいました。それでももう一本の方は何とか無事、私の台所まで遠路はるばる辿り着いたのです。にもかかわらず私は、それをドボドボと台所に捨てながら、地元のチョコレートショップの大きなバターブリックルの塊をムシャムシャ頬張っていたのでした。重いのを苦労して引きずってきたのは、この二本の魔法瓶だけではありませんでした。毎朝、朝食に新鮮なキャロットジュースを飲もう、デニッシュを喉いっぱいになるほど詰め込むことなんてもうやめようと心に誓い、一一・四キロもするジューサーまで抱えて飛行機に乗ったのです。その後、このジューサーはどうなったかというと、到着後数時間も待たずして、さっさと地下の貯蔵ルームにしまい込まれてしまい、それ以来、そこで埃をかぶったままです。こうして私は、やはり、デリカテッセンのデニッシュとチーズケーキを食べて、今回の帰省も過ごしたのでした。

両親の家への帰省は、それが招くパターンを変えていこうという、相当しっかりした覚悟ができていないと、気がつかぬまま実に容易に、過食の時間に変わってしまいます。もしこのような誘惑を自覚せずに母の家に足を踏み入れたら、それはまさに「冷蔵庫に行って扉を開けましょう。さあ、食べるんですよ」という信号を自分に送ることになってしまうのです。

この無意識の反応をじっくり見直した結果、次のことを発見しました。

●帰省の一週間か二週間前になると、母の家に到着するや否やどれほど食べてしまうんだろう、と心配になりましたし、心配している間でさえも、その心配を和らげるために食べるということが時どきありました。ニューヨークの実家に到着したら、どれほど多くの脂肪を付けてしまうんだろうと心配し、どれほど食べることになるかを心配する、まさにその心配に駆られて食べてしまった量を思い返しては、もう既に自分が太ったような気持ちに陥ったのです。

●私たちが家族として過ごす時間――昼食会や夕食会、親族会――においては、食べることが大きな焦点となります。しかし、食べ物を囲んでくだらない馬鹿騒ぎが繰り広げられるからといって、手間暇かけて非常に手の込んだ、盛大なディナーを用意してくれた伯母に向かって、「ごめんね、ルイーズおばさん、私、ここ三日間、ずっとランチやディナーで重い食事をとってきたの。おばさんが、二週間かけてこの食事を計画し、一週間かけて料理してくださったということは分かってるんだけど、でもね、私、今は、お腹空いていていないの」とは、なかなか言えるものではありません。

●「これが私の最後のチャンス……」。これは、三四番街と七番街の角にある自動販売機のホット・プレッツェル、スクイールのデリカテッセンのホット・パラトラミ・サンドイッチ、それにチョコレート・テェフのバタークランチに対する思いです。

●太っていると感じるときには、決して帰省したくありませんでした。ずっしり重い自分の姿を家族の前にさらしたくなくて、戸惑い、恥じましたし、昔の友達にこんな姿を見られ、醜いと思われたり、哀れみの目を向けられるのも嫌でした。このようなとき、実際、行くのをやめてしまったことも一、二度ありましたが、たいてい、自信を失い、自分の姿を気にして醜く感じつつもしぶしぶ出向き、いつもの手、つまり食べることで、これらの感情に対処したのでした。

●その昔、私はこの家で非常に孤独で、その反動から、やけ食い、過食に溺れていましたから、今、ここに戻ると、その当時の思い出が蘇ってきます。それはまるで高校時代、いやに大きな声で、歯をむき出しにして笑い、どんなに努力したにもかかわらず、どうしてもトンチンカンな言動しかできなかった当時の、自信のない自意識過剰な十六歳の少女に突然舞い戻ってしまうような気持ちでした。実家に居ると、このような思い出が、まるで窒息しそうなほど深く立ち込めた霧のように、私の周りを取り囲むのです。そして、昔の自分に圧倒され、現在の自分を忘れてしまうこともしばしばありました。

自分の現実の生活や現在の人間関係から何キロも離れているという事実が、時間が停止してしまったような感覚に一層、拍車をかけます。母の家で私は再び娘となり、自分が作家であり、エッセイストであり、ワークショップのリーダーであり、友人でもあるという事実は、母‐娘という根本的関係の二の次になってしまうのです。

昨年、帰省した際、まさしく高校時代同様、自分が母のつらさに吸収されていきつつあることに気がつきました。そして、やはり子どものころ同様、気も狂わんばかりに終始食べ続けたのです。この状態は二日間続き、サンタクルーズにいる友人のサラに電話して、私は今、十一歳や十二歳でもなければ十六歳でもない、もう、母に依存していたあの頃の少女ではないということを思い起こさせてもらってやっと止まりました。

実家に帰省すると、根本的に、食べ物と食事、愛と栄養が連想されます。このような連想が、現在の生活とはほとんど共通点のない感情や行動パターンをきら星のごとく引き起こすことは疑いようがありません。

しかし、次のような方法を用いることで、自分はもはや両親の家に同居している子どもではないということを思い起こすことができるでしょう。

(1) 帰省前にあらかじめ心構えをしておくこと。しかし、自分が両親の子どもであるとともに、それとは別に、一人の人間でもあることを忘れないでいることが難しいようなら、何かそれを思い起こさせてくれるようなものを持って行くといいでしょう。

(2) 自分のお気に入りの本、お気に入りの枕カバーを持参し、実家に到着したら日記をつけ始めましょう。
(3) 何か自分のしたいことをするために、少なくとも一日一回は両親から離れるようにしましょう。散歩する、映画に行く、昔の友人と会う、入浴するなど、自分の時間を持ち、自分の心を満たしてください。
(4) 実家から友人に電話をかけることで、現在の自分の現実との接触を図りましょう。
(5) 自分の食べるものについては好みをはっきりさせ、空腹のときに、しかも食べたいものを食べるようにしてください。

ニューヨークの実家にいて数日もの間、あまりに食べ過ぎて過ごしてしまったときに私の身体のなかに起こる感覚――それは、自分の身体がドロドロのセメントで満杯になってしまったような感じなのですが――、この感覚が引き金となって、かつてのあのお馴染みの、気が滅入るような反応が次々と起こります。おずおずと尻込みをし始め、自分自身への不平不満をこぼしては、誰彼となく同意を求めるようになります。自分を太っていると感じますし、醜いとも惨めとも感じます。敗北感すら感じるのです。高校時代の自分に再び舞い戻ってしまったかのようでした。自分がこのような気分になっていることに、この思いはまだこれから一、二カ月は続く恐れがあることに気づくや否や、何をいつ食べたかを注意深く振り返り、現在の自分を取り戻すようにしています。きっと気分よくなれると思う力にもとづいた行動をとっていると、セメントにはまって立ち往生しているような感情も消えていってくれるのです。

帰省に対処するにあたって最も必要なことは、この事柄の奥深さを自覚し、慎重にとらえることです。もし前以て、心構え（つまり、帰省というものはどこかほかの場所に行くのとは勝手が違い、昔の感情にギョッとしたり、精神的な圧迫や脅威を感じたりするものだということを認識しておくこと）が、できていないと、結局、食べ物へと道を求めることになってしまうことが多いのです。

そこで、身体がコンクリートで満杯になってしまったかのように感じることなく、瞳を輝かせ、バイタリティーに溢れて、帰省を無事乗り切れるように、さらにもう二、三の提案をしてみましょう。

●いったん家族といっしょになってしまうと、衝動的に食べてしまうのではないかと心配して、帰省の前の週から何かに憑《つ》かれたように衝動的に食べている自分に気がついたら、今、口にしている食べ物のリストを作ってみてください。自覚して食べ物を口にできるようにするために、本書の冒頭の数章で述べたこと（自分に騒ぎ立て、手招きしてくる食べ物について一から十段階で評価する）を、毎日一つか二つ、実行するのです。色や香りなど、食べ物の物質的レベルに戻り、苛立ちや不安から自分を引き離していただきたいのです。不安は過食をうながし、過食は不安をさらに増長させ、それがまた過食を促すことになります。もう一度、身体の欲求に応えて食べるようにし、自分はいったい何が不安なのか、よく見つめ直してください。

不安について友人に相談してみるか、「私は帰省するのが不安です。なぜなら……」というリストを、先の食べ物のリストとは別に作ってみてはどうでしょう。帰省のイメージを頭に思い描きながら、三十分間目を閉じてみてください。さあ、ドアに足を踏み入れます。そのとき、何が起こりますか。それに対するあなたの反応はどのようなものでしょうか。自分は何に最も影響されやすいと感じますか。

衝動的に食べ物を口にしている限り、いつまでたっても食べ物に関する不安から離れることはできません。このような食べ方をやめれば、あなたに食べるよう刺激する不安や気がかりを発見する余裕ができます。不安の正体が分かれば、それはもはや二次的なものとなり、名もない恐怖ではなくなるのです。そして、あなたはもうそれらにコントロールされることなく、自分自身がそれらを踏まえた行動をとれるようになるのです。

●帰省中、食事を囲んだ家族団欒の機会が頻繁にある場合には、その合間に何度も散歩に出掛けましょう。戸外に出て、息を胸いっぱいに吸い込みます。そして、身体を動かしてみましょう。あなたの身体はもちろん食べるということもできるでしょうが、動くことだってできるということを思い起こしてほしいのです。目の前にある食べ物すべてのなかから、自分が食べるものをきちんと選択してください。あなた自身は、本当は食べ物の好みがうるさい自分を認識していないかもしれませんが、今のあなたには、その昔、子どもの頃にあなたの周りにいたほかの子どもたちのように、母親にミルクシェイクやクッキーで釣られてしまうような間の抜けた、情けない状態に陥ってしまう危険性があるのです。はっきり、これは美味しいと思えるものだけを食べましょう。どれか一つの料理しか食べてはいけない理由などまったくありませんが、かといって、五皿も六皿も取らなくても、一、二皿の料理を前にして、あ〜美味しい、う〜ん最高と舌鼓を打ったとて、誰の感情を傷つけるわけでもないのです。

もしそのとき空腹でないならば、（たとえば、「このお料理は美味しそうだけど、今は、全然お腹が空いていないの。悪いけど、これを家に持って帰ってもいいかしら。そうすれば私も、これを食べ損なわなくてもいいでしょ」というように）何かいい方法で、それを伝え、食べないという手もありますし、さもなければ、自分の皿にほんのわずかな量を取り、それを脇に寄せて、何かほかのことをしているようにうまくごまかすこともできます。この場合、嘘をついてしまってもいいのではないでしょうか。確かに、恥じ入ることなく、自分の本当の欲求や願望を表現することが大切だと思いますから、嘘は、長期の効果的解決策としてはお勧めしませんが、誰かの感情を傷つけてしまう恐れがある場合には、嘘をつくことが役立つように感じるという話は多くの人びとから耳にします。このような場合の嘘としては、たとえば、「あのね、ちょっと胃がムカムカしているの。こんなときって、食べない方がいいように思うの」「この種の食べ物は、私は避けた方がいいって、お医者様から言われてるの」「ここのところずっと胃の調子が悪くて、やっと楽になりかけてきたところなの。だから今すぐ食べるっていうのは、ちょっと、遠慮しておくわ」などが考えられるでしょう。

●もしあなたもいっしょに、家族行事を計画する場合には、何か、食べること以外を提案してみましょう。パーティーや映画、美術館に行ってみてもいいでしょうし、家族の昔のビデオを見たり、アルバムを開いてもいいでしょう。スクラブルゲームやジェスチャーゲームなど語呂遊びや身振り手振りの言葉当てクイズをしてもいいでしょう。口に食べ物が入っていないときには、言葉が飛び出す機会を口に与えることになりますから、これは、私も冒険的な提案だと思います。それに、あなたは家族に本当の自分の気持ちを話すことに慣れていないかもしれません。でも、ゲームをすることで、あなたは惨めな思いをすることなく何かに熱中できると思うのです。

●ニューヨークの実家に帰る度に食べに行くのが、三十四番街と七番街の角のホット・プレッツェルです。まもなく私はサンタクルーズに戻らなければならない、もうここのホット・プレッツェルは食べられなくなってしまう、そう感じたとたん、そうだわ、これはニューヨークでしか食べられないものを食べる最後のチャンスなのよ、と焦燥感に駆られてしまうのです。しかし、サンタクルーズに戻って、自分の好きな食べ物を食べずに我慢しているというときでない限り、この三十四番街と七番街の角のホット・プレッツェルが欲しいという思いはまったく浮かんできません。

　飢えと欲求不満、そのうえ孤独にまで苦しんでいるときには、いつとも分からない将来、充分に食べられなくなってしまうのではないか、という欠乏感と恐怖感が沸き上がってきます。そのため、プレッツェル売り場の前を通り過ぎると、そのときには無性にそれが欲しいというわけでなくても、とにかく一つ買い求め、欲しくても食べられない幻想のなかのいつか、いつか将来のときに備えて食べることになるのです。しかし、現実の生活では、サンタクルーズに戻ればそこには、食べたいものの選択に度々苦労しなければならないほど多くの美味しい食べ物があります。自分が手に入れることのできるものが、そこには本当にたくさんありますから、手に入れることのできないものを求めることなど、まったく思いもよらないのです。

　では、もうこれを食べられないだろうから、ここを離れる前に、すべて食べてしまわなくては、と熱狂的になっている自分に気づいたら……。

(1)　どこにいようとも、美味しい食べ物はあるということを思い起こしてください。

(2)　今、空腹なのかどうか、自分自身にたずねてみましょう。

(3) その特定のものを本当に、心から求めているのかどうか、もう一度確認してみましょう。

(4) その答えが「はい」なら、もう何も迷うことはありません。

(5) しかし、答えが「いいえ」なら、選択の道は二つ。とにかくそれを食べてしまうか、それとも食べるのをやめるかです。この瞬間が最大の山場です。自分が空腹でないことは分かっているのですが、「さあ、早く。早くしないと、何かに、誰かに止められてしまうわよ。今よ、今、これを食べちゃいなさい」と急き立てる切迫感を身体に感じているはずです。この瞬間の緊張、それがあまりにも耐え難いために、それを和らげたくて食べてしまいます。でもまさにこの瞬間、何とかしてこれが美味しいものを食べる最後のチャンスではないことを、自分に伝えなくてはいけないのです。その食べ物をどうしても食べずにはいられなくなってしまっているなら、小型のクーラーボックスを持参し、好きな食べ物を持ち帰ってはどうでしょう。翌日、またはその翌々日、空腹のときにそれを食べてください。この美味しそうな食べ物はすべて家で食べよう、と考えてみるのです。どこであろうと何であろうと、自分の食べたいものを食べ、自分の関心を食べ物に向けるとき、その味、感触に着目するとき、そして自分を満足させるとき、そのときにはもう何も、来週になったらこれは手に入らなくなってしまう、だから今もっともっと食べなくては、とあなたを駆り立てなくなります。満足というのは総合的に感じるものですから、本当に満足すれば、欠けていると感じるものなど何もなくなるのです。来週になったらもうこれを食べられなくなってしまうから、だから食べたいという気持ちは、満足とは関係ありません。欲求とは未来のもの、満足は現在のものなのです。欲求はあなたが手にすることのできないものに焦点がありますが、満足の焦点は、現在あなたが手にしているもの、充分であると認めているものにこそあるのです。

●友人や家族に、こんなに体重が重い自分の姿を見られたくない……。

これはつらい問題です。

数年前、母は、五十歳の誕生日を祝ってニューヨークで盛大なパーティーを催し、私にも飛行機で駆けつけるよう言いました。ところがそれは、私がそれまでの人生で一番体重の重いときだったのです。このパーティーでかなり若い頃からの知り合いで、前回会ったときに、本当に痩せてるわね、と私に言ってくれた人たちと再会することは分かっていました。あの同じ人たちと顔を合わせなければならないのに、あの頃の体重の一・五倍にもなってしまったことを考えると、屈辱的な思いでした。母に本当のことを言おうか、それとも病気のふりをしようか、さもなければ、あまりにも仕事が混んでいてとても行けそうにないと言おうかとも考えました。しかし、このパーティーは母にとって大きな意味をもつものでしたし、ちょうどこの頃、私はダイエットをせずに自分の体重の長所を発見することの価値を認めることができるようになってきたところでした。自分の今の状態をよく把握し、体重にかかわらず自分自身を気持ちよく受け入れられるようになりたいと思い始めていた矢先だったのです。で、結局、私はそのパーティーに出席することにしたのです。

従姉妹は最近、一一・四キロも体重を落とし、九号サイズの洋服を着て現れました。母は、ちっちゃなヒップに長い脚、やはり九号サイズです。私はというと、それでも自分の手持ちのドレスのなかでも一番小さいものにぎゅうぎゅうに身体を押し込め、人で溢れる居間へと足を踏み入れました。しかし、登場早々、「まあ、どうしたの。前に会ったときから、二七キロも太ってしまったんじゃない」

などと言う人は誰一人としていませんでした。にもかかわらず私は、みんなの目を、言動をうかがい、彼らの背後にある嫌悪を勝手に想像しては、惨めで自意識過剰な夕べを過ごしたのです。

私自身、このような状況に対処する何かいい手が豊富にあるわけではありませんが、皆さんには、つらさにも耐えてがんばり、そのつらいなかで自分をいたわってくださるよう応援します。つらいときに、食べることで自分を放り出してしまうのではなく、そのような自分自身と共にがんばることができるようになれば、そのつらさを自己発見のための手段として活用することができるのです。

人と顔を会わせる際に最もつらいのは、相手はこう考えているのではないかというあなた自身の勝手な想像に直面してしまうことです。しかし周囲の評価というものには、次のような二つの真実があるのです。

(1) ほとんどの人は、あなたが傍《はた》からどのように見えるかということなど本当に気にしていません。あなたの体重が増えたことに気づき、どうしたのかなと首を傾げることはあるかもしれませんが、さっさと次の関心に移っていってしまいます。たいてい〝自分〟がどのように見えるか、周囲の人は自分のことをどう思っているだろうかという心配に忙しく、あなたのことにそれほど時間をかけている暇などない人がほとんどでしょうし、そのほかの人びとにとっては、体重というのは大して重要な関心ではなく、なぜあなたの体重が増えたかなどということにあれこれ考えをめぐらせたり、あなたがどれほど多くケーキを食べるかに着目したりしないものなのです。たいていの人、あなたが親しくもない人びとにとって、あなたは単なる通りすがり、つかの間の眺めに過ぎないのです。

(2)　実際、誰かがあなたを否定的にとらえたとしても、それはその人自身の自己評価、価値観の裏返しであり、あなたとはほとんど関係がありません。

あなたに強い関心を払い、あなたが欲求を抱いていることにまで気がつくような人こそ、まさに自分の体重を気にしている人です。自分が茶色の瞳をし、その瞳の色をひどく嫌っている人間に限って、ほかの人の瞳の茶色をも嫌悪するものです。

かつて私は、体重の重い人を見ると、なぜあの人たちはあんな自分をそのままに放っておくことができるのかと不思議に思ったものでしたし、太っていることは忌むべきことと感じたものでした。しかし今では、体重の多過ぎる人を見かけると、手を差し伸べてあげたいと思います。自分自身を批評することをやめたとき、人のことも批評しなくなりました。人の体重に対する私の反応というのは、結局、自分自身に対する反応、つまり、自分自身に対して私がどれほどいたわりと共感を込めた反応をできるようになったかを示す一つの指標なのです。

他人から受ける評価の最大のつらさは、相手が下す評価を真実と思い込み、その結果として、自分自身を結論づけてしまうことから生じます。

レスリーは、ワークショップに参加している女性の一人ですが、彼女は前回自分の家族と会ったときよりも九キロも体重が増えてしまったから、クリスマスに帰省したくない、とワークショップで話していました。「家族は私のことを、自制ができないんだろうと思うでしょうし、とんでもない人間だと思うわ」彼女はそう言いました。九キロ増えてしまったということは、あなたにとってどんな意味があるのですかとたずねたところ、ゆっくりとこう語ってくれました。「それは、私には、どこかよくないところがあるってことなんです」。

レスリーのなかには自分を批評する気持ちがあり、それを、自分の価値のなさを思い起こさせる生きた人間に外在化させてしまっていたのです。家族と顔を合わせることは、彼女が自分自身について感じているいたらなさに直面することを意味していたのです。家族に会うということに関する最悪のつらさ、それは彼女の体重についての家族の感情ではなくて、自分の体重についての彼女自身の感情だったのです。家族には彼女の肉体を身にまとって生きる必要はありません。彼らは彼女の身体を目にし、それに対する評価などパスして、そのまま先に進んでいってしまっても一向に構わないのです。彼女と共に目覚め、一日中、共に動き回り、共に眠りにつく人間は彼女自身です。それが気持ちのよい目覚めとなるか、つらいものとなるか、いずれも彼女の自分自身に対する感じかた次第なのです。

あなたの体重は、はたしてどれほどほかの人にとって重要な問題なのでしょうか。人の、あなたの体重に対する関心はどれほど続くと思いますか。

人は、あなたがどれほど太っているかを考えながら、明日、目を覚ますでしょうか。

人は、朝食をとりながら、あなたがどれほど太っているかと思い起こすでしょうか。

人は、あなたの体重のことを自分の友人に話すでしょうか。

話したとしても、それがその友人の生活にどのような影響をおよぼすのでしょうか。

かつて、あなたが誰かほかの人の体重について批評したとき、あなたが考えたことはまさに何だったでしょうか。

あなたが他人の体重について批評するとき、自分の体重について、どんな気持ちが湧いてきますか。

他人に対するそのような意見を、あなたはその日一日中、もしくはその週ずっと考え続けていたでしょうか。

そのために、その人についてのあなたの感情に何か影響がありましたか。

どのように？

あなたは怪物ではないのです。何の罪を犯したわけでもありません。あなたがどれほど自分をぶざまで、体重が重い、醜いと感じていようとも、自分自身に優しく、敬意を払って当然なのです。では、どのように優しくなったらいいのでしょうか。それを思い起こすための方法をいくつかあげてみることにしましょう。

●体重が増加して以来、一度も顔を合わせていない家族や友人を訪ねる際には、お気に入りの服を着て出掛けるようにしましょう。自分の現在のサイズにぴったりする服を一着も持っていないなら、何着か手に入れてみてはどうですか。

●先方に到着する前に、自分がもっと痩せていたら、はたしてどのように振る舞うだろうか、イメージしてみてください。どのように歩くでしょうか。どのように話すでしょうか。どのように食べるでしょうか。

さあ、今、あなたが思い浮かべたように、歩き、話し、食べてみましょう。

●出かける前に、何か、自分を豊かにしてくれることをしてみましょう。自分自身を心地よく感じられる時間をもってみるのです。体重があなたのすべてではありません。それは心に留めておいてください。あなたは何かに耳を傾け、愛し、話し、涙を流し、なおかつ、その一方で、ある一定の重さを占めている人間なのです。

●いったん家族のなかに足を踏み入れたら、話しかけたい相手を見つけてください。その人となら、何か意味のある会話が交わせる、という相手を見つけるのです。あなたがどれほど太っているかや、どれほど惨めかということを話題にしてはいけません。自分のことで相手に詫びてはいけませんし、そうする必要もありません。あなたに必要なのは、自分がどのように見えるかという表面的なレベルを越えて、人と人との間に起こる現実、つまり、触れ合い、出会い、そして感情はもちろん、お互いの意見の交換へと進んでいくことなのです。

●空腹ならば、食べてください。ただし、あなたの好きなものをです。クラッカーやチーズを食べたいのに、ニンジンスティックやセロリを食べてはいけません。そのようなことをしても、人目を避けなくてはという思いに駆られるだけですし、それが引き金となって、本当は食べたかったのに、食べられなかったあらゆるものに対して、夜更けに過食をすることにもなりかねません。

第7章
レストラン、パーティー、休日の社交的な食事

「ほかの人のお皿からちょっとつまんだもの、その方が美味しいんです」
解放ワークショップ参加者

解放ワークショップの全活動のなかで最も反響が大きいのが、持ち寄りディナーです。来週はみんなでいっしょに食事をしましょうと言うや否や、部屋は反対を訴える声で騒然とします。誰の胸にも、これだけは言っておかなくては、と思うことや強烈な感情があるのです。二週間前にも、一人の女性が「私はわざわざここに来て、豚のように意地汚くなるために、たくさんのお金を支払っているのではありません」と言っていましたし、ほかにも何人か彼女の言葉に頷いていました。「食べるのはいつですか、何時間続くんですか、その後で何をするのですか。私、そのディナーに出席したくありませんから、それが終わってから来ることにします」と言ったうえ、「私、衝動に駆られて食べるためにここに来たのではありません。どうしたらそうならないようになるのか、それを学ぼうと思ってここに来たんです」と言った女性もいました。

いっしょに食事をしましょう、という話をもちかけることは、部屋に爆弾を落とし、その破片がどこに飛び散るか、後ろに立って見物しているようなものです。私たちは、食べることと食べ物、そして身体ということについて何度も何度も話し合いを重ねるのですが、自分たちがそれまで話し合ってきたことをいざ実行に移す可能性が生じるや否や、それはやはり恐怖以外の何ものでもありません。グループの目の前で自分の服を脱ぎ捨てるようなものなのです。進んでしたがる人など誰一人としていませんし、それを勧めようとしただけで私に激しい憤りを感じることにもなります。私たちのほとんどにとって、やはり食べるということは秘密の顔なのです。食べ物に関連するあらゆる領域……どのように、何を、どこで食べるか、また、どれほど切迫してそれを求めるかや、もちろん食べ物自体も含め、これらは、私たちが自分のなかに、自分だけのために確保している自分だけの一面なのです。そしてこれは、多くの場合、「もし本当に、私がどれほどたくさん、何を食べたか知られてしまったら、ほとほと嫌気をさされ、もう愛してなんかもらえなくなってしまう……」と、口にする面でもあります。ほかの人が寝静まってしまった後、夜中にこそこそ隠れ食いをしたり、二口、三口、盗み食いをしたり、冷蔵庫へとこっそり足を忍ばせたり。決して人の目に触れることのない、私たちの一面なのです。

あえて秘密に着目し、それを明らかにすることを目標とする私たちのワークショップのなかでそれを隠そうとすることはなかなか容易ではありませんが、ワークショップ以外の人の前でなら、装うこともできますから別に大した問題ではありません。グループの外ではカッテージチーズやサラダを食べていることもできますから、そうすれば人は、あなたをダイエット中と思うでしょうし、あなたはその後、家に帰ってから本当の自分の食事をすればいいわけです。しかし解放ワークショップではそうはいきません。

女性の場合、人に施す側専門という人がほとんどです。母親であり妻であり、キャリアウーマンであるとき、女性にとって食べているときというのは、日常のほっとしたひととき、彼女たちが唯一、一人で過ごせる時間なのです。

若いころ、誰かを愛するということは、自分にはまったく秘密がないということを意味する、と考えていました。誰かを愛するということは、諦めるということ、断念するということ、屈するということと考えていたのです。誰かを愛しているのに、たとえ一時間であろうと、その相手と離ればなれでいることなどどうして耐えられるんだろう、と不思議に思いました。

その後、私は恋に落ちました。そして三週間もの間、諦め、断念し、屈しました。何もかもすべてにです。ごく稀に、それが三カ月も続くことさえありました。しかしその後、彼が朝シリアルをポリポリと音を立てて食べる食べ方や、ぞんざいな新聞のめくり方が気に障るようになりました。しかもふと気づくと、彼を無理やり自分から遠ざけ、彼の足は大きすぎる、彼の目は小さすぎる、あと二十年もすれば彼の頭は禿げてしまうだろうし、私は禿げ頭の子どもなんて欲しくないから、彼のことなんて忘れてしまおうと考えていることがよくあったのです。二人の関係が終わったとき、これはおとめ座生まれの私の運命、あまりにも好き嫌いの激しい、おとめ座の性《さが》ゆえの苦しみだと信じ込み、自分を責めました。誰かを愛しつつ、かつ、一人の時間を過ごしてもいい、と言ってくれる人など誰一人としていませんでしたし、仮に誰かがそう言ってくれたことがあったとしても、忘れてしまっていました。一人になりたいという欲求は、「もうあなたのことなんか愛していない」と言い放ってしまうほど大きく、たいていそれは、私が本当に求めるものは、ただただ独りで、たった独りっきりの時間を過ごしたいということ、本当にそれだけというときに、私の口から飛び出した言葉だったのです。

数年前、母は「私にはね、決して誰にも言わないことがあるの。私のなかには、ディックにも、おまえにも、友人にも内緒にしている、もう一つの顔があるのよ」と言いました。そのとき私は、まさしく今、私が感じているように、孤独というのは、赤ん坊が暗闇のなかを羊水に囲まれて成長するように、自分自身の温かな暗闇の内側で変わっていくものであり、それは、そのなかで漂うことを許して欲しいと求める私たちの欲求として理解され、望まれるものではないかと思いました。隠れてこそ、衝動に駆られて食べている人は、本当は非常にたくさんいるのではないかと思ったのです。食べるということは、誰に見られることもない自分の顔を持ちたいという私たちの欲求のシンボルではないか、そう思ったのでした。

ワークショップのなかでは食べたくないと思っている彼女たちが、それぞれそのような自分の気持ちを表現した後、彼女たちに、皆さんのいやがる気持ちは私もよく分かりますが、でもとにかくやってみましょうよ、と言いました。そして、どのような料理を用意するか、誰が何を持ってくるかを決めました。しかし、問題のディナーの午後になると、いつも決まって、突然に、しかもどうにも不自然に、病気に罹ってしまったという参加者からの電話を二、三本受けます。そのような人たちに、それでもとにかく来るように言います。その後、食べ物が次々と到着し、よい香りが会場中に漂います。テーブルにはありとあらゆる色彩、感触の豊富な食べ物がゆっくりと盛られていき、部屋中の興奮が手に取るほど感じられるようになります。それから私たちは、まずテーブルから離れて座り、気持ちを静め、自分の身体と接触を図るようにします。自分がどれほど空腹であるか、部屋のなかにこんなにたくさんの食べ物があるということについて、自分がどう感じているか、それについての心配、恐怖、不安とは何なのかについて話し合います。それから、さあ、いよいよ食べる時間となります。テーブルへと歩み寄り、食べ物を眺め、その香りを吸い込みます。各自、自分が持ってきたものやその材料を説明します。

その後、全員にそれぞれ自分が食べたいと思う料理を三つ選び、それらを自分の皿に取って腰を下ろすよう言うのですが、その途端、その場の落ち着きは一気に崩れ去ります。「ええっ、三つ？　三つだけなんですか。冗談じゃないわ。そんなの、あんまりです、あまりにもひどすぎますわ」。あらあら、皆さんは、過食症のワークショップにいったい何を期待していたのかしら。ここならば、豚のように大量に食べてもいい、と思っていらっしゃったのですか。私はたずねます。すると、誰もがくすくす笑います……そうなのです。まさにこれこそが彼女たちが当然のごとく思い込んでいたことなのです。なぜならこれ、つまり何もかも忘れて無我夢中で、ただ自分の口のなかに食べ物を運び込む、あたかも自分はそうするしかないかのように、他人といっしょに食べるということは、まさしく衝動的に食べるということを意味するかのように、彼女たちは、多くの食べ物や多くの人びとの周りにいると、当然、自分はそうなってしまうと思い込んでいるのです。

ディナーの最中に、私たちはこれまでの章で触れてきた(すなわち食べ物を口のなかで噛んでいる間はフォークを下ろす、食べ物の味、感触、温度に意識を集中させる、自分自身で自分の満足度をチェックする、自分の皿に食べ物を残す、など)多くの活動や、この章でこれから述べていくいくつかの活動を行っていきます。ここにきて、食べ物が特別の意味をもち、このディナーこそが解放ワークショップのハイライトであることが明らかになります。

ワークショップで食べるという経験により、自分は他人の前で人といっしょにものを食べることができる、しかもケーキやクッキー、ポテト、パンを恥じることなく、食べることができるということを知ることができます。食べ物をすべて食べ終わったときの心地よい喜びはもちろんのこと、食べ物を人と共有しているという喜びをも経験できるということを、このディナー体験は教えてくれるのです。一度それができれば、再びすることができます。そして再びそれができれば、さらに次にもまた、そうすることができるのです。

そこで本章では、どのようにしてほかの人といっしょに快適に食事をしたらいいのか、最終的にはどのように自分自身を好きになったらいいのか、その方法を学んでいくうえで、あなたを導いてくれる活動、アイデア、提案をリストとしてあげてみることにしましょう。これらはパーティー、レストラン、ビュッフェ、そして持ち寄りディナーなど……社交的な場での食事を楽しく、自分を肯定的にとらえられるような経験へと変えていく手助けを目的としたものです。

孤独の重要性

衝動的に食べるということと自分一人になりたいという欲求が混同してしまうことを避けるために、ほかの誰でもない、あなたが自分のために所有している場所を確認し、その場所をじっくり時間をかけて観察してみましょう。

社交的な食事から喜びを得たいと思うなら、その一方で同時に、自分一人での食事だけでなく、自分一人でいるときの行動や状態そのものに対する欲求をも確認する必要があります。もし他人に対して自信やバランスを感じたいと思うなら、まず第一に自分自身のなかの自信やバランスを確認する必要があるのです。このような自信の向上、それはまさに私たちが一人でいるときにこそ始まるはずなのですが、私たちの文化では一人でいることがあまり重視されないために、それを求める欲求はどこか地下の見えない所に押しやられ、歪み、屈折した行動、つまり盗み食いや夜中ドキドキしながら何でもかんでも人に見つかる前に口にできるものはすべて食べようとする、胸の高鳴りのなかで表現されることになってしまうのです。欲求に溺れたいという甘えも、一人になりたいという孤独への欲求も、必要不可欠なものとは見なされていません。だからこそ孤独を、必要不可欠なもの……つまり食べ物と同列に結び付けようとするのです。

この場合、孤独と甘えは関連してはいますが、同じものではありません。甘えは一種の「時間の浪費」、非生産的であることへの許可および自覚です。これは毎日の生活のお決まりの必要から自分を解放する一つの方法です。一方、孤独はこのように日常性を忘れることとは異なり、むしろ思い出すということです。自分自身の内へ内へと飛び込んでいくための時間、ほかの誰ともかかわりのないなかで、自分は満たされ、何も欠けてはいないということを思い起こすのに必要な時間なのです。家の周りをぶらぶら歩いてみたり、音楽を聴いてみたり、ベッドに横になったり、草木に水をやったり、剪定したり、日記を書いて過ごしたりしてもいい時間なのです。

●少なくとも数日に一回は一人で食事をとり、食べ物を口にし、味わい、噛み、飲み込むという食事全体の流れに深く関心を払ってください。食べたいものを、どのような方法でも、あなたの望むように食べていいのです。コールド・スパゲッティ、グリルド・チーズサンドイッチ。話しかける相手もなく、ほかに気を取られることもなく食べるということはどのようなものなのでしょうか。

●レストランで一人で食事をしてみましょう。あなたが快適に感じられるところに行き、一人でいるということについて抱いている自分の意識に着目してみてください。どうしてあなたは、周りの人があなたのことをじろじろ見ている、一人でいるあなたを不思議がっていると感じるのでしょう。人はあなたのことを哀れに感じていると思いますか（一人でいるということについてあなた自身が抱いている、一種の先入観に着目してみるのです。もしかしたらあなたが、人に対してそう感じているから、ほかの人もそう感じていると考えるだけなのかもしれません）。

本来社交的な場であるレストランに座り、静かにじっとしているというのはどのような感じですか。周りを見回す機会をつくってください。何が見えますか。ほかの人は何を話しているんだろう、と不安に思う必要はありません。自分自身とじっくり向き合い、自分が考えていること、感じていること、見ていることに注意を払えますか。

その食べ物、それはどのような味ですか。その感触やコク、風味に意識を集中してください。一人のときの方が、よりじっくりと味わうことができますか。それともその食べ物についていっしょに話をすることのできる人とその場にいる方が楽しいですか。一人で食べると食べ物への喜びはどのように変わるでしょうか。

少なくとも三回、レストランで一人で食事をしてみましょう。初めの二回は、自分を意識し過ぎてしまい、食事を楽しむ余裕などないかもしれません。しかし三回目ともなれば、これを楽しめるかどうか分かるでしょう。楽しめないなら、あなたには向いていないのです。それでも、レストランで一人で食事をするということがどのような感じなのかは分かるようになるでしょうし、ほかの人はこう考えているだろうと自分が想像していたことを自覚することで、一人ということについての自分の考えが分かるようになるでしょう。

●一人でいる時間を、毎日いくらか（十五分でも、一時間でも）とってください。じっと、自分に意識を集中してみましょう。あなたは今すぐにでも、自分の目指す目標に到達したいと思うでしょうか……それとも六年かけて、それどころか生涯をかけて目標に進んでいきたいと思うでしょうか。自分はこうありたい、自分はこうしていきたい、その方法の価値を認めてください。あなたのなかの、あなた自身を大切にしてください。プライバシーを求めるあなたの欲求を尊重していただきたいのです。

レストランでの食事

先週、何人かの友人といっしょに素敵なフレンチレストランでディナーをとりました。パンが出されたとき、それに触れてみた私は、冷たくなっていることに気がつきました。ウェイターの方を向き、これを厨房に戻し、温め直してくれないかとたずねました。ウェイターは「承知しました」と言ってくれたのですが、友人の一人は私を見てこう言ったのです。「私も温かいパンが欲しかったの、でもね、温め直してって頼もうなんて、考えなかったわ。過食症のワークショップを率いてきたことであなたが得たものって、それなのね。そのガッツよ」。

外で食事をするということは、お金を支払って得る特別な御馳走です。料理の材料がはっきり分からないときには、聞いてみましょう。店の人に目で合図し、その人の知っていることを説明してもらうのです。あなたが我を張るのではなく、感じよく振る舞えば、自分が知りたいと思っている情報を得られるでしょうし、それは、あなたが自分の食べたいものを決めるうえで役に立つことでしょう。

友人といっしょにレストランを選ぶときは、自分の意見を言う権利があると考え、どこに行きたくて何が食べたいかをはっきり言いましょう。あなたの好みや希望を、五二キロの標準体重の人に譲る必要などありません。自分が食べたいものをまず言い、それから、妥協点をさぐるのです。あなたの思い通りになることもあるし、そうならないこともあるでしょう。

レストランに到着したものの、まだ席につくかつかないかのうちに、その場の雰囲気、匂い、感じが気に入らなかったら、遠慮せずに同行の人にそれを伝えてください。(「こんなこと本当は言いたくないんだけど、でもね、ここはちょっと馴染めない感じがするの」と、遠慮がちながらも言うのは、確かに恥ずかしいですし、こんなことは馬鹿げている、相手に迷惑がかかる、意識し過ぎているように感じられますが)実際、思い切って口を開き自分の感想を伝えると、いつでも同行の相手も同意してくれ、私たちはそこを出たものですし、相手の方が、「ここを出ようよ。私、ここ、気に入らない」と言ってくれると、いつも相手がそう言ってくれたことを嬉しく思います。その場の印象を同行の人たちと共感し合えないまま、そこを快く感じていない人と夕食をいっしょにしても楽しくありませんし、リラックスすることもできません。

いったんその店に決めたならば、メニューを見て、即座に自分が興味を引かれたものを選んでください。「本当はピーナッツバター・サンドイッチが食べたいんだけど、そんなものは家でも食べられるし、よし、サーモンにしよう」「本当はハンバーガーがいいんだけど、でも、ここのお薦めは、帆立貝のソテーだって聞いたから、それにしようかな」などと、あれこれ深く考え込んではいけません。レストランでサーモンか帆立貝を食べたら、あなたは家に帰ってすぐか、真夜中になってか、結局ピーナッツバターやハンバーガーを食べることになってしまうかもしれません。サーモンや帆立貝を食べても満足できなくて、そこでさらに食べ続け、それでも満足できない、ということだってあり得ます。

ほかにもまだいくつか次のような提案があります（なかには、前章で触れたものもあります）。

(1)　感情的になったり、仕事が絡んでいたりして、へとへとになるような話は避けましょう。食事中は軽い話題にし、あなたの身体が、心にではなく食べ物に対応できるようにしましょう。

(2)　食事中にしばらく沈黙が訪れても気にしないでください。その沈黙によって、かえってあなたたち二人または仲間全員が、お互いの連帯感はもちろんのこと、食べ物をもしみじみ味わえることもあるのです。

(3)　もう充分食べたというあなたの身体の信号に注意深く関心を傾けてください。レストランの一人分の料理は、あなたの胃のサイズに合わせてあるわけでは全然ないということを心に留めておいてください。

(4)　料理が残った場合には、いつまでも未練がましくつついていなくてもいいように、それを持ち帰ってもいいか、または持ち帰り袋をもらえないかと聞いてみましょう。

ディナーパーティーなど

ディナーにお客様をお迎えし夕食を楽しみたいという場合には、お客様の到着前に調理台の前で料理をつまみ食いしたりしないでください。味つけに関しては、誰かほかの人に一口か二口、味見を頼むか、さもなければ、それについては運に任せてしまいましょう。調理台の前に立ったままつまみ食いしたいという気持ちは確かに分かりますし、これは私たちにはお馴染みのことです。しかし、あなたもきちんと席について、お客様の前で料理を味わい、楽しみながら食べて当然いいと自覚しているのなら、そうしないでもいられるはずです。

あなたが空腹ならば、料理にかかる前に食べましょう。何か、本当に食べたいもの、満足できそうなものを食べてください。

パーティーの料理の準備に夢中になるあまり、実際にテーブルに出す前につまみ食いをして満腹になってしまい、当のパーティーそのものは楽しむことができなくなってしまうことがよくあります。みんなが料理を気に入ってくれるだろうかと心配するあまり、ディナーの開始までに気を遣い過ぎてへとへとに疲れ切ってしまい、その埋め合わせに台所に活路を見出して、結局、ほかの人たちが食べ残したものを食べることになってしまうのです。

ふと気づいてみたら、ディナーパーティーの前につまみ食いをしていた、またはパーティーの後でその残り物にむさぼりついていたというときでも、いったい何がどうなっているのか、食事をとるという権利を自分はどのように考え、実行しようとしていたのか（「食事というのは痩せた人がすることであって、私がすることではない」と考えていたのではないか）と、振り返ってみることはできるはずです。しかし、そのような自分に気づいたらすぐに、それをやめ、心に留めていた思いを言葉として吐き出すことができるかどうかは、場合によるでしょう。過去の習慣の威力があまりにも強力で、制止が利かないように思えることもありますし、あなた自身がやめようと望まず、なぜ自分は今こんなことをしているのか自覚しようという気さえないこともあります。このようなときには、無理にやめなくても構いません。過食をやめるということは、何も身体的または精神的な拷問を意味しているわけではないのです。しかし、後で気持ちが落ち着いたときに、その食べ物がはたして美味しかったのかどうか、そのような食べ方をして楽しかったのかどうか、自分自身に聞いてみましょう。食べている間、あなたの身体はどのように感じていたでしょうか、耳を傾けてみましょう。心臓はドキドキと高鳴っていましたか。早く食べてしまわなくては、と急き立てられるような気持ちでしたか。ディナーでの食事そのものについてはどうでしたか。楽しめましたか。お客様がいらっしゃった間、自分自身や自分の身体についてどう感じていましたか。

自分自身に正直になりましょう。これか、それ、というように答えを決めつけてしまわないでください。きっと、つまみ食いはあなたにとって本当に楽しいものなのでしょう。ひょっとしたら、今までに一度にたくさんつまみ食いをして、とりわけ思い出深かったり楽しかったりした経験があって、今でもつまみ食いをするとそのときの思い出が蘇ってくるのかもしれません。行動の自覚は、昔から習慣になっている行動を今すぐ変えるということではありません。そのような行動を決断することが今も適切かどうか、自分の人生に役立っているかどうか、自分自身で発見していくということなのです。

料理がテーブルに並べられたら、あなたもお客様といっしょに、自分が準備した料理を眺めてみましょう。じっくりじっくり、よ〜く見てください。あなたがこれを計画し、支度したのです。今、あなたはもう席についていていいのです。空腹なら、自分が食べたいものを自分の皿に取り、さあ、食べましょう。空腹でないのなら、何か、最善の方法でその状況に対処してみましょう。二、三種類の料理から少しずつ取り、味を見てみてもいいでしょうし、一言、「今はお腹が空いていないの」と言うだけでもいいのです。たとえどのような方法をとろうとも、そのせいで「欲求不満を感じる」ことになり、誰もいなくなったときに、ふと気づいたら台所で一人、残り物を相手にしていたなどということにならないようにしてください。

その場に誰もいなくなり、しかも食べ物が残っていたとしたら……あなたがとるべき道はいくつかあります。①残り物は明日になってから片付ける。②夜のうちに片付けてしまう。ただし、充分慎重に。なぜなら、もしこのとき欲求不満を感じていたとしたら（たとえばパーティーでは楽しむことができなかった、食べたいものを食べなかった、食事が出されたときには満腹だったために食べられなかったなどの場合）、これは過食を招きやすいときだからです。美味しそうな食べ物が、いっせいにあなたを見つめています。しかも周りには、誰一人、見張っている人がいません。

そこで、この、台所へとあなたを引き付けていく磁力を切り抜ける方策を考えてみましょう。

●全員席を離れたら、しばらく自分自身ための時間を過ごしましょう。何か気分を和らげてくれる楽しいことをしましょう。散歩をしたり、お風呂に入ったりしてもいいですし、揺り椅子に深々と身を沈め、雑誌か小説を読んでもいいでしょう。自分は何かほかのことで楽しみを見出せるということを自覚し、食べ物から気持ちを引き離してください。

●本当に空腹ならば自分の皿を取り、そこにいくらか料理を載せて、席に腰を下ろし、それから、食べてください。立ったままではなく、また誰かほかの人の皿からつまみ食いするのでもありません。座って、自分の皿から食べましょう。

●空腹ではないけれども、でも食べようと決心したのなら、一つか二つの料理をごく少量だけ取り、新しい別の皿に載せてテーブルにつき、それから食べてください。

●空腹ではないけれど、物足りなさを覚えて食べたいと思うときには、空腹になったらいつでも食べるものが台所にあるんだと考えましょう。空腹のときというのは、意外に早く訪れるものです。

パーティーに出かけるか、ディナーにおよばれしたら……

●何かをポケットに忍ばせていきましょう。そして、食べ物に手を伸ばす代わりに、それを手元でいじっていられるようにするのです。

●出かける前に腹ぺこだったら、少量食べておいてください（何でもいいから口に入れたい、というほどまで空腹になってしまうのは決していいことではありません。訪問先に到着してみたら、それからまだ二時間もしないと料理は出てこないことが分かった、ということもあるかもしれませんからね)。

●ビュッフェスタイルのディナーならば、テーブルに歩み寄り、しばらくの間、その料理をじっくり眺める時間をとってみましょう。早速あなたに訴えかけてくる料理はどれですか。興味を覚えたら、その料理の材料は何かたずねてみましょう。人というのは、自分が作った料理に誰かが着目してくれると嬉しく思うものですし、自分が時間を費やして用意したものについて熱心に説明したがるものです。まずは三つの料理から、自分の皿に一人分の分量をそれぞれ取り分けてください。もっと欲しければ、また戻ることもできますから、まずは三つからスタートしてください。このようにすれば、私は空腹に圧倒されているのではない、自分を抑えることもできるのよ、というメッセージを自分に送りながら、それらの料理の味に集中することができます。

部屋のなかのどこか、人と話をせずに食べることのできる所に座りましょう。会話のための時間は、後でも充分もてますから。今はその料理を味わい、楽しむ時間なのです。部屋の片隅にたった一人、しっかりと根付いてしまって、ほかの人たちに背を向けている必要はありませんが、料理を充分に満喫できるように、会話など注意をそらすものを最小限に抑えることはできるはずです。

自分の皿の上の料理を全部食べ終わってしまった後、それでもまだ空腹だったら、もう少し、料理を取ってください。しかし今度もまた、三品にとどめてください。このような厳格な制限は気に入らないかもしれませんが、それでも努めてそうしてくださるよう強くお勧めします。こうすることで、騒然とし、ただでさえ圧倒されそうな状況にも落ち着いて臨むことができますし、盛りだくさんの料理が所狭しと並べられたテーブルを前に、どこから手をつけていいものやら分からず、どれもこれもみんな食べたいというときにも、安心して食べ始めることができます。自分の満足のいくまで何度でも戻り、最後には、あなたの心に訴える料理をすべて味わうことができるでしょう。しかしあくまでもゆっくり、ゆっくりいきましょう。

●着席スタイルのディナーで、しかも出された料理のいくつかを好きではなかったとしたら……。

社交的食事に関してこれといったルールなど何もありません。なかには、あなたがすべて食べなかったら気分を害する人もいるかもしれませんし、自分が用意した料理を「ノー」と言って断られると、まるであなたがその人自身を「ノー」と言って拒絶しているかのように考えてしまう人もいるでしょう。このような人びとはなかなか扱いづらいものですし、とりわけ、あなた自身へのいたわりが（彼らへのいたわり以上に）優先されるときには、なおさらです。ときとして自分をいたわるということがこのように誰かに「ノー」ということである場合もあります。でも、故意に相手にショックを与えようとしているわけではありませんし、ときには少量を自分の皿に取り分け、その一部だけを味わってみることが自分へのいたわりであることもあるのです。

いずれにしても、その身体はあなたの身体ですし、あなたが口に入れたものの結果は、あなた自身が引き受けていかなければなりません。あなたには選択の自由があるのです。本当は食べたくない料理でも、いくらか食べてみせなければならないということもあるでしょう。でも、よく考えたうえで、そうしているのなら、多少むかついたとしても納得できます。べつに強制されたわけではなく、自分の意志でやったことなのですから。

●ビュッフェスタイルであろうが、着席スタイルであろうが、ディナーの後で話しかけてみたい心引かれる人を誰か探してみましょう。そして、その集まりを、料理以外の、何か別のことに関係することとしてとらえてみてください。予め、初対面の人、二、三人と話をしてみようと心に決めておき、その相手に話しかけるための方法を工夫してみてはどうでしょう。

社交的な食事が友人、家族、仕事上の知人といっしょに過ごす唯一の方法と思っている方々が多いようです。「ディナーにしない？　ランチはどう？」「ブレックファースト・ミーティングを開かないか」。食べ物を介して和解が成立したり、ずっと延び延びになっていたコンタクトが図れるようになったりすることもあります。また別れが決まったり、重要な仕事上の決断がされる場合もあります。このような場では、食べ物を口に運び、嚙み、飲み込むという一連の動作に没頭し、食べ物の味や自分の身体のなかでそれがどのように感じられるかに、じっくり思いをめぐらすことなど極めて困難ですし、ほとんど馬鹿げているといえるでしょう。しかし、食事を共にするという行動がビジネスや個人的な交際を推し進めるための一手段となる一方で、このような、人と人との相互の関係を円滑に進めている間にも、同時に、自分の身体に食べ物を与え続けていることも忘れるべきではありません。私たちの身体は、それが自覚なく口に運ばれた食べ物であるのか、それとも自覚をもって食べられたものであるのか、両者の違いなど実際には分からないのですから。

これは温かい助言として申し上げるのですが、食べ物は味わうためのもの、食べるためのもの、そして栄養を得るためのものです。つまり、そうする以外どのような方法で相手と接触を図ったらいいのか分からないというときに利用するものではないのです。「食事を共にする」ということは「いっしょにいる」ということの代わりにはなりません。人と会う際の第一の目的が、話をしたり、いっしょに時間を過ごしたり、共通の利害に関する決断を下すことである場合には、食事以外にもっと効果的で、しかも太る心配もなく、相手と会う方法はあるはずです。

ワークショップの参加者には、まず最初に、空腹であること、満腹であること、本当に食べたいものは何かということを感じ取って頂きます。この際、ほかの人といっしょだと注意が散漫になり、混乱が増してしまいます。先にも申し上げましたが、一人で食べられるようになるべき、というのが私の考えです。孤独が大切というだけではなく、その方が落ち着けますし、たくさんの話し声が外から聞こえてこないときの方が自分の身体の微妙な囁きを聴き取りやすいからです。

ほかの人といっしょに食事をするということは、自分の口や身体のなかで味わい、飲み込み、満足することが生み出す刻々とした変化という内的体験から、内的でも外的でもある体験（身体感覚と他者と共にいること）へと移行することです。

最初に、私が食べたいものを食べ、食べ物と身体に関心を払うようになり始めたころ、誰であろうとほかの人といっしょに食事をすることはほとんど不可能に思えました。どのようにその食べ物を味わったらいいのか、どのように自分が充分に食べたという時点を知ったらいいのか分かりませんでしたから、相手とのやり取りに自分の関心を向けることができなかったのです。

カウンセリングに訪れる人びとの多くが、同じ困難を口にします。確かに初めのうちは、自分一人のときでさえ、食べ物に関心を集中するには相当な集中力が必要となりますが、これは不可能ではないのです。

他人といっしょに食事をしているときに心に留めておくべきことがいくつかあります。そのうちの一つを申し上げるとすれば、他人といっしょに食事をするというのは、一人で食べるときとは、当然、勝手が違ってくるでしょうから、食事をしている過程に一人のときと同じほど、注意を集中させていられると期待すること自体が非現実的だということです。他人といっしょの食事でまず優先されることは、相手との関係、相手と行動を分かちあって《シェアリング》いるということです。人と分かちあうことが、一人で食事をすることより重要というわけでは決してないのですが、分かちあいにはそれなりの多くの喜びもあると思います。

　他人と食事を共にしているときには、食事の合間に時折フォークやナイフを下ろして、関心をすべてその食事から離してみることをお勧めします。また、食べ物や相手とのやり取りから離れて、自分はどう考えているのか、もっと食べたいのかどうかを自分自身に問う時間を確保するために、途中、ちょっと失礼してトイレに立ってみてもいいでしょう。ほかの人といっしょに食べることと自分を見失わないことの微妙なバランスを自分なりの方法で見つけていくことが必要なのです。

　友達や家族といっしょの朝のパン、それは深い深いレベルで、生きていることの不思議さを互いに分かち合っていることの象徴なのかもしれません。確かに、私たちは生きるために食べ物を必要としています。食べ物は私たちの細胞に栄養を与え、エネルギーを与え、それによって私たちは生命力と活力を得ることができるからです。数週間前、私はひどい風邪をひきました。熱や咳が出て、喉も痛みました。このようなことは、間違いなく生まれてこの方、初めてだったのですが、食欲さえありませんでした。数日経っても、まだ食べることができなかったとき、自分が気弱になってきていること、憂うつになってきていること、普段の私なら、積極的にかかわっていくはずの物事や人びとをほったらかしにしていることに気づきました。空腹であるということは生きているということの印であり、食欲を失ってしまうと、私たちの生命欲までがその後をぴったり追うかのように衰えていってしまうことを、(あらためて) 実感したのです。空腹を呪い、こんなものなくなってしまえばいい、食べ物を脇に押し退けられるような人になりたい、気分が憂うつなときには食欲を失うような人になりたいと思っていた頃のことを思い出すと、とても悲しくなりました。空腹が戻ってきてくれることを願ったのです。

食べるとき、私たちは生命にかかわる営みに参加しているのです。ほかの人と同じ食べ物を分かち合うとき、その営みは、社交的な意味をおびてきます。私たちは空腹になり、生き、そして集うのです。

第8章
運動と体重計

「親愛なるシャボン玉様
私ね、あなたがお友達になってくれたら嬉しいな。私、体重が四〇キロもあるの。そうねえ、来週いっぱい夕食を抜けば、ひょっとしたら二キロは減らせるかもしれないけど。もしもね、もしも私が三七・七キロだったら、もっともっとずーっとかわいかったのになあって思うの。それじゃあ、またね」

十一歳のときの、初めての日記の冒頭

週五回でなければシンドローム

十一か十二歳頃から、私は、鬼ごっこ、縄跳び、石蹴り、かくれんぼなど、いわゆる外で遊ぶことを楽しいと思わなくなり、バービーちゃんやケンちゃんなどの人形で遊ぶようになりました。そしてロビー・レビーにキスすることを夢見たり、パジャマ姿のロバート・アルスウォースってどんな感じなのかしら、と不思議に思ったりするようになりました。今、母はその頃の私を、のろまな子と呼ぶのですが、実際、当時はそのような女の子だったのです。高校時代を通じてずっと体育の授業が大嫌いでした。体育のショートパンツなんて格好悪いと思っていましたし、何とか自分の身体を動かさずにすむよう、あらゆる言い訳を探し出したものでした。

二十五歳のとき、友人のアリスが、イサドラ・ダンカン・スタイルのダンスクラスを教えているニューオーリンズのダンサー、リーフ・アンダーソンを紹介してくれました。それは、音楽が自由に漂い、表情豊かに身体を動かすステップを刻むエクササイズで、リーフのおかげで自分の身体の動きの優美さや力強さを感じることができるようになりました。それ以来、タップダンスからアフリカンダンス、さらにはエアロビクスまでをこなすダンス教室の会員になりました。

私は身体を動かすことが大好きになったのです。

ただし、自分が嫌なときは除いてですけれど。

最近のあるワークショップで、メンバーの一人がこう言いました。「いまの泌尿器の感染に罹る前は、週に五回、エアロビクスの教室を受けていました。でも、病気が全快するまでは運動をしてはいけないとお医者様から言われ、あれからもう三週間になるんですけど、たった四五〇グラムしか体重が増えなかったんです。私はもう二度と運動する必要なんてないんですよ」。

「そうですね。もう、する必要はないでしょうね。あなたの運動の目的が、体重を増やさないという、ただそれだけというのなら、そのためのもっと楽な方法はありますものね」。私はそう答えました。

しかし、数カ月前、必然的とはいえ、彼女が自分の身体の状態に途方にくれて電話してきた夜のことを覚えています。彼女は、食べることほど気分よくなれるものはほかに考えられないと言っていました。家から出て、散歩やサイクリング、ダンスなどをして身体を動かしてみては、と彼女に勧め、週三回のエアロビクスに参加するようになったのです。次に彼女と話をした際、自分の身体に起こった変化に興奮していました。気分が明るく、心強く感じるようになったと言っていたのです。

ところがその後、彼女がワークショップで例の話をした晩までの間に、何か不快なことがあったのです。

これは私たち女性とその身体に常に起こっていること、つまり、痩せていることを永遠に求め続ける気持ちの一部です。言葉に直せば、次のようになるでしょう。「まあね、今でもけっこう気分はいいけど。でももう少し頑張って、あと五センチ、太腿が細くなったら、もっとずっといい気分になるはずよ」。

ある程度やって、既によい状態になれたとしたら、それ以上やればもっとよくなれるということになります。この程度の努力でよい効果が得られたのなら、それ以上に頑張れば、きっともっともっと痩せることができるでしょう。

運動の魅力はダイエットの魅力と同じです。どちらもきちんと「プログラム」をこなしさえすれば、痩せた身体を約束してくれるのです。しかし運動が約束してくれた（惨めさと一六号サイズからの）自由はたちまちのうちに牢獄へ。再び捕らわれの日々を送ることになります。運動はもはや自ら望んですることではなくなり、あなたの健康を左右する必須行動と化してしまうのです。

もしダイエットをやめ、その代わりに運動を始めたときに、ああ、これで自由になれると考えたとしたら、それは単に自分をだましているに過ぎません。実際には、一つの檻から別の檻に移ったに過ぎないのです。

運動が「やりたいこと」ではなく「やらなければならないこと」に変わるとき、その力強く健康的な部分、つまり喜びは排除され、我慢くらべへと変わります。痩せていなければならないから、痩せているためには運動しなくてはいけないから、だから嫌でもやらなければならないということで、これは、「やらねばならない」無数の行動のひとつに変わってしまうのです。

運動には、心臓血管の状態を良くしたり、持久力を高めたり、自分の強さや能力を感じたりといった多くの身体的、精神的利点があります。気が滅入り、無気力に陥った日には、ダンスクラスが私に活力をくれ、血液の循環を良くし、再び生き生きとした気分にしてくれます。しかし疲れていて、気分が悪くなりそうな日やその時間、ほかにやることがあまりにもたくさんあるのに、規定のダンス教室の時間以外、まったくどの時間帯にも予約が取れない日というのは当然訪れるものです。こういうときに限って、私は今日ダンスをしなければならない、昨晩食べ過ぎてしまったから、五百カロリーを燃焼しなければならない、という思いが生じてくるのです。

こうなってしまうと、もはや強迫観念《コンパルション》です。自分の身体や自分がどう感じているかに耳を貸さず、自分を駆り立て、今、この瞬間の現実など、ほとんど考慮しない切迫さに突き動かされることになるのです。強迫観念とは、すべてのこと、自分の外見も健康も、そして交際関係も、何もかもすべてが週六つのエクササイズ教室に行くかどうかに左右され、びくびく脅えている状態です。

ダイエットをやめたとき、ダイエットという骨格を失った自分の生き方が分からなくなりました。ダイエットをしていないと、生活そのものが扉を閉めてしまいそうで、脅え、途方に暮れてしまったのです。今でも、その日ダンスに行くことができないことが分かると、途方に暮れたような気持ちを感じることが時どきあります。その代わりに何をしたらいいのか、どれほど体重が増えてしまうんだろうかと不安になってしまうのです。

自分の「良い」「悪い」に監視の目を光らせ、自分自身ではなく何かほかのものにその基準を求め始めたとき、それは運動強迫の危険信号です。運動をしたなら良い、しなければ悪いというわけです。そして体重を減らしたければもっと頑張らなければならず、それでも体重が減らず、しかもそれまで運動を自分の減量法にしてきたという場合、強い嫌悪感さえ感じ、一、二週間、練習に行く気がなくなってしまうでしょう。

運動強迫の危険は、それが私たちの選択の自由を、私たちが懸命に獲得してきた力を奪い取ってしまうという点です。私はダンス教室によって自分というものを確認し、教室に依存し始めてきていることに気づくといつも、たとえ数日、一週間、一カ月であろうと、ダンスに行くのをやめてもこの生活は続いていくだろうし、それによって、私という人間がばらばらに崩れ落ちてしまうこともなければ、一挙に四、五キロも体重が増えてしまうこともないということ、私という存在はこの身体だけではなく、実際に体重が増えたとしてもきっと元気でいられるだろうということを、無理にでも思い出すようにしています。

そして、絶望と必死に格闘した後、私は今、五〇〇カロリーを燃焼するチャンスを諦めようとしている、このカロリーのせいでひょっとしたら体重が増えてしまうかもしれないし、そのせいで、私の身体はますます魅力のないものになってしまうかもしれない、それに私の生活はますます惨めになってしまうかもしれない、本当に、本当にそうなってしまうかもしれない、でも今日は運動をしないでいることこそが自分をいたわることだから運動をやめておこう、と言えた瞬間、ふっと自由になるのです。

運動強迫を示す危険信号はいくつかあります。

●運動があまりにも日課として定着してしまったために、そのほかのことは非常に重要な事柄でさえ煩わしく感じられ、運動教室を自分の生活に合わせるのではなく、教室に生活を合わせ始めるようになってきている。

●何を食べるか食べないかが運動をするかしないかに左右されている。

●運動をしないと「正しさ」「完全さ」「良さ」を感じることができない。

●気分がすぐれなかったり疲れを感じたりしているときでさえ、運動を休まない。

●苦痛を感じながらも無理やり身体を引きずるようにして、運動教室に行くようになり、何とか休む方法はないか、と考えたり、肺炎にでも罹りたいと思ったり、教室で自分の隣にいる人が気に食わない、先生の口にパンチを食らわせてやりたいとさえ思うようになってきている。

それでは、これらの危険信号にどう対処したらいいのでしょうか。

●一日または数日間、クラスに行くのをやめてください。代わりに散歩をしたり、一時間揺り椅子に腰掛けてぶらぶら過ごしたり、『ビッグ・ビューティフル・ウーマン』でも読んでみてはどうでしょう。

●運動教室を休んだ日の翌朝、たとえその前日に運動で五〇〇カロリー燃焼していなくても、一挙に体重が四、五キロも増えたりしていないことに着目してください。そして、そのまま着目を続けてみてください。

●あなたという存在は身体だけではないこと、身体以外のすべてのあなたの面を思い起こしてください。リストを作ってみるのです。まず「私は……です」という書き出しで始めます。あなたの身体の内面、表面をなめるようにはい回る否定的な評価は、それがいかなるものであろうと許してはいけません。自分の価値を認め、自分をいたわり、成長していくことを忘れないために、あなたの特徴のいくつかに名前をつけてみましょう。

●空腹のときに自分の食べたいものを食べてください。そして満足したら、そこでやめましょう。あなたの身体は「あなたを滅ぼしてしまいたいと思っているのではありません」し、あなたが気を緩めようものなら、すぐさま狂い出そうと隙を窺っているわけでもないことを心に留めておいてください。身体と精神、二つのあなたは、同じ目的……あなたの健康、幸せ、安らぎを目指して進んでいることを信頼してください。

「私はね、ジェーン・フォンダ・クローネのようになるのはお断りよ。だから、左手の指を動かすのさえ嫌」シンドローム

サラと私が車を駐車したのは目的地から二ブロック離れた所でした。彼女にとって、この一と八分の七ブロックは非常に遠い距離でした。サラは、運動という面で、この歩く距離がどれほど重要な意味をもつか理解していません。彼女の話では、彼女の母親はおよそ運動というものには縁がないにもかかわらず、それでもすばらしく健康的な生活を送ってきたのだそうです。世間の人は、運動ノイローゼにかかっているのよ、もっともっとたくさん食べたいから、だからこそ運動してるっていう女性が多いんじゃないかしら、ということは、結局、一つどころか、二つ……運動と食べ物の二つに強迫的になっているだけなのよ。これが彼女の言い分です。

サラが運動について夢中になって持論を展開している間、私は台所のテーブルに肘を付き、レオタードとタイツ姿で座っていました。なぜ彼女がこのように感じているのか、私には理解できます。何はともあれ、私も十七歳から二十五歳までは、誰であろうと、歩いてもいいときにわざわざ走る人というのは、その道のマニアなんだと考えて過ごしてきた人間ですから。「でもね、サラ」私は言いました。「運動すると気持ちいいじゃない。ゴチャゴチャしたことを考えなくてすむし、緊張をほぐせるし、身体と心のエネルギーを使い切っちゃうから、帰るときにはサバサバするし」。

私は、一日中書き物をした後、夜のワークショップの指導の前、五時半の運動教室に出ると、練習にすごく熱中できて、頭のなかでもやもやと考えていたことがすーっと退いていく気がします。純粋

に肉体だけの状態、ほとんど動物のような状態になっていくのです。汗を流し、息を吸う、汗を流し、息を吸う。ここはもう言葉など意味をなさない世界です。そして教室を後にするとき、自分のエネルギーが新たになり、新しい一日を授かったような気持ちになります。身体を動かしている感覚が好きなのです。これは単なる見栄ではありませんし、痩せることとも何の関係もありません。子どもの頃も、縄跳びやバレーボール、鬼ごっこをすることが好きでした。しかし思春期になると、たくましいということは女性らしくない、まるでスポーツ選手みたいだと思うようになったのです。女の子は見ている側、男の子たちが走り、汗をかき、肉体の能力に自信を高め、激しい動きや限界に挑戦する喜びを実感していく傍らで、ミニスカートをはいて、サイドから声援を送っている、それが女の子というものだと考えていたのです。

二十五歳で私は身体を動かし始めました。身体を動かし、ダンスし、跳ぶことへの衝動や欲求を大切にするよう私を励ましてくれたのがここ、このダンス教室だったのです。

次第に、自分の肉体が強くなっていく感覚、筋肉がくっきりと姿を現してくるのを見ている感覚を評価できるようになりました。力が漲《みなぎ》っていくという感覚は、自分と自分の腕や脚との結び付きが強まっていくような感じです。私は今、一つの結合体として動いている、自分の肉体と親しくなってきている、と感じられるようにもなりました。

このように喜びのために身体を動かすよう勧められ励まされる教室ではなく、腹筋運動を百回も繰り返しやらされたうえに、指導者に、おまえの脚はでこぼこだ、太腿が白くぶよぶよしてカッテージチーズのようだなどと言われる運動教室に行っていたとしたら、おそらく自分の身体に幻滅し、粗探しばかりするようになって、もう二度と教室に行かなくなってしまったでしょう。

身体を動かすということは、自分が直接経験するなかで、その意味を評価できるようになるものです。ただ単に「あなたのためになるのよ」と人から言われただけでは充分ではありません。熱中し過ぎて、精神的にも身体的にも苦痛を覚えているなら、しばらくのあいだ、練習を中断してみてください。少し休んで、別の運動や身体を使った活動を探してみてはどうでしょう。運動というのは食べ物に劣らぬくらいバラエティに富んでいますから、あなたが心引かれるものがきっと見つかるはずです。

女性のスポーツに対する最近の動きには拍手を送りたいと思いますが、健康と痩せとのつながりは断ち切らなければならないと感じています。もし痩せるために運動をするとしたら、そこには、今の自分の状態では充分ではないという意味が込められています。これでは、結局、批判的な評価をどっさり引き起こし、欲求不満、失望、もう何もかも忘れてしまいたい、という決意に至るだけです。否定的な評価によって、永続的な変化が生まれることはほとんどありません。運動をすることによって、自分は今、眩いばかりの健康を感じることができる、だからこそ、自分は運動をしているというのなら、八方塞がりになってしまうこともありません。身体を動かすのは、自分自身を大切に思っているからです。これが、自分自身を罰することと、現在のありのままの自分を大切にいたわることとの違いです。

世界中のサラへ、いくつかの提言

●非常に多くの人たちが自ら進んで運動に汗を流しているのに、自分は運動を好きでないからといって、社会の除け者のように感じる必要はありませんが、あなたが抱いているプライドは、ジョギング大国である私たちの世界で、あえて運動反対派を唱えることの自己満足にすぎないことは自覚しておいてください。

●六カ月おきに、一回十五分以上、運動に挑戦してみる、あなたが運動の利点を発見するためには、これしかありません。

●ゆっくりと、まずは、あなたの気に入る形で、身体を動かし始めてください。

●運動は、それが終わってからではなく、それを行なっている〝間〟に楽しいと感じるものでなければなりません。

●痩せることを強調するような運動教室には用心してください。自分に批判的になったり、厳しいシェイプアップ環境に身を置くことのないようにしましょう。

●もし、以上のすべての提言を試みた後でも、やはり身体を動かすことが好きではないのなら、無理に我慢して続けるのはやめてください。

秤り、それは本来、魚を乗せるもの

これは明らかに分かり切った話なのですが、ワークショップで、次のような「体重計物語」をすることにしています。

友人のスーは痩せています。彼女は、パン二枚のサンドイッチを食べてから、オニオンリングのフレンチフライを注文して、それもペロリとたいらげ、さらにコカコーラを三リットルも飲んでも、それについていちいち深く考えたりしません。スーは病院の診察室に務めていて、時どき自分の体重を量っているのですが、ある日、前回量ったときよりも体重が二キロ減っていたというのです。彼女は大変自分に満足し、昼休みに店のウィンドーの前を通り過ぎる度に、そこに映った自分の姿にほれぼれしました。そして自分へのご褒美に洋服を新調したうえ、高カロリーのランチで祝福しました。ところがです。その翌日、仕事中に、医者がスーにこう言ったそうなのです。その体重計は三キロ少なく……針が逆回りしちゃうんだよ、と。つまり、彼女は二キロ体重が減っていたどころか一キロ増えていたというわけです。私に電話をかけてきたとき、彼女は自分の服を急にきつく感じ、脂肪がベルトに覆いかぶさって波打っていると言って、気にしていました。「ダイエットしなくちゃ」、彼女は泣き叫んでいました。「私ね、自分がこんなに太ってしまっているなんて、信じられない」。

しかし、これはあくまで痩せた人の話、基本的に自分の身体に自信のある人の話です。

体重計というのは彼女のような自分の身体に自信のある人にさえ、このように影響するものだとしたら、身体についての感覚をたった一日でこれほどまで激しく一転させてしまうものだとしたら、身体に自信のない人には、いったいどれほどの精神的、感情的な動揺を与えることでしょう。

体重計は、気が滅入っていた日でも、さんさんと太陽の光が降り注ぐ一日に変えてしまう力をもっています。一方、それまで光り輝いていた日を惨めな一日に変えてしまう力も、もっているのです。私たちは体重計に乗る際にこう言います。「ねえ、体重計さん。私は今日一日、自分をどう感じていたらいいのかしら、教えてちょうだい」。

私たちは、体重計を自分にとっての権威、価値、真実のシンボルとしてきたのです。たとえば、私たちがそれまで「頑張ってこなかった」とします。それは、体重計がそう示しているのですから、否定することはできません。逆に、「よく頑張ってきた」ときには、体重計がそれに報いてくれることでしょう。体重計は何でもご存じ。まるで神様のようにです。

しかし、体重計は所詮、単なる体重計。私たちがそれに力を授けない限り、冷たく生命力もない、一つの器械の塊に過ぎません。それを、その日一日自分を好きになるべきか否かを教えてくれる道具にしているのは、私たち自身です。体重が重いよりも、軽い方がいい、正しいとする社会的な確信を受け入れ、来る日も来る日も体重を量り続けることによって、体重計をそのような道具にしているのです。まるで体重が減ったか増えたかは、洋服がぴったりフィットするかどうかでは決められないかのように。その日どのような一日を送ったらいいのか、自分自身についてどのように感じたらいいのかといった、本来自分自身で決めるはずのことを感じず、考えず、まるでそれは、自分には不可能なことであるかのように。

体重計を捨ててしまいましょう。

さもなければ、表示のうえに自分の理想体重を貼り付けてしまってはどうでしょう。そうすれば、自分はその日、自分自身を快く受け入れてもいいかとたずねたときに、体重計は「もちろんよ」と答えてくれます。

第9章
欲　求
——初めからなければ、失うこともありません

「私は太っているんですもの、人から尊敬などされませんよ。でも、もし痩せたら、そうしたら人は私を恐れると思うんです。だって、痩せたら、私、完璧になってしまうんですもの」

解放ワークショップ参加者

「蜂蜜をなめるのは滅多にないことだったので、なめる直前には、なめたときよりずっとすばらしい瞬間があった。それを何と呼べばいいのか、彼には分からなかったのだが」

『寂しい町角の家』

本章では、自分にないものを何でもすべて求める心の叫びについて述べていくことにします。現実には持っていない何もかもすべて、それを手に入れたら、きっと自分に幸せと達成感、愛をもたらしてくれると考えるすべてを求める叫びについてです。

家、車、昇進。人……情深く、お互いに助け合える関係の人。

身体、魅力的な身体。つまり痩せた身体です。

夢をもち、その夢に向かって進んでいこうという欲求と、そのような夢の歪みの間でうまくバランスをとっていくのは難しいことです。つまり、夢をもつということと、空想の生活……現在の現実から常に一歩距離をおいた生活に生きるということ、その間のバランスは崩れやすいものなのです。私たちは何かを欲するとき、それを手にしたときの自分を夢に描きます。何かを欲するときには、自分の夢の始まり、中間、終わりを心のなかでイメージし、それをどうするか、そのコントロールは自分が握っているのです。

しかし、人生において、ほかの人びとが抱いている恐れや怒りはもちろんのこと、自分が彼らに抱く夢でさえ、たとえどのようなものであろうと、結果的には、その半分ぐらいしか現実と一致しません。欲しいものを夢見て人生を過ごしているときには、欲しいものがまさに手に入ったら、いったいどうなるんだろう、と夢を描いていることができます。こうしていれば、失望することも、危険や弱さを突きつけられることもありません。傷つけられる恐れもないのです。

一方、今、現在の人生を、自分が既にもう手にしているもののなかで過ごすとき（つまり、欲しいものを夢見て人生を過ごすことの対極）、私たちはコントロールを失います。愛するものを失ってしまうかもしれない、閉ざされてしまったり、盗まれてしまったりするかもしれない。人に置き去りにされてしまうかもしれない。ひょっとしたら死んでしまうかもしれない。私たちは自分の手にしているものの大切さに気づくや否や、いつの日かそれを失うかもしれないことを悟るのです。

痩《や》せたいという欲求。

実際に今よりももっと体重が軽いということと、今よりももっと軽かったらいいのにと思うことの間には雲泥の差があります。幻想《ファンタジー》の世界では、痩せていることはあなたの生活全体を変えてくれるでしょう。痩せることで、あなたは自分をより快く受け入れることができるようになりますし、かわいいなと感じることもできます。痩せれば、当然あなたの洋服のサイズは変わりますし、それに伴い、あなたが持つ洋服も変わってきます。痩せることで、人と親密になり、待ち侘びていた関係を引き寄せることができるようにもなるでしょう。痩せること、あなたはそれによって確実性を得られるのです。痩せることをめぐる幻想のなかでは、あなたはもう求める側ではありません。求められる側にまわるのです。その後、何かが起こります。あなたが予定していなかったこと……コントロールの喪失が訪れるのです。

身体が変化し、感覚が麻痺してしまったとき、いったいどうなるのでしょうか。

私は体重が五四キロあったとき、四一キロの身体を夢見ていました。夢のなかの私は、流れるように優雅で、物憂げで、官能的でした。自分に自信をもち、粋な洋服を着こなしています。幻想の世界では、痩せることによって体重以外の領域に関心を向けることができました。五四キロのときには、外見ばかりに翻弄されていて、ほかのことに気がまわらなかったのです。

その後、現実に体重が一三キロ減りました。ところが、流れるように優雅で、物憂げで、官能的になるどころか、逆に身体的な接触を尻込みするようになったのです。腕、胸が隠れるダブダブの服を着ました。痩せた私というのは、単なる夢でしかありませんでしたから、彼女に人生に取り組んでほしいなどと期待することはまったくありませんでしたし、日々の、日常的出来事を生きる用意をさせたことなど一度もなかったのです。あれは最高のとき、あれこそがまさに絶好調の一瞬だったのです。夢のなかの痩せた私、彼女はどのようにスルリと優雅に部屋に入ればいいのか、どのように微笑めばいいのか、どのように光り輝き、人を魅了したらいいのか心得ていました。しかしどのように話し、働き、感じたらいいのかは知らなかったのです。

体重が一三キロ減ったとき、私はまるで自分の皮膚が剝ぎ取られ、神経も筋肉も骨も、剝き出しにされてしまったかのように感じました。そして生身のまま、弱みをさらけ出し、常にびくびく脅えていたのです。

一年半後、再び二五キロ体重が増えました。体重が増えるなか、私が感じていたぶざまさと醜さ、でもそれは、自分がどうあるべきかを心得ている安心を得るための、ほんの些細な代償でしかなかったのです。この体重のおかげで私は再び、自分の役割というものを手にすることができました。この体重は、履きこなした靴のようによく馴染み、自分の生活のありとあらゆる欠点をすべてそのせいにすることのできる言い訳を私に与えてくれたのです。その一方で私は、もう一度痩せたら手にできる成功を、再び夢見ることができるようになりました。

もちろん、あなたの場合、痩せるということは、私とは違っているかもしれません。あなたはこの状態にきちんと対処できるでしょうし、実際に痩せた暁には自分が痩せていることを認識し、幸せになれることでしょう。あなたのスリムさを上品に強調してくれる服を身にまとうでしょうし、自分の身体に強烈に没頭することなど影も形もなくなり、生活のほかの領域に集中できるようになるでしょう。流れるように物憂げで、しかも官能的になれるかもしれません。

根拠が何であれ、とにかく自分の欲しいものを手に入れることで自分の人生は変わるに違いない、という執拗な思い込み、何かを欲するというのはまさにこの固執にかかわることです。これを何よりも明らかに示してくれるのが、人生で二回、三回、四回と大幅な減量を繰り返す人びとです。このような人びとは、もっと痩せるのは難しいからとか、痩せてはみたものの自分が想像していたものとは違っていたからといって、せっかく減らした体重をもう一度増やしてしまうのですが、その一方で、依然として減量の達成こそが、すべてを薔薇色に変えてくれる最終ゴールなんだという思い込みをもう一度築きあげようと、執拗にそれに固執するのです。今回はたまたま特別な事情があったから、そのせいでせっかく落とした体重を維持できなかったけど、次は違うわ、今ではもうそんな事情はないから、次こそは違うのよ、彼女たちはそう言います。

私たちは求めることを求めているのです。実際に手に入れることを求めているわけではありません。

ワークショップの第一日目の夜、部屋を歩いたり、自分の体重の経歴を短く語ったり、食べ物についての感情を述べたりしているときの私たちの痩せたいという願望にかける情熱には信じがたいものがありました。痩せたいという欲求は、「自分の生活を完全に消耗させてしまう」「強烈」「圧倒的」「側にあるものすべてを青ざめさせてしまう脅威」などの言葉で表現されます。しかしこれらの表現は、普通なら、恋愛や人生の根拠を問われた際に用いられるはずの言葉なのです。

痩せたいという欲求は、現実を隅へ押しやり、本当のあなた、根本的な素顔のあなたが現れるまでの間、それを頭から締め出してしまいます。痩せたいという欲求は、すべてを焼き尽くしてしまうかのように情熱的で、選り好みします。一方、実際に痩せているということは、朝コーンフレークを食べ、そのまま仕事に出掛けるようなもの。新しいパーティードレスをスラリと身にまとう、ほんの一瞬の楽しい瞬間に過ぎないのです。まだクレジットの支払いはすんでいませんし、汚れた皿もそのまま、何とかしていかなければいけない生活は相変わらず続いています。そのため、あなたはやはり、いかに愛を与え、いかに妥協し、いかにノーと言い、いかに失敗の危険を冒していくか、学んでいかなければなりませんし、自分のなかの精神的葛藤を理解していかなければなりません。愛する人にがっかりさせられることも、当然避けられないことです。痩せたいと思ってきたこの歳月、あなたはずっと自分自身の人生は蔵のなかに押し込め、コントロールできない人生の諸側面と自分の間にクッションを置いてきたのです。痩せたいという欲求は人生の不公平さからあなたを守ってくれます。生きていることの嘆き、悲しみ、つらさを、体重が多すぎることの嘆き、悲しみ、つらさのなかへ注ぎ込み、すっぽり包み込んでくれるのです。

自分の人生を何かを求めることに費やしている限り、あなたは決して生の現実へ降りていきません。

「死ぬほど痩せたい」、そう思う一方で、痩せることを求めてはいないかもしれない可能性を認めるには、相当な勇気が必要です。しかし、求めるということは、自分を自由にしてくれるどころか、むしろ自分を罠に陥れてしまうかもしれないことに気がついたとき、その魅惑は力を失います。スラリと痩せた姿を、その存在そのものとして……単に、小柄な身体としてではなく一つの生命としてとらえたとき、つまり一見すばらしい未来の夢のなかではなく、現実の汚泥や栄光のなかで生きる生命としてとらえることができたとき、その欲求は静まることでしょう。

「どこまでなら探求《クエスト》と呼べて、どこからは欲求《ウォント》となってしまうのですか」。ワークショップのある女性がたずねます。最大限に満足のいく方法で最高の自分を表現したいという願望は、欲求とどのように異なるのでしょうか。

探求。私にとってのそれは、自分のなかにほんのちらっと垣間見たことがあるだけでまだ一度も触れたことのなかったものを表現することに、自分という存在全体に達する鍵があるに違いないと直感するところから始まります。その自分のなかの鍵を探り求めることにより、自分自身の枠を越えて別の人間と結び付く糸に連なっていけるようになります。探求するということは勇気と脆さの現れなのです。一方、欲求するということは孤立と恐怖を表します。

多くの場合、痩せたいという欲求も探求と同様、最高の自分でありたいという願望から生まれます。過食症に消費されているエネルギーを、仕事や人間関係のなかで発揮できるようになりたいという願望から生まれているのです。ところが、欲求があまりにも強く、徹底してそればかりを追い求め過ぎてしまうために、自分を広げるどころか、むしろ孤立してしまうことになるのです。

ワークショップの参加者に、欲求することに費やしている時間が自分の生活のどれほどを占めているか考えてみてください、というと、五〇パーセントから九五パーセントにまでおよんでいるという回答が返ってきます。つまり、彼女たちは死ぬまでに人生の少なくとも半分は物陰に隠れ、自分の求めるものを実際に手にすることもないままひたすら欲求し続けている……そして、本当に生きることもなく、半分死んだような状態で過ごしている、彼女たちの回答はそう示しているのです。

昨日、夕日の沈む浜辺を散歩しました。砂浜の固い部分や水際の部分を、昔、聞いた覚えがある、ジョセフ・ゴールドステイン（『洞察の経験』の著者）の言葉を思い出しながら歩いていました。「私たちはどうしようもないがらくたです。何かを求めていなければならないと考えています。生の実感に対する感情や渇望、情熱に圧倒されなければならない、そう考えているのです。それは、これ」……彼は自分の身体を指さして……「これは、信じられないほど複雑で、魅惑的なエネルギーシステムです。あるがまま、ほかに何を付け加える必要もない、こんなに魅惑的なシステムなのです。それなのに、私たちは新たに何か求めてしまうのです」。私が散歩していると、浜辺の遊歩道の灯が瞬き始め、金色の強い輝きが浜辺に注いでいました。「自分が手にしているものの価値を正しく評価することと、それはコカコーラの弾ける泡を飲む毎日に始まり、抹茶の微妙さや柔らかな口当たりに至ることに似ている」、ゴールドスタインはそう述べていました。

手に入れることとは別の、欲求への対応は?

そこで実践ということになりますが、この段階で重要なのは、求めるということが実際にはどのような感じなのか、注意深く観察し、全体的な視点から大きくとらえてみることです。欲求が創り上げるファンタジーを、そしてそのようなファンタジーがどのように自分を、もっと欲しい、もっともっと欲しいという際限のないサイクルから抜け出せなくしているのかを注意深く観察するのです。欲求は何から成り立っていますか。あなたはどのようにして、この欲求をいつまでもいつまでも尽きることのないものにしているのですか。自分に正直に、注意深く観察してみること、それがあなたに必要なことなのです。

●リスト作り。過食症にテーマを絞ったワークショップでない場合は、友人同士、または何らかのサポートグループで次のようなリストを作ってみてはどうかと思います。まず誰か一人の人に次のリストの各項目を大きな声で読みあげてくれるようお願いし、質問の回答が浮かんできたら、やはり同様に声に出して答えてくれるようお願いします。もしその人の回答があなたにとっても当てはまる場合には、それをあなた自身のリストに書き込んでください。当てはまらない回答だったときには、それは書いてはいけません。あれこれ深く考えたり、監視の目を光らせて、チェックしようとしてはいけません。これはテストではありません。あなた自身のためのものなのです。

それでは、十五分ほどで、以下の五つのリストを完成させてみましょう。

(1) 「欲しいけれど、実際には今、手にしていないものとはなんですか」(新しい車？　痩せた身体？　別の仕事？　新しい関係？　赤ちゃん？)

(2) 「今まで欲しいと思ってきて、実際に手に入れたものはなんですか」

(3) 「求めることで可能になることは……？」

求めることで、あなたは何を手にすることができますか。それはどのようにあなたに役立ちますか。それによってあなたは、いつも、いつも、いつまでも、常に目指し続けていく最終目標を手に入れられますか。それはあなたをファンタジーの世界へ招き入れ、失望から守ってくれますか。

(4) 「もしそれらのものを手に入れたら、あなたの人生はどのように変わるでしょうか」(これは声に出さずに、あなた一人で行ってください)。リストの下の、欲しいものをあげたそれぞれの項目の次に、もしそれを手に入れたらいったいどうなるかを書いてください。具体的に、正直に。もしあなたが、赤ちゃんができることで生まれて初めて本当に愛するというチャンスを手に入れられる、それによって自分は完成される、そう感じるならば、そう記入してください。自分の想像がどれほど夢のようで、ロマンチック、または馬鹿げているように感じても、遠慮する必要はありません。ぼんやりとした、夢のような印象として心の内側に抑え込んでしまうよりも、紙の上に書き記し、実際に目で確認してみる方がいいのです。

(5)「自分が欲しかったものを手にしている今、人生はどう変わったでしょうか」(これも前と同様、声に出さずに書いてください)。特に、長期にわたる幸せをもたらしてくれたものに着目してください。

リストができたら、それを注意深く眺めてみましょう。これらの幻想に対応する現実をチェックしてください。あなたの知り合いで、あなたの欲しいものを実際に手に入れている人について考えてみましょう。その人たちは幸せですか。それを手にしたらあなたにもたらされると考えているものを、その人たちは手に入れていますか。あなたが既に手にしているものについてはどうでしょうか。それらはあなたの望みを叶えてくれましたか。次こそは、次の機会こそは違うと思いますか。どのように違うのですか。

これらの考えや発見をリスト作りに参加した仲間たちと話し合ってみましょう。ほかの人たちがリスト作りから得た経験はあなたのものと似ているでしょうか。あなたは自分自身の経験から、欲求ということについて何か発見することができましたか。

●それでは、あなた自身の身体を使って、欲求の姿勢をとってみることにしましょう。椅子に座り、あなたが本当に欲しいもの、きっと自分を幸せにしてくれると確信しているものについて思い浮かべてみてください。腕を前にします。その欲しいものを取ろうとするように両手を伸ばしてください。伸ばして、伸ばして、そう、そのままずっと伸ばし続けていてください。

そのまま、その姿勢のままでいてください。

あなたはどれほど長く、その姿勢のままでいられますか。それは何のためですか。あなたの腕はどのように感じられますか。背中はどうですか。バランスは？　このように手を伸ばしているとき、あなたの心はどれほど力強く感じられますか。

その姿勢は、たとえ初めのうちだけだとしても、本当に快適でしょうか。

あなたの心は現在、この姿勢、このように激しくものを求める姿勢をしているのです。

これはつらい姿勢です。

●明日、目を覚ましたとき、自分の身体は、今、絶対に快適なんだと想像してみてください。何が起こりますか。自分は、自分の欲しいものを既に手にしている、一日中そう自分に思い起こさせてください。さあ、次は何でしょう。あなたの関心はどこにいくのでしょう。欲求に取って代わるのは何でしょう。自分が手にすることのできないものを求めてばかりいるのではないとき、それはどのような朝になるでしょう。午後は？　夕方は？　欲求の存在しない一日、あなたは、いつ最高の瞬間を迎えることになるでしょうか。

第10章 手にしているということ

「この十五年間で〝完璧な体重〟だったことは本当に、たった一回だけでした。でもそのときでさえ、それを保つためにごくごく、ほんのわずかな食事を一回食べただけでした。そしてやっぱり、今と同じくらい惨めだったんです」

解放ワークショップ参加者

「今でも五年前と同じくらい痩せていたいと死ぬほど思っているんですが、五年前のその当時もやっぱりもっと痩せていたらと、死ぬほど思っていたんです」

解放ワークショップ参加者

前著『心の渇きを癒して』を公の席で朗読する際にきまって要望がでるのが、君はあまりにも太り過ぎていて魅力に欠けていると思うよと一杯のフェトゥスィンのボールを前に語った友人ミカエルにまつわる章です。私が彼に、これはあなたの問題であって私の問題ではないと言い放ったという話やそう言った彼自身、ずんぐりむっくりしていたという話をすると、会場は笑いと拍手喝采で沸き上がります。彼女たちは、私がミカエルに、穏やかではありながら決して曖昧な物言いではなく、「消えてちょうだい」と告げたことが嬉しいのです。君は太り過ぎだねと言われることがどのようなことであるのか、彼女たちには分かっているからです。

このミカエルの話には続きがあります。六カ月後、フェトゥスィンの事件以来、初めて彼に再会したとき、私は六・八キロ体重が減っていたのですが、彼はそれに気がつかなかったのです。私に太り過ぎだと言ったミカエルが、私が非常に痩せたことに気がつかなかったのです。快適なまでに痩せた自分を実感しているときに、その私への彼の反応が、以前と何ら変わらなかったことに気づき、安心と同時につらさをも感じました。私が安心したのは、確信はありながらもこれまで証明できなかったこと、つまり、私が人にとって魅力的かどうかということは、私が歩き、話し、笑い、考え、人の話に耳を傾ける、そのスタイルに、人が魅力を感じるかどうかということだったということが実証されたからです。人が人生をどのように生きているか、そして、自分は、そのような生き方を好きになれるかどうかということが、その人に魅力を感じられるかの基礎となるように思います。つまり、その人の生が自分の生に影響を与え、しかも、どのように影響を与えたかという影響の仕方が、その人の魅力の基礎となるように思うのです。ミカエルに再会したとき、自分には、彼を近くに引き寄せることができるものなど何もないことに気がつきました。彼は、ただ単に、私という人間や生き方に引かれなかっただけだったのです。このように、直感的な確信が経験によって裏付けられるということは、安心な反面、同時に、とてもつらいことでもありました。なぜなら、彼が私に魅力を感じなかったということが、単に私の身体だけに問題があるのではないとしたら、それは、身体ではない何か、身体以上に私にはどうすることもできない何かに問題がある、ということになるからです。私の瞳の色、髪の毛の感触と変わらぬほど私の一部となっていること、私という人間のもつ性質の何かということなのです。

その夜、家に帰った私は、ミカエルにとってそれほどまでに魅力に欠けると感じられたことはなんだったのかしらと、しばらく鏡を覗き込んで考えました。自分の肌、瞳、髪、口を、じっくり観察しました。鏡に向かって歩み寄り、離れてみます。にっこり微笑み、じっと睨みつけ、笑ってみました。どうして、彼は私に魅力を感じなかったのかしら。それは辛辣な苦しみでした。私は泣き疲れ、眠りに落ちました。私はミカエルを求めていたのではなかったのです。魅力的でありたい、それが私の求めていたことだったのです。

それ以来、全く妥当な基準で体重オーバーとはいえないほど痩せたこともありましたが、それでも同じようなことは、恋人だけでなく、友だちになれるかなと思う程度の人まで……さまざまな相手に対して繰り返し起こりました。その度に、それは痛烈な苦しみをもたらしましたし、私のなかでは、「どうしてあなたは私を求めてくれないの」という声が聞こえ、それは直ちに「いったい私のどこがいけないの」という叫びに変わりました。そしてその苦しみは、誰かに私を愛させようとする狂気じみた試み、焦燥と不安に満ちた挑戦へと至ったのです。この挑戦に敗れたら、私は愛するに値しないということになり、勝てば、私の自己イメージは安全ということになります。このゲームは途方もなく大きな賭けでした。私は、私自身を申し分ないと感じる許しを求めてこの戦いに挑んでいたのです。

体重が六六キロあったときは状況が違っていました。私には覚悟ができていたのです。たとえ相手に拒絶されても、私にはその理由が分かっていました。体重が六六キロあったときには、拒絶されたのは私の脂肪であり……私自身ではありませんでした。私の脂肪、それは私を取り囲み、保護し、隠してくれるもの、しかしそれは私ではありませんでした。本当の私はそのなかにいるのです。本当の私は柔らかで傷つきやすくセクシーでした。本当の私はすらりと痩せています。すばらしく香り豊かな秘密、それが本当の私だったのです。もしパーティーで誰も私にアプローチしてくれなくても、それは彼らには分かっていなかったから、この贅肉の下に隠れた私の秘密に気づくことができなかったからです。秘密に気づき、それでもやはりそっぽを向いたわけではありません。そう、あのミカエルとは違うのです。

今よりも体重が重かったころのある午後、二人の女友だちといっしょにベッドに寝転んでいました。彼女たち二人は勇気があるから、だからこそ痩せていられるんじゃないかしら、三人で話をしていたとき、ふとこんな考えが浮かんできました。痩せている彼女たちが、まるで骨まであらわにしているかのように感じられたのです。彼女たちは自分の内面をあからさまに外にさらけ出しているかのようでした。そのため、誰の目にも彼女たちの姿は一目瞭然ですし、受け入れることも拒絶することもできてしまうのです。自分たちがどれほど勇気があるのか分かっているのかしら、私には不思議に感じられました。またいつか私にもこんなふうに勇気をもてる日が来るのかと疑わしくさえ思えたのでした。

体重が六六キロあったときには自分をコントロールできました。人に拒絶されるということはありませんでした。私自身がもう既に自分を拒絶していたからです。自分が太り過ぎであることも、魅力に欠けていることも分かっていました。自分で自分を嫌っていましたから、たとえわずかであれ、それ以上に私を嫌うことなど誰にもできなかったのです。拒絶されていると感じるたびに私は、秘密の自分、私の身体のなかのこの脂肪の下に隠れた自分のイメージの虜になりました。綱渡りの綱の下に張ったネットのように、このイメージのお陰で地面に激突せずにすんだのです。もし人が〝本当の私〟を見つけたら、きっと状況は変わってくるはずよ、今までとは違った目で私のことを見るようになるわ、もし痩せたら人は私を愛してくれるわ、そう思っていたのです。

　肥満は私の友だちでした。どこかに立ち去ってくれたら、そう願う一方で、それと同じくらい、とどまっていてくれることを必要としていました。ただつらいのは、それを認めることでした。私は記憶にある限りずっと、太っているのは意志（の力）が欠けているからだと信じ込んできました。太っている人は自分を惨めにすることに夢中になっている、太っているのはまさに苦しめられている魂なんだ、と。しかしスージー・オーバチの『肥満は女性問題』を読んだ後、私の体重との格闘は、食べ物を通して表面に現れているけれども、本当はそれとはほとんど関係のない、精神的問題を示しているのかもしれないという考えが浮かんできたのです。私はこれを信じたいと思いました。けれどもそれは〝あまりにも都合がよすぎる〟ように思えたのです。これが理に適っているとすれば、この考えは今後、残りの人生を太ったままでいることを支持してくれるでしょうか。もし、私の脂肪はそれほどまでに私を支えてくれることを実感してしまったら、もうこれを手放すことができなくなってしまうのではないでしょうか。

　しかし、ほどなく私は、それはこのまま太っているか、それとも痩せようとするかの選択ではなく、足を踏み出すか、それともこのままじっと踏みとどまっているかの選択であることに気がつきました。足を踏み出すためには、自分は苦しみひび割れていると考えることから、太っていても健康で分別もあると信じることへと、自己イメージを変えることが必要でしたが、このままじっと踏みとどまっているのなら、何もする必要はありませんでした。変わりたいと思っていませんでしたし、危険を冒したいとも、社会的価値や確信に疑問を訴えたいとも思いませんでした。このままでいれば痩せることを……痩せたいと思い続けることさえも必要でなく、自己嫌悪と疑惑に我を忘れて夢中になっていても許されるのです。あの高利貸、シャイロックが一ポンドの肉以外何もアントニオに求めなかったように、このままでいれば、私は何もしなくていいのです。

体重問題からの解放に伴う危機感とは、自分自身を信じようとするときにわき起こる危機感です。「その通り。確かに私はこの数年間ダイエットと体重にとらわれながら過ごしてきた。それは認めます。わざと体重を減らさないことにするなんて、馬鹿みたいと思われることも認めます（実際、痩せるための努力は大変なものでしたから）。でも私は喜んでこの考えかたを受け入れます」と言ってのけるときの危機感です。

強迫的に食べてしまう人たちは自分自身を恐れています。彼女たちは自分の食べ方が自分の望んでいるものと逆方向に向かっていると考えるから恐れるのです。彼女たちの関心は、もっぱら痩せていないこと、太っていることのつらさに集中しているために、皆さんの食べ方にも理に適った面があるんですよと言っても、なかなか信じてもらえません。

昨夜、ワークショップでこんなことを言った人がいました。「毎日、一日の終わりに自分が経験したことをすべて振り返ってみるんですけど、私、そのほとんどを否定してしまうんです。どうしてかというと、もしもっと痩せてたら、それらの経験はどれほど違ってただろうにって思ってしまうからなんです。たとえば、誰かと楽しい出会いをしたとします、すると私は、〈この人たちの本心は、きっと違うはずだわ。だって私は魅力的だとか有能だとか情熱的だとか、そんなふうに言ってもらえるほど痩せてないもの〉と考えてしまうんです。もしそれがつらい出会いだったとしても、やっぱり〈痩せていたらこの出会いもきっと違っていたんだろうな。彼らはきっとこんなふうに言ったり思ったりもしなかっただろうにな〉って考えてしまうのです。こんなふうに考えてしまうのが本当に悲しいんです」。

本当にそうです。

しかし、このように考えるには、それなりの目的があるからこそです。自覚してはいないかもしれませんが、何らかの点でこれは役にも立っているのです。ノイローゼで自虐的ともいえる行動をとってしまうとき、私たちはいくつかの方法でこれに対処することができます。まず一つは、自分は確かにノイローゼで自虐的で〝ある〟と信じることです。もう一つは、これは私が選択した対応の仕方ですが、ノイローゼで自虐的であるかのように見えることでも、よく考えてみれば、その状況では最も適切な行動だったことがわかるはずだと信じることです。

親しい友人の言葉を借りると、彼女は、現在「三キロの体重と格闘中」なのだそうです。昨日、彼女を訪ねた際、こう言っていました。「私ね、鏡を覗いたとき、自分が誰なのか分かんないの。こんな身体、こんな大きな身体なんて知らないわ。服はきつくなり過ぎちゃったし、知人と顔を合わせたり、知らない人と知り合いになったりするのが恥ずかしくてたまらないの」。

彼女は、別れたばかりの男性、ミッチェルについて話してくれました。「彼は私のお腹や脚が太すぎるって思ってたの。彼は私に食べ過ぎないようにさせたかったのよ。だから〈四キロ減らせよ、そうすれば、きっと君はすばらしくなる〉って言ったの」。

ある夜、彼女がポールいっぱいのポップコーンを食べている真っ最中に、彼の車が車寄せに乗り入れてくる音が聞こえたのだそうです。見つかるのを恐れた彼女は、そのポップコーンをベッドの下に隠しました。

彼らが別れてから二カ月が経ちます。彼女は二人で過ごしていた間に体重が三キロ増えてしまったのですが、今ではこう言っているのです。「私ね、この体重を減らせそうにないわ。食べることが好きだし、食事は私の毎日の唯ひとつの楽しみなんですもの。でもね、これはフェアじゃないって思うのよね……だって、ほかの人たちだって私と同じように一日三回食べてるのに、体重が増えないんですもの」。

彼女がミッチェルに出会ったのはバーでした。二人はいっしょに帰宅し、愛を交わし、その後すぐ、お互いに相手を求めるようになりました。〝関係〟が始まったのです。しかし、それは決して容易なものではありませんでした。彼はある宗派のメンバーだったのですが、彼女はそれに関心がなく、それが彼には不満でした。彼の仕事は下り坂、一方、彼女の方はぐんぐんと上昇気流に乗っていました。彼は彼女の身体が気に入らず、彼女の知的関心も共有できないうえに、〝かつての道〟、つまり二人の愛が始まり、発展し、後はひたすらベッドのなかで愛を表現していたかつてのような関係を、もう一度たどり直そう、と彼女に迫ったのです。「もう二度とあんなことはしたくないの」。彼女はそう言います。「私の一部しか受け入れてくれない人なんてもう選びはしないわ。彼は自分の信念や肉体的イメージに従って生きたかったのよ。でも、私にはそれができなかったの。だけど、私ね、今、彼がいなくてとっても寂しいの」。

三キロの体重は、このことと何か関係があるのでしょうか。

おおいにあります。

数カ月前なら、三キロはミッチェルに対する彼女の怒り、「あなたは、私が私だから、この私だから……そのすべてを愛するのか、それともまったく愛さないか、どちらかにすべきなのよ。あなたの頭が禿げかかっているからといって、そんなことであなたを批評したりしないし、〈あら、ミッチェル、あなたの頭ったら、禿げかかってるわよ。私、本当は頭が禿げていない方がいいのに〉なんて言ったりしないわ。それにね、あなたに私の脚や太腿を批評してもらいたくないのよ」という怒りを表していたでしょう。

しかし今なら、彼女の三キロの体重はこう言うかもしれません。「あなたは、とうとう彼のもとを離れてしまったのね。この私、三キロの体重のせいで、知らない人の胸にもう一度飛び込むのも、今まで好きでもなんでもなかった人を好きになってみることも、できないでいるのね。だって、前回の恋はあまりにもつらくて、もう二度と繰り返すことなどできないほどだったんですもの。私、あなたが私のことを、何て厄介な奴なんだろうって感じていることはすまないって思うわ、でもね、あなたが男性のためにあんなつらい思いをするくらいなら、私のことで悩んでた方が、まだましじゃないかと思うのよ」。

また、この三キロはこうも言うかもしれません。「あなたは独りぼっちで寂しいのよ。愛する人と別れたばかりで、新しい家で一人暮らし。しかも失業中なんですもの。食べ物は、そんなあなたの唯一の慰めなのよ。しばらくの間、私をこのままにしておいたらどう。私が必要なくなれば、あなたは私を楽々と手放すはずよ」。

「わかるわ。その通りなんでしょうけど、それでも」友人は言いました。「この宙ぶらりんのなかで一人寂しく太っている自分を感じるのってやっぱりたまんない」。

「そうね」私は答えました。「でも、道端で泣いている子どもを見たら、あなたは、その子のもとへ行って怒鳴りつけ、蹴飛ばしたりするかしら」。

てあげる」。

「いいえ」彼女は静かに言いました。「その子を抱いてあげるわ。そっと身体を揺り動かして、撫でてあげる」。

自分から今の状態より苦しくなるようにしたいなどと思う人はいません。もし今あなたのしていることが苦しいと思うなら、すぐに生き方の見直しをはかるべきです。

私は次のように言ってワークショップに参加なさる方々を元気づけることにしています。「皆さん方が今していることは、苦しくて自分をだめにするように見えるでしょうが、実は目に見えにくい形で、皆さん方のお役に立っていると考えてみてはいかがですか」。自分を罰したり、変えたりするのではなく、どのようにしたら自分をより大切にいたわっていることになるのか、それを発見することが彼女たちの課題なのです。「自分を痛めつけている」という考えから「自分を助けているんだ」という考えへの移行です。万華鏡を回すように色彩はそのまま、でもその図柄はまったく別のものへと変わります。

自分が今していることは自分の役に立っているんだという仮定から始めるとき、それは、自分の本能や願望を信頼するときです。そのときあなたは自分をだっこし、やさしく揺さぶり、撫でてあげているのです。

万華鏡の回転

太っていることには重要な意味があるという考えには、相当な社会的反感がありますし、痩せていることへのプレッシャーと痩せていることが約束してくれる栄光は真理かつ現実として受け入れられていることでしょう。しかしこのような考え方に戦いを挑んでみませんか。痩せた身体を追い求めて使ってきた時間とお金と心のエネルギーがどれほどのものだったかを考え直してみませんか。そして、私たちの何時間もの時間と何十万ものお金が何のために使われてきたのかを振り返り、結局それは自分のいつもの生活のなかに見つけることのできるもの、つまり自分を守る必要のために使われてきたのだ、と考えてみることはできませんか。『オズの魔法使い』のドロシーはこう言いました。「自分の心が求めているものを探しに出掛けたくなったら、自分がたどって来た道を戻りながら探せばいい。だってもとからそこになかったものなら、失くなることもないんだもの」。ドロシーの言葉はもっともです。

私たちがたどって来た道。まずは、そこから始めてみましょう。

痩せたあなたと太ったあなた――どちらが本当のあなたですか

かつて最も体重が重かったとき、今でももっと痩せたいなと思うとき、私がイメージする痩せた自分とは、夜明け前の夜の私です。太った私自身の一日が始まる前の夜、その夜のイメージなのです。痩せた私は歩きません。軽やかに、ふわふわと部屋から部屋へ漂っています。物腰柔らかでセクシャル、温かで、思わず何でも言うことを聞いてあげたくなってしまう、そんな女性です。きらきらきらめいています。きらめいて、人目を引き、人を楽しませます。人は私を求め、待ち焦がれています。私は憧れの的なのです。痩せた私は、自分にないものや、自分が手にすることのできないものは何もほしがりません。彼女はダンサーです。自己陶酔に浸り、ノンポリで、興味があるのはショッピングやゴシップ、それに男性問題です。

一方、太った私は樹の幹のようです。しっかり地球に根を張っています。この私は何もかも兼ね備えた自給自足、内向的な一つの世界を形成しています。無口で、性には無関心。彼女は作家です。核禁止や環境保護、女性の権利のために活動します。彼女には深みがありますし、さまざまな問題にかかわっていく姿勢も、根気もあります。それでも彼女は独りぼっち。自分は救いようのないほど醜いし、それが変わることもないと感じています。

これらのイメージは、ある部分、経験にもとづいています。私が十五歳か十六歳のとき……拒食症だった何年間もの歳月……痩せているということは我を忘れ、自己陶酔に浸っているということでした。自分の外見的魅力を名刺代わりに利用していたのです。私は、自分に精神生活などというものがあることを知りませんでしたから、その価値を認めていなかったのです。

しかし二十代後半になるころまでには、自分の内面へ目を向け、外見的な魅力に疑問を抱くようになり、意義のある仕事を見つける心の準備もできました。ちょうどその頃、体重が二・五キロ増えたことは偶然ではなかったと思います。自分が、痩せていてかつ、いい加減でない、痩せていてかつ、専門的な職業に就いている、痩せていてかつ、誠実でいられるとは思えませんでした。過去の経験や広告、テレビの痩せた女性のイメージが無意識のレベルで私に、痩せているということは美しさや男性、セックスを意味すると思い込ませていたのです。

これらのイメージに従って自分が行動していることに気がついたとき、これを自覚すること——つまりこれに名前をつけ、認識し、問い直していくこと——で、私は変わることができました。人間というものは、このような二つの自己イメージのどちらかにではなく、その中間に存在することができることに気がついたのです。

●太ったあなたとはどのような人ですか。そのあなたは何をしますか。どのように感じますか。何を求めていますか。

太ったあなたを一頁か二頁にわたって説明してください。服装、歩き方、姿勢、表情について、具体的に描いてみるのです。このあなたは自分の時間を使って何をしますか。周囲の人びとについてどのように感じていますか。親密な関係を築いていますか。遊び好きですか、真面目ですか、セクシーですか、それとも強情っ張りですか。

ワークショップでこの活動をするときには、「太った私は……」というリストを作ってください。しかしそのとき、すぐその場で浮かんでくる自分の回答をあれこれ詮索してはいけません。突如ひらめいた案もいっしょにリストに加え、ときには具体的に、ときには抽象的に、もうこれ以上回答が浮かんでこなくなるまであげ続けてください。

●痩せたあなたとはどのような人ですか。

次に、段落形式かリスト形式で、痩せたあなたの自画像を描いてみましょう。今度も、痩せたあなたのイメージを詳しく説明してください。人はそのようなあなたにどのような反応をしますか。あなたはどのような服を着ていますか。パーティーではどのように振る舞いますか。痩せたあなたは何を求め、何に価値を置きますか。

●これらの自画像を完成させた後、双方を比較してみてください。どのように違っていますか。双方の要求は矛盾していませんか。どちらの肖像の方が、あなた自身が望む自分、あなた自身が自覚している自己イメージを表していますか。

ワークショップのある女性は、次のように描いていました。

太った私は……
世捨て人
人目を忍んでいる
腹を立てている
飢えている
苦しんでいる
一所懸命働いている
社交的でない

痩せた私は……
疲れを知らない
男性に依存している
自己否定的
浮気性
性的に興奮しやすい

彼女の太った自画像と私の太った自画像は、まさに瓜二つで、姉妹といっても通ってしまうほどです。ほかの多くの女性たちも、皆さん似たような太った自画像を描いていました。私たちは、太っているということに、常に……無口で独りぼっち、社交的になる必要もなければ、ほとんど話す必要もなく、不幸なまま、でも自分の嫌なことにはノーと言って拒絶することも許されるという連想を抱いていました。一方、痩せているということは、常に……エネルギーがあり、セクシャルで、注目の的であることを連想させるのです。

もしあなたが、自分がもっと痩せてしまったら、（性的な言い寄りや寵愛、または相手のために自分の時間を割くことを求められたときに）ノーと言ってそれを拒絶することができなくなってしまうと感じているとしたら、体重を減らすということは恐ろしいことになってしまうはずです。だからこそ自分ではどれほど痩せたいと思っていても、減量したいと言いながらお腹が空いたら食べ、満足したらやめるという食べ方を絶対にしようとしないのでしょう。けれどあなたが自分をいたわり、自分の恐怖を和らげ、自分に安心感を与えてくれるような食べ物を食べているとしたら、もっと痩せればもっと素敵に見えるでしょうから、あなたはもう体重を減らすことに躊躇しなくなるでしょう。

太った自分や痩せた自分のイメージは、ある部分、経験にもとづいていて、かつては真実であった可能性があります。たとえば、あなたが幼かったときに、男の子たちからじっと見つめられて恐怖を覚えたことがあったとしましょう。そのとき、あなたは、体重が増えればもう彼らから煩わしい思いをさせられずにすむだろうし、自分は守られている、大丈夫だという安心感を抱くことができると感じたかもしれません。その経験自体は忘れてしまっても、その印象や物を食べて体重を増やすという行為は忘れないでいるのかもしれません。

私たちのイメージは、メディアが描く痩せた女性像によってますます大きく膨らんでいきます。あなたが、シャイで無口で、そのため、社交的で溢れんばかりに感情を発散できればいいのにと切実に望んでいるとしたら、あなたは、テレビの登場人物や魅力的な環境で理想的に演出された痩せた女性ファッションモデルの格好の餌食です。あなたは、このようなモデルの女性たちが手にしているもの――社会的安定、魅力的な男性、満足感の得られる職業――を、彼女たちのように痩せれば自分も手に入れられると思い込まされているのです。

ここには二つの微妙な落とし穴があります。まず一つの落とし穴、それは、あなたが自分の身体に、それ自身の生命、それ自身の人格を与えていながら、その一方で、逆にあなた自身には充分な力を与えていないということです。恥ずかしがり屋なのはあなたであり、あなたの身体ではありません。あなたの口を開き、話をする力も、あなたの身体ではなく、あなたがもっているのです。痩せればある程度自信を得られる、これが真実である可能性もひょっとしたらあるかもしれませんし、それによって社会的安定も得られるかもしれません。しかし、常にそうであるとは限らないのです。あなたが生まれながらに無口だったとしたら、パーティーが好きではなかったとしたら、体重が大幅に減量したからといって、人格までが突如、しかも大きく変化すると期待するのは非現実的です。

次に第二の落とし穴ですが、これは第一のものと関係があります。人間の状態を「痩せていること」と「太っていること」、苦しみ、窮地に陥った状態と、それとはまったく対照的な、たとえば、いちゃいちゃと浮気をしたりエネルギーに満ちあふれたりした状態というように、白黒はっきり二分してしまい、それぞれに特定の性格をぴったり固定させてしまう危険です。このように自分で勝手に境界線を引いたことで、結局それを信じ込んでしまうことはよくあります。傍目にはどのように見えても、人間ですから窮地に陥ることもあるでしょう。ところが、それを例外として退け、もっと痩せたらもう窮地に陥ることなど絶対にあり得ない、と信じるようになってしまうのです。しかし、今よりももっと痩せたら、今のままの自分ではいられなくなる、今のままの状態でこれからいることは一切できなくなってしまうとしたら、はたして痩せようとするでしょうか。〝終始〟エネルギーに満ち溢れ、いちゃいちゃと浮気していたいなどといったい誰が思うでしょうか。このように勝手に引いた境界線によって、身体のサイズ毎に割り当てられる理想の行動やそのプレッシャーには、反論や変更の余地など一切認められません。しかし、エネルギーにあふれながらも実は窮地に陥っている、男性といちゃいちゃ遊んでいながらも心のなかでは苦しんでいるということは実際にあり得ます。痩せたらこうならなくてはいけない、こうなりたいと思う自分のイメージと現在の自分がぴったり合っていないから体重を減らそうとしないというなら、体重が変わるに従って、性格もそれに調和するよう変えていけばいいのです。人間が現在の自分の体重を快く受け入れるためには、性格はこうでなければならない、という条件など一切ないからです。

今、明日、来週にも、あなたが物静かになったり、浮気性になったり、ひょっとしたら窮地に陥る可能性は充分考えられます。あなたがこうなりたいと思うような自分になるために、今よりも痩せる必要はないのです。この点について、ワークショップでよく耳にするのが「もちろんそうでしょうけど、でも、いちゃいちゃと浮気性で、しかも体重の多過ぎる人間なんて、いったい誰が振り向いてくれるというんですか」という声です。答えは、大勢です。大勢の人が振り向いてくれると思います。

私が最も体重が重かったころでも、自分を魅力的に感じていたときには、人は私に魅力を感じてくれました。これは本当のことです。確かに、もっと体重が少なかったら私に引かれたという男性もなかにはいたかもしれませんが、仮に私がそのような男性の一人と人生を共にしていく道を選んだとしても、その後私が病気になり髪が抜け落ちてしまったり、妊娠して一六キロも体重が増えたりしたら、いったいどうなることでしょう。その人はどこかに行ったまま帰って来なくなってしまうのではないでしょうか。

魅力というのは、その人の自分自身の維持の仕方、他人と進んで関係を結ぼうとする心のあり方に伴うものなのです。グレン・クロスは『W』のインタビューでこう言っていました。「自分を全然かわいく感じないときがよくあります。顔というのは変わるものなんですよね。……私の表情は、私の顔の動き［傍点著者］のなかにあるんです。じーっと静止した状態のなかにあるわけじゃないんです」。確かに、痩せた身体なんて、たちまち退屈してしまいます。

●それでは次に、太り過ぎの利点を根本的に定義するリストをあげていってみましょう。

(1)「太っていることで、私は……することができるようになります」

(2)「痩せているということは、私には……することができないということなのです」

ワークショップで、または一人でいるときに、これらのリストを完成させてみてください。このリストへの回答は、あなたが自分の体重をどのように利用しているか、あなたの体重はあなたのために何を表現し、どのようにいたわってくれているのか、ずばり教えてくれるでしょう。

●あなたは既に痩せた自分と太った自分の自画像を描きました。では、今度は両方の特徴を組み合わせた自画像を描いてみましょう。少なくとも三十分はかけ、自分が健康でいるために必要不可欠と感じる特徴を総合的に組み込み、じっくりとよく考えて描いてみてください。溢れんばかりに感情をあらわにしたり、自分の内面へと引きこもったり、精神的、情緒的にどのような状態になろうとも、それは、もっぱら身体のサイズに左右されるわけではない、ということを実感してください。

先述の「太った私」と「痩せた私」の二つのリストを書いた同じ女性が、今度は次のように書いています。

私は今よりももっと痩せても、なおかつ一生懸命に働くこともできるのです。それに、傍目にどう見えようとも、心のなかではつらいと思うこともありますし、人目を避けたいと思うこともあります。そんなときはいつでも、自分の望むときに世捨て人のようになって人目を避けてもいいんですね。別に太っていなくても、性に無関心だったり、恋人がいなくてもいいんですね。私はいつでも、自分がそうしたいと思うときにはこのように、どのような状態にでもなれる自分でありたいと思います。

●自分が痩せたら、そのときにやろうと思っていることのリストを作り、これを「痩せたら……するつもり」リストと呼ぶことにしましょう。ベルトを締める、シャツをウェストに入れる、人前でチョコチップクッキーを食べる、というような些細な事柄から、自分の好きな服を買う、昔の友人を訪ねるというような、より大きな事柄までどんどんあげていきますから、たいてい長いリストになると思いますが……あなたは、痩せたら何をしようと思っていますか。

●リストができあがったら、「一日に二つ、〝痩せたらやる〟という事柄を実行し始めてください」もしそうしたければ、数日間続けて同じ二つの事柄をしても構いませんが、その後は別のこと、おそらく、もっと不安の大きい行動に移ってください。

自分の身体を快適に感じている人はどのように行動するのでしょう。あなたもその一人になったつもりで行動してみましょう。あなたの歩き方、皿の洗い方、座り方、話し方、食べ方はどうなりますか、観察してみてください。

●太ったあなたに名前をつけ、そのあなたとあなた自身との間に交わされる対話を書き出してみましょう（これを完成させるためには、少なくとも二時間は必要です。なぜならあなた自身の声を、太ったあなたの声から区別できるほど冷静になるには、通常長い時間がかかりますから）。太ったあなたに語りかけ、そのあなたは何を望み、何を必要としているのか、あなた自身をどのようにいたわってくれるのか、たずねてみてください。

またあなた自身は、その太ったあなたについてどう思っているのか教えてあげてください。あなた自身に、心から本当の気持ちを話させてあげましょう。あなたが腹を立てているのなら、腹を立ててください。悲しいのなら、悲しんでください。そして、あなたがもう随分長く、忌み嫌ってきたこと、つまり、あなたのなかの、食べて、食べて、さらに食べ続けてしまう部分に話しかけてみましょう。この対話は、あなたが自分のなかのこのような部分と関係をもち始めるうえでも、また、以前はお互い敵同士だった、あなたのなかの二つの部分がコミュニケーションを図れるようにするうえでも、きっと役に立ってくれることでしょう。あなたのなかのこの部分、そこには未来の友人がいます。おそらくあなた方はいっしょに強力なチームを組んでいくことになるでしょう。

第11章 宣告・批判《ジャジメント》と自覚《アウェアネス》
——鳥は籠《かご》のなかでは鳴けません

「自分を批判するのをやめてたら、私の人生も、もうこれで大丈夫、と言えたかもしれません。でも、これでもう大丈夫となったら、それからの私はどう生きて行けばいいか分からなくなってしまったと思うんです」

解放ワークショップ参加者

「私は背中から自分を見るのが好きです。だって、背中には大きな胃袋はありませんもの」

解放ワークショップ参加者

解放ワークショップの参加者に、一日に何回くらい自己批判《ジャジメント》するか数えてみるよう言ったところ、その翌週、再びやってきた彼女たちは、それが数え切れないほどになってしまったために、数え始めて三十分でやめてしまったと言いました。

私たちは判断《ジャッジメント》しながら考え、話し、行動します。意見というのは、一つの判断ですし、決断もやはり判断です。

判断は多くの状況で必要です。私たちの毎日の生活には多数の決断が必要ですし、決断には、適切でタイムリーで健全で効果的な判断を必要とします。身体的にも精神的にも、判断は生きていくために必要です。

しかし、精神面では、否定的な判断（訳注：自己批判）は非生産的なものになります。自己批判により、心は硬直し、抵抗や葛藤が生じます。自己批判は、押し問答や喧嘩の引き金となり、それが存在する限り、過食が続きます。

八年前、友人のアシュレイは、ある男性と出会い、恋に落ち、結婚したのですが、その男性は三度目のデートで、君は太り過ぎだと彼女に言いました。ところがその後、七年間で、アシュレイはさらに三一キロも体重が増えてしまいました。

ドナは解放ワークショップの女性の一人なのですが、彼女が付き合っている男性は、もし君の体重が九キロ減ったら、僕はもっと君に引かれるんだが、と言うそうです。「夕方、デートの後、彼が私を家に送ってくれると、私、台所に行って食べ物をお腹いっぱい詰め込むんです。狂ったように。彼に九キロ減らすべきだと言われたのに、あれから私は逆に四キロ増えてしまいました。彼には、魅力的に思われたいですし、私も彼を愛しています。でも、体重を減らすべきだと言った彼の言葉、あの言葉だけはどうしても我慢できません」。

自分自身によろうと、ほかの誰かによろうと、自分の行動が手厳しく批判されると、私たちのなかの柔らかく傷つきやすい部分は堅く門を閉ざし、その打撃からわが身を守るかのように頭を抱え込んでしまいます。傷つきやすい自分を外に晒したくないのです。

ドナは恋人から減量が必要だと指摘されると、彼の認識には疑問を狭む余地がないと感じ、引きこもってしまいます。文化的な理想からすれば、確かに、自分の体重が多すぎるということを彼女は分かっています。しかし傷つくのです。疑惑を胸に人から離れ、わが身を守る脆くて子どもっぽい女性として。もし私が道に迷ったら彼はちゃんと方向を示してくれるのかしら。彼女は、彼を信じられなくなってきています。なぜなら彼の目に映っているのは、彼女そのものというより、まるで彼の夢が作り上げたドナのようだから。だからドナは、彼にそっけない返事をし、彼に触れられると身を縮ませて、自分を守り始めたのです。

自分の行動に欠点が見つかると、すぐさま苦しみが始まります。私たちは攻撃されていると感じると、反撃するのです。

ドナの恋人が示した批判は、「彼女の問題」ではなく、「彼の問題」を反映しています。しかし、ドナは自分を意識し、傷つきやすく感じているために、彼が彼女の体重に関して言った言葉を個人的な攻撃として受けとめてしまうのです。今の自分では充分じゃない、そう言われてしまったために、彼女の心は生存の危機に晒《さら》されることになり、反撃するのです。彼女は自分を攻撃する敵に打撃を与えると思う唯一の武器、つまり脂肪を武器として使うことで、反撃に出たのでした。

彼女の恋人は、ドナの体重が――減るのではなく――増えていることに気づくと、傷つき、腹を立てます（僕の気持ちなど重要じゃないというのか。僕は君なんかに引かれていない、そう君に言わなかったかい?）。今や、攻撃に晒されていると感じているのは彼の方です。彼の感情が生存の危機に瀕しているのです。そのため彼は、自分に攻撃をしかけてくる敵を傷つけると分かっている武器、つまり彼女の身体を批判することで、反撃するのです。彼らは両方とも、相手は自分の話を聞いてくれない、配慮がないと感じています。お互いに相手に橋を架けるのではなく、それぞれ自分の周りに壁を張りめぐらせ始めているのです。外からは見えなくても、内側はぼろぼろに崩れかけています。夜、隣り合わせに身体を横たえるときでさえ、その孤独は変わりません。肉体的興奮によって日中の光を夜の暗闇に溶け込ませることができなくなったとき、肌に肌を重ねた甘い揺り籠も、辛辣な闘争の場へと変わってしまうでしょう。

判断することをやめる方法があるとは思いませんし、そうすべきだとも思いませんが、自分がどのように判断をくだしているかについてもっと自覚する必要があると思います。まず自己批判によって自分を見失うことがあるということから取りかかりましょう。というのも、自分や他人についてあれこれ判断したとしても、それが正しいとは限らないからです。同様に、私たちについての他人の判断によって自分を見失うことにも注意しましょう。誰かさんが、私たちを魅力的でないと思ったとしても、それが正しいかどうか分からないからです。

たとえば、誰かがおまえは人の話に熱心に耳を傾けないといって私を責めたてたとしても、私は自分への疑惑の渦に放り込まれたりはしません。通常はちゃんと人の話をよく聞いていることを自覚していますし、人から、そう言われたことが何度もあります。それに、自分自身、人びとに熱心で深い関心を寄せてきたと感じているからこそ、自信をもってそう自覚できるのです。自分の行動が人を傷つけたかどうか、その相手にたずねてみることがありますし、相手に対し自分が言ったこと――または言わなかったこと――に関し、聞き役としての私の力について、その人にコメントを求めたこともあります。また、人びとが私について何か言うことを通して彼ら自身が何を表現しようとしているのかに注目することもあります。

「あなたは」という二人称の意見の影には、常に「私は」という一人称の意見が隠れているのです。「あなたは人の話に集中しない人なのね」という批判は「私、もっとあなたに関心を向けてほしいの」と解釈することができます。

「九キロ痩せたら、君はもっと魅力的なのにね」という言葉は、「僕は、君と親しくなり過ぎてしまうのが怖いんだ」と解釈することもできるはずです。

アシュレイの彼は、八年間の関係の間ずっと不平たらたら、文句の叫び通しでした。まず、一夫一婦制が嫌だ、次にいっしょに住むのが嫌だ、結婚するのが嫌だときて、今は子どもを作るのが嫌だと言っています。彼はほかの（より痩せた）女性に対しても、同じパターンをたどってきました。彼は親密になることを恐れているのです。彼自身時どきそれを認めることもありますが、たいていはアシュレイの体重のせいにし、彼女の体重のせいで、自分は愛情を控えてしまう、と彼女に訴えるのです（彼ら双方の性的関係には満足しているのに）。

男性はおびえています。私たち女性の多くもそうです。ラブソングは、私たちの心の準備まではしてくれません。仮面は一切許されず、顔と顔を突き合わせて別の人間と暮らしていく恐怖、正真正銘、恐怖以外の何ものにもなりかねないものへの心の準備をしてくれるものなど何もないし、誰もいないのです。あなたが誰にも見られたくなかったこと――あなたの恐怖、混乱、欲求――が見られてしまうことになります。しかし、あなた方双方が、あらわにされることに対する気まずさに心を開いて受けとめていく覚悟ができたとき、そのときこそ何の保証もないこと、つまり、もしかしたら自分の愛する人が自分のもとを立ち去ってしまうかもしれない、死んでしまうことだってあるかもしれないということを納得したうえで、むしろそれを自分たちの関係をより親密なものとするために役立てていくことができるようになるのです。

　アシュレイの彼は、「僕は怖いんだ」とは言わず、代わりに「君は太っている」と言うことで、自分自身の心のなかをより深く見つめていく負担を逃れ、自分の感情をコントロールする責任を彼女に転嫁しようとしたのです。「これは君のせいだ。だから、これを良くしていくのは〈君〉なんだ」。彼はそう言うのです。アシュレイは彼の言葉を信じるかもしれませんし、信じないかもしれません。しかし、もし信じたとしたら、つまり、もし彼女がもっと痩せていたら、彼は彼女をもっと愛していただろうに、という彼の言葉を彼女が本当に信じたとしたら、彼らの関係はどこまでいっても満足なものとはならないでしょう。なぜなら、彼はあのような彼女だからこそ、彼女のことを愛せないというのですから、当然彼女は腹が立つでしょうし、彼の方も、彼女が体重を減らさないことに腹を立てるからです。双方とも根本的な問題から顔を背けていますから、二人の関係が崩壊するまで、彼らは互いにぶつぶつ文句を言い続けることでしょう。

　パティは二十年もの間、減量に努力した後、この解放ワークショップを訪れました。「私の夫は太った女性が好きではありません。だから、体重を減らせば、私たちの性生活はもっとずっと良くなるだろうに、といつもいつも私に言っているんです」彼女はこう話してくれました。そして八週間のワークショップを二回受講するうちに、彼女は一一キロ減量したのですが、にもかかわらず彼女の夫はそれが気に入りませんでした。突然、自分の夢の女性を手にした彼は、目を覚ますことができなかったのです。彼ら夫婦は喧嘩をし、別々の部屋で眠るようになりました。彼女は混乱し、カンカンに腹を立てました（「二十年間にもわたって自分を圧し殺してきた結果は、こういうことだったの」）。彼は以前にもましてとげとげしく、腹を立てるようになりました（「君は変わってしまったんだね」「君は、もう以前ほど素敵じゃない」彼は言いました）。彼らは現在、それまで、パティの「体重問題」のせいにされ、そうすることで、無視してきてしまった二十年間におよぶ恐怖、怒り、憤りを明らかにしたいと願い、夫婦関係カウンセラーに通っています。

人を愛し、優しさを保っていけるかどうかは、たとえ自分のなかに気まずさや恐怖があったとしても、それを乗り越えて、優しく自分自身を貫いていく覚悟があるかどうかにかかっています。自分自身のなかの壁を前にしたとき、その大きさを推測できますか。自分の脚がその壁をよじ登れるほど頑丈でなかったら、がっくりしてしまいますか。そのことを誰かほかの人のせいにして、その人たちが太っていると責めますか。それとも、壁登《ウォールクライミング》りの講座でも受けますか。

アシュレイは体重が九キロ増えました。

ドナは毎晩、過食をしています。

批判《ジャッジメント》は混乱、硬直、反抗を招きます。批判が存在する限り、過食は続いていくでしょう。

昨日、私はエアロビクス教室に行きました。この教室のインストラクターは五十七歳で、体重は五四キロです。ほっそりとし、きりりっと引き締まったスタイルの彼女は、雌ライオンを思い出させます。痩せてはいますが、骨と皮ばかりのがりがりではありませんし、筋肉が発達していますが、男性のような体格というわけではありません。

教室の開始前にジムのなかにあるダンスウェア・ショップに行ったところ、試着室にいる彼女に会いました。彼女はレオタードを試着しながら言いました。「今日の私は本当に太っているわ」「あなたが？　太っている？　あらまあ、ご冗談を……」店員は答えました。「あら、〝本当〟よ。ほら、見てご覧なさい、これ……」そう言って彼女は、自分のウェストの百万分の一ミリほどの肉をつまみました。

私はエクササイズルームに戻り、鏡に映った自分の身体を見ました。私の太腿はピラミッド型に床へと続いています。ウェストは太く、両腕は緩んで締まりがありません。だらだらと教室を終え、家に着いた私は、そのまま真っすぐ冷蔵庫に向かいました。

宣告《ジャッジメント》というのは、物音一つ立てずにハイピッチで吹き抜けていく嵐です。これに耳を傾けるのはつらいことです。そのため、あなたはまず自分の耳を覆おうとするでしょうし、次にはその部屋から逃げ出そうとします。そして、一刻も早く自分の頭のなかの金切り声を止めようと何でもしてしまいます。

食べることはそれを止めてくれます。食べることで、あなたはその金切り声から自分の関心を引き離し、食べ物の味へと集中することができるのです。食べることは、そのこと、つまり食べてしまったこと自体で、自己批判し始めるまでは、ほかの自己批判からあなたを解放してくれます。

食べることへの自己批判が始まってしまうともう、自分は今、自己批判をしていると自覚する以外、それを止めることはできません。これに対しては、勝つことはもちろん、戦うこともできないのです。おまえは太っているという自己宣告が始まると、自分の背後の広々と生い茂った草を無視して目の前の草だけを刈り込んでしまおうと焦っている人のようになります。食べるのを控えるどころか、更に一層食べることになるのです。

自己批判は、感情、印象、思い込みを引き起こします。自己不信と無価値感に向かって旋回しながら落下する一連の感情は自己批判から始まるのです。もし私が自分に、「ねえ、ジェニーン、あなたの脚ったら、少し太くなってきてるんじゃない。ちょっと体重を落としてみたらどうなの」と言おうものなら間違いなく、太っているということから連想される、感情の猛攻撃を招くことになります。これは、私が冷蔵庫に直行するときの感情、音のない感情の嵐です。「あなたは太っているわ。醜いし、価値なんてないのよ」。そう叫んでいる声なのです。それはあまりにもつらく、私はこれを打ち負かしてしまいたい、仕返しをしてやりたいと思います。

私たちは自分という人間の全体を見てもらいたい、全体として扱ってほしいと思います。通りを歩いているときには見えない自分のなかの部分、その部分でこそ自分の価値を認めてもらいたいのです。これは当然のことです。これらの部分――自分の知性を発揮し、受けとめ、確実にし、変化させていく私たちの感情や能力――を発達させ、深めていくためには時間と努力が必要です。さもないと殻だけは目映ゆいばかりに色付けられているものの、中身は空っぽのイースターエッグのようになってしまいます。殻に描かれた模様と人工の緑の葉っぱがいっしょになったとき、バスケットのなかでどう見えるか、それが重要なんだよと誰かに（または自分に）言われたとしたら、私たちは自分の価値を引き下げられ、人目につかないよう隠されたかのように感じます。そのようなとき、私たちは、自分が言われたこととは逆の行為、状態、言葉で反応するのです。

実力行使に出る前の最後の最後の通告を言い渡された心は、その扉を閉じてしまいます。どのような形にせよ、宣告というのは最後通牒なのです。「君の体重が減れば、僕はもっと君に引かれるんだけどな」という言葉は、「君の体重が減らない限り、僕は君に充分な愛情は注がないよ」という暗号です。こう言われて反応しない人はいないでしょう。

私たちは常に変化しています。これは本当に確かなことです。しかし私たちは、誰かほかの人のために変わることはできません。その変化の方向や目的が、自分自身の信念や夢とぴったり歯車が噛み合っていなかったとしたら、その変化を求めている相手から自分は受け入れられ、愛されていると実感できなかったとしたら、体重を減らすことも、チベット仏教徒のように断食することもできません。もしできたとすれば、それは私たち自身のための変化です。私たちは自分自身のために変わるのです。心を開けば、自分もそうなれると思う人物の瞳の輝き、思考の閃きにもっともっと近づいていくために変わるのです。変わらなくてはいけないから、変わらなかったら自分はだめになり、そのまま固まって、堅い岩盤と化してしまうから、だからこそ変わるのです。

しかし、宣告は変化にはつながりません。

変化とは強制ではなく、植物の成長のように、愛と忍耐、そして、じっと静止している間も絶えず前を目指す心構え、それこそを必要不可欠な栄養素として起こるものです。

変化を望むなら、より温かく自分自身や他人に対応できるようにならなければなりません。同じ関心でも、宣告とは対照的に、広々とした明るさをもつのが自覚《アウェアネス》です。自覚《アウェアネス》とは、特定の方向に自分を押しやることではなく、自分が今していることを何もせず、側で見守る関心です。

自覚は着目を呼び掛ける声です。ただ着目するだけです。家に入り、空腹ではないけれども冷蔵庫へ足を向けるときに聞こえてくる声、「心臓が全速力で駆けています。手は冷蔵庫のなか。食べ物が口に運ばれています。噛んでいます。飲み込んでいます。そう、そしてもう一度、口へ食べ物が運ばれます。胃は苦境に陥っています。冷たい食べ物、味はもう分かりません。もっともっと食べなければいけません。それでもまだ味が分かりません。……いったい何が起こっているのでしょう?」。これが自覚の声です。

一方、宣告の声はこう言います。「あなたったら、またこんなことを繰り返して、信じられないわ！　あなたにとって、これはいったいどんな意味があるというの？　学ぼうとする気がさらさらないのね。あなたはここで自分の口に食べ物を押し込んでいるけど、そんな自分の姿を見てご覧なさいよ、ほとほと嫌気がさすわ。自分の食べるものに気をつけようと言ったはずよね、それなのに今、あなたがしていることったらこれよ。ただ太り続けようとしているだけじゃないの。ムームー以外何も着られなくなってしまうのも時間の問題よ」。

宣告の声は、あなたをいじめて、窮地に追いやります。やがて、反撃の声が宣告の声を押し戻すでしょう。その声はこう言っています。「私はね、好きでやってるんだから放っといてよ。これは私の身体なんだからね。私は今日、つらかったの。残りの人生をムームーを着て過ごさなければならないとしたら、そりゃ確かにとんでもないことだわ、でも食べたいの、私は食べたいのよ。だからもういいの、構やしないのよ」、どこまでもあなたを追いやるのです。

自覚は喧嘩も金切り声ももたらしませんし、それによって最後通牒が申し渡されることもありません。自覚こそが、強迫行動《コンパルシブ・ビヘイヴィア》から解放されるための最も重要なポイントです。なぜなら、自分が強迫行為《ビーイング・コンパルシブ》にとらわれていることに気づくと、強迫行為は止まるからです。

強迫行動というのは、定義に従えば、自動的で思考欠如《アンシンキング》の行動を意味します。そのため、私たちは、自動的で、何も考えない状態になりたいとき、このような行動をとることになります。自分の感覚を麻痺させてしまいたい、自分を打ちのめしてしまいたいと思うとき、また、自分自身から離れたいと思うとき、食べ物、アルコール、薬物に手を伸ばします。ここにこそ強迫行為《コンパルション》の価値、不快を取り除くという価値があるのです。そしてそこにこそ、強迫行為の悲惨さもあるのです。不快さを取り除くためには、自分の人生の大半をそれに貢がなければならないというのが、その悲惨さです。私たちには減量を助けてくれるトリックなど必要ではありません。本当に必要なのはダイエットや特別な食べ物などではないのです。自分の人生を手放してしまいたいのか、それとも自分の人生に自ら進んでかかわっていきたいのかの決断、それこそが私たちに必要なことです。そして自覚とは、自分自身と関係を結び、生きている限りその関係を保ち続けていくプロセスのことです。

　自覚と強迫行動が同じ瞬間に共存することはおそらく不可能でしょう。明かりを灯せば、そこはもう暗くはありません。あなたがどれほどの強迫に駆られていようとも、三十年間ないしは三十分間、どれほど過食をしてこようとも関係ありません。私は過食をしている《ビンジング》、そう自覚したとたん、それはもはや過食《ビンジ》ではなくなるのです。

　私にとって過食症《コンパルシヴ・イーティング》の最も恐ろしい側面は、自分が何かに取り憑かれたかのような感じがすることでした。過食をするとき、まるで私の身体に悪魔のような魂が入り込み、私をコントロールするかのように感じられたのです。動きは鈍り、意志などどこかに消えてしまいました。意識が朦朧とし、催眠術にかけられたかのような気持ちになるのです。過食の前に私にとって重要だったこと、そのすべてが、もうどうでもよくなってしまいましたし、食べ物に対するあまりに切迫した欲求のために、誰であろうと、行く手に立ちはだかるものはなぎ倒してしまいたいとまで思いました。

　その後食べるのをやめると、私の勢いは静まり、ギラギラとした眼の輝きも和らいで、再び周囲との関係が重要なものとなります。自分を取り戻したことにほっとする一方、あまりにばらばらに崩壊し、気が狂ってしまったのではないかと思うほどのありさまだった自分に、驚きさえ感じました。

強迫的行動の特徴は、恐ろしいほど自分を失ってしまうという点です。まるで自分が町を離れている間に嵐によって家が破壊されてしまい、その後戻って状況を見渡したとき、そのあまりのダメージに震え上がるといった感じです。私たちは、いつなんどき、また嵐がその怒りを爆発させるかもしれないと恐れながら、それでも断固として精力的なダイエット計画へと没入していくのです。自覚することで過食症に対処していこうと考えても、強力な過食が大暴れしている際には、まるで小さなネズミ捕り器で大きな野生の象を捕まえようとしているに過ぎないと感じられるかもしれません。

しかし、強迫行為の特徴が自分を失ってしまうという点だとすると、一方の自覚の特徴は、堅実で、行動の妨げとならない自分の存在ということになるでしょう。強迫行動の根本的性質を変えるのは何よりもこの違いなのです。自分が今していることをじっと見守っているときには、見守っていないとき（自己批判にふけり、感覚を麻痺させているとき）と同じではあり得ません。自覚は、行動の勢いを緩め、その影響は、強迫行為の根本的レベルにまでおよびます。自分を完全にノックアウトしてしまいたい、と思いながらも、そう思っていることを自覚しているとしたら、既にもう自分を取り戻しているのです。ものを食べながら、自分に対して、「私、あなたがこんなことをしているなんて信じられない。あなたにはほとほと嫌気がさすわ」と言ったとしても、その一方で、そう言っている自分を自覚しているならば、既に自己批判への反撃という罠から自分を救い出せた、ということなのです。

耐えられないほどの平手打ちを食らうような状況でも、それを自覚していることで、たとえ仮に過ぎなくても、何らかの展望が見えてきます。テーブルの上の食べ物よりも、身体についての自己批判よりも、自分の方が常に強力です。それをはっきり認識させてくれるのが自覚です。

しかし、自分をノックアウトしたいと思っている自分を自覚し、それでもとにかく、ノックアウトしてやろうと決意したとしたらどうなるでしょうか。そんなときでも自覚はあなたの態度を変えてくれます。あなたはもう、嵐の後の町に帰って来てしまったんだ、生け贄《にえ》なんだ、猛烈に荒れ狂っている欲求のなすがままになってしまったんだとは感じません。これは自分が選択したこと、満腹なのに食べるということなんだと感じます。あなたはそうしていいのです（過食をしてしまうことは誰にもあります。しかしそのためにワークショップを訪れる人とそうでない人との相違は、後者は食べ終わると、その後また一日を続けていくのに対し、前者はいったん食べてしまうと、その日一日中を台なしにしてしまうという点です。過食そのものに相違があるのではなく、この行動に対する姿勢に相違があるのです）。よし、過食するぞ、そうあなたが意識的に決断したならば、そのとき、あなたは強迫行為の様相――それはどのような感じなのか、自分はそれを楽しんでいるのかどうか、自分はそれをもう一度繰り返したいと思うか――をじっくり観察し、次の機会に備えて学ぶチャンスを手にしているのです。

自覚することによって禁断を耽溺《たんでき》より価値あるものとみなすようになるわけではありません。耽溺のときは、それがどのような感じか、自分の望み通りの満足を得られているかと自問することが自覚です。

学び、成長し、自分の翼を広げ翔びたいという望みが気づきの前提です。広い、開かれた場所で、初めはつまずいて倒れてしまうかもしれません。しかし倒れても、あなたの意欲が揺るがず、倒れるたびにそこから何かを学び続けたなら、いつか翔ぶことができるようになるでしょう。自覚が前提としているのはこれです。

一方、否定的宣告は、あなたには地上を飛び立つ欲求も充分な動機もないということを前提にしています。広大な広がりを前にしようものなら、恐怖で頭を抱え、なすすべもないままに、だらだらと時間を無駄にし、ぺちゃんこに潰れてしまう、それがあなただと決めてかかっているのです。野生の象も、広々とした草原では穏やかに歩むことを否定的宣告は分かっていないのです。

ゆったりした空間での練習

●あなたは一日に何回、批判をしていますか。数えてみてください。まずは目を開けた瞬間からです。一番初めにあなたが抱く意見は何ですか。二番目は？　その日一日を通して、自分が目にしたどれほど多くのこと……人びとの服装、歩き方、表情、あなた自身の服装、歩き方、表情について、どれほど頻繁に宣告をくだしているかに注意してみてください。おそらくあなたはあらゆることに何らかの意見を抱いているでしょうし、これからもやはり、あらゆることに意見を抱き続けていくことでしょう。しかし、あなたが抱く意見は、あくまで単なる意見に過ぎません。確かな事実ではないのです。あなたは、それらの意見が浮かんでは消えていくことを自覚することで、それほど深刻にとらえないこともできますし、逆に、それらを逐一信じ、それに合わせて自分の行動をも逐一変えていくこともできますが、どちらが快適ですか。

●あなたが何かを、または誰かを批判するたびに、「空は青い」という文句を付け加えてみてください。*　もし誰かの振る舞いを自分勝手に感じても、その気持ちを「空は青い」という文句で締めくく

＊　この有効な演習に対し、ジョセフ・ゴールドステイン氏に感謝申し上げます。

るのです。「私の太腿はなんて太いのかしら、信じられないわ。でも、空は青いんだわ。あの車ったら、何てひどいの。でも、空は青いのよね。彼女はビキニなんて着るべきじゃないのに。でも、ま、いいか、空は青いんだもんね。私は決して食べるのをやめられないんじゃないかしら。これはもうどうしようもないのよ。でも、やっぱり空は青いんだわ」。

このような調子外れの決まり文句を批判に付け加える目的は、それにより批判の深刻さが中和されるからです。こうすることであなたは、自分が批判をしているということ、だからといってこのプロセスの虜《とりこ》になる必要はないということをはっきり自覚することができます。

●批判されることで、身体的にどのように感じますか。その感覚を、じっくり観察してみてください。それは、その批判が外面的なものであるとき、誰かほかの人が、あなたの言葉、行動、食べ物についてコメントを挟んでいるときに、最もはっきりと感じられるでしょう。あなたの胃のなかで何が起きますか。あなたの胸のなかではどうですか。

●批判されることで、精神的にどのように感じますか。その感覚をじっくり観察してみてください。誰かに何かを言われた後に、あなたがまず最初に考えたり、感じたりしたことは何ですか。あなたは、自分に対する相手の批判に関し、なるほどと思ったり、愛情を感じたりしますか。相手の言葉に合わせて自分の行動を変えたいと思いますか。今、あなたは自分自身についてどのように感じていますか。食べたいと思いますか。

●この人から自分は愛されている、受け入れられていると感じる友人のことを思い浮かべてください。相手の気に障ることをあなたがしてしまったとき、どうなるでしょうか。その友人は、あなたがそれを改めない限り、もうあなたのことを愛さないと言いますか。その人はあなたを脅かしますか。それとも、あなたの行動とその人の感情の両方に対するあなたの反応について考えてみるよう、あなたとコミュニケーションをはかってきますか。窮地に追い詰められたような気分でしょうか。それとも、自由な解放感を覚えるでしょうか。

●自分自身または、誰かほかの人に批判された結果、あなたが変化した場合をリストアップしてみましょう。

●あなたの生涯で、あなたが長期にわたって変化し続けたときのことを思い浮かべてください。最近十年間のあなたの態度や振る舞いの変化で重要なものを三つ書き出し、更に、そのときに周りには誰がいたか、あなたは働いていたかどうか、何をし、何を感じていたかなど、その際の状況を描いてください。その変化は、あなたがいたわりや安心を感じているときに生じましたか。それとも、何かに脅かされている気がし、そのためにそのような変化が生じたのでしょうか。

変化のプロセスを具体的にとらえることができますか。自分が何らかの特定の在り方をしていないということで自分を批判し、自分の行動を改めようとしますか。長期にわたる変化というのは、自分は良くない――または悪い――人間であるという恐怖感から生じるのでしょうか。それとも、自分の可能性についての直感を実現してみたいという願望から生じるものでしょうか。

●一枚の紙を二つの部分に分け、左側には「批判」、右側には「反批判」と書いてください。あなたが自分自身についてたびたび行う批判を一つ取り上げ、それを批判と書いた見出しの下に書きます。それから今度は、それに対応する形で、反対の評価をしてみましょう。たとえばあなたが「私のヒップはとてつもなく巨大」と書いたとします。それに対してあなたはどう反応するでしょうか。もし「そうなのよね、その通りよ」というなら、そのときはそれを書き記してください。そして「私のヒップはとてつもなく巨大」という先ほどの批判をもう一度繰り返して書き記し、今度はそれに反対の評価で答えます。「ええっと、でもね、それほどでもないんじゃないかしら」、また「そんなことないわ、本当にそうなの、巨大なのよ。このヒップのせいで、誰も私のことなんか好きになってくれないの」。こうして、批判を繰り返すのです。そして、反批判、少なくとも「中立的」になるまでこれを続けていってください。

一日に一回、十日間、これを続けてください。最後には、批判というのは相対的、主観的、その瞬間の一時的な産物に過ぎないことに気づくことでしょう。そして、もう自己批判にいちいち反応して生きていかなくてもすむ方法を身につけてください。

●あなたの批判の声には名前があると想像してみてください。それはどのような声でしょうか。次に、その声と話をしていると想像してみましょう。何を求めているのか、何を恐れているのか、その声に聞いてみてください。その声はどのようにあなたの役に立とうとしているのか聞いてみてください。自己批判していることに気づいたら、そのたびにその名前を呼び、話しかけてください。たとえば、「あら、こんにちは、――――。あなたったら、また戻ってきたのね。どうしたの」というようにです。そして、自分自身との対話へと進んでいきます。開放的で友好的なコミュニケーションを築いてください。二つの声は、お互い、目的が逆のように感じられますが、いずれの声も同じこと――あなたを幸せにしたい――を願っているのです。その願いに向けてどう進んでいけばいいのか、その方法に確信がもてないだけです。これにはあなたも納得できると思います。だからこそ、あなたがそれらの声に教えてあげることが必要なのです。

●誰かがあなたを批判している場合には、やめてくれるよう相手に言ってみましょう。これは解放ワークショップで繰り返し繰り返し、取り上げられる場面です。ワークショップに参加している人たちは、自分自身と食べ物を大切にし、尊重することが、自分にもできるかもしれない、と期待に胸を躍らせてワークショップを後にします。しかし、帰宅したその週のうちにも、友人、知人などが、あなたの食べているものにあれこれ言うことは避けられません。たとえば、チョコレートケーキを食べていたとします。すると誰かが、あらあら、あなたはキャロットケーキにしておくべきじゃないのと口を挟んでくることでしょう。しかし、私のもとを訪れる人のほとんどは、そのようなコメントをただ黙って、ふんふんと小さく頷いて受けとめ、そのまま構わずにチョコレートケーキをきれいにたいらげるようになります。

　ほかの人びとからの批判は、彼らが彼ら自身を受け入れられないでいることの反映です。ほとんどの場合、あなたの欠点を表しているわけではないのです。人というのは、自分自身を批判している点について、他人にも批判の目を向けるものです。たとえば、ある人が自分の体重を不快に思っているとします。するとその人はあなたの体重を大変意識するようになるでしょうし、その人がチョコレートケーキを食べることを恐れていたら、それを食べているあなたの姿を目にすることは、その人自身の恐怖やあなたがしていることを自分もしたいというその人自身の欲求を引き出すことになります。だからこそ、その人は動揺するのですし、自分の動揺の外的な要因――つまり、あなた――を押しのけようとするのでしょう。

批判とは、ただ一人の特定の人物の意見に過ぎませんし、主観的なものです。しかも、それには、前後の脈絡が関係しています。ある人はあなたを見て、あなたのきれいな肌に目を見張るかもしれません。しかし別の人は、あなたの額の傷にコメントするということもあるのです。批判は無意識に始まり、しかもいつのまにか進行していってしまうものですから、たまたまあなたがその対象になってしまうということも時どきあるのです。あなたが一般的とはいえない食べ物の活用法を実験的に試みているとしたら、普段にもまして、より一層のコメントを耳にすることになるでしょうが、そのようなときには、そのような人びとの言葉は実は彼ら自身についてのことで、あなたのことを言っているのではないということをさっそく思い出してください。彼らの批評に「でもね、空は青いのよ」というあの決まり文句を付け加えてみましょう。穏やかに、しかしきっぱりと、私が変わるためにあなたの批判は役に立たないわ、と相手に言ってください。そのうえで、あなたが望むなら、別の種類の批評、そう、褒め言葉を自分に掛けてやってはどうでしょう！

●自分を批判しているときには、それが誤りであることを何とか証明しようとやっきになったり、逆にその批判の虜《とりこ》になったりしてはいけません。そうならないために、代わりの対策を、二つ提案することにしましょう。

まず一つは、実際には今何が起きつつあるのか、自分自身にたずねてみることです。自分を太っていると感じるとき、それは、そのような感覚よりもとらえがたいこと、より馴染みが薄いことについて私の気持ちが混乱していることを明確に示しています。太っているという感覚は仮面に過ぎず、この仮面のおかげで私は、あまり馴染みのない、この新しい苦しみの本当の姿を明らかにすることから免れ、かなり使い古したぼろぼろの昔の問題の陰に身を潜めていることができるのです。したがって今度、このようなことが起きた際にはより具体的に状況をとらえてみてはどうでしょう。太っているというその感情が何から成り立っているか、詳しく探ってみるのです。「私は太っている」という自分の声が聞こえたら、あなたは何について――あなたの仕事、子ども、友人関係、あなたの言動、これらのうち、何について、そう感じているのか自分にたずねてみましょう。太っているという感情、これは自分がかかわっていかざるを得ない、変えることによって改善しなければならない状況ではなく、何か本当に不快なことを表現するための比喩として、自分の体重をそのように感じているんだと考えてみてください。

二番目の対策は、批判が生じてきたら、その周りに枠をはめてしまうという方法です。「私は太っている」「私は価値がない」という声がフツフツと沸き上がってきていると感じたら、そのつど、それに批判ナンバー三四五六というラベルを貼ります。そしてそのまま、一日を続けていってください。次の批判が沸いてきても同じです。ラベルが百万まで到達したら、もう一度始めからやります。

第12章

信　頼

「それでもやっぱり、〝自分には価値がある〟ということを快く受け入れられるようになるのは私にとって最も難しいことなんです」

解放ワークショップ参加者

「私の心はからっぽ、確実な自分だけの言葉もないと考えると怖くてしかたありません」

解放ワークショップ参加者

これは実感なのですが、本の執筆と体重の問題は多くの点で共通しているように思います。強制的にでも始めなければ、結局、手を出さなくなってしまうのではないか、という恐怖から重い腰をあげるという人もいるでしょう。そうしたいと思い、いずれそうするだろうと信じ、やり始めても傍目《はため》には分からないと考えてスタートするという人もいるでしょう。いずれにしても難しいことに変わりはなく、共に不屈の精神とやりとげる姿勢が必要です。しぶしぶ始めるか、決意して始めるか、どちらの姿勢で取り組み始めていくかは、あなたがどのように生きたいかにかかわっているからこそ、それによって、自分自身に恐怖を感じたり、信頼を感じたりするのです。

つい最近、ある友人から、あなたは食べないように人びとを励ますのと同じ方法で執筆してきたのよ、と指摘されるまで自分自身で決意して執筆してきたと思っていました。それまでの私は朝起きて、シャワーを浴び、朝食を食べ、机に向かっていました。一日に六時間、一週間、机に向かっていたのです。その後、ダンス教室に行ってから、ワークショップを主宰し、眠りに就きます。日曜日は休日です。この六週間のうちに二回、体調を崩し、そのどちらのときにも二週間ずっとその状態が続きました。先週の火曜日、病院で講演をしたのですが、その前日の月曜日、目が覚めたときには、疲れで目は真っ赤に充血していました。それでも数時間、本の執筆をし、午後は講演の原稿を書こうと決意したのです。何とかして文を組み立てようとするのですが、名詞、動詞、目的語、一言も言葉は浮かんできません。もう一度やってみましたが、やはりだめでした。そのまま、そこに一時間座っていました。ふくらはぎから緊張がこみ上げてきます。「できない」と思いました。「四月までにこの本を仕上げて、サンタクルーズ、ロサンゼルス、ボウルダー、ニューオリンズ、ニューヨーク、ボストン、ニューヘヴン、ダラスで、ワークショップを主宰し、そのうえ自分の周囲との関係も維持し続けていくなんて、とてもじゃないわ。私には無理よ」。講演の原稿を執筆しなければならないというプレッシャー、それはまさにボーリングのピンです。それまでは一本も欠けることなくきちんと一列に並んでいたのに、その一本のピンのために、ほかのすべてのピンも一気になぎ倒されてしまうボーリングのピン、私にはそう感じられました。「たった一つ。誤ちはたった一つの行動だけなんですよね」。思い出すのは、ワークショップのある人の言葉です。「食べてはいけない食べ物をひとかじり、それでその一日はもうおしまい、一気に吹き飛ばされてしまいます。目の前にあるものは何もかも、私に食べ尽くされてしまうんです」。そう、たった一本のピンなのです。

「何が、より重要かってことよ、ねえ、それは何なの？」。友人がたずねました。「その本を完成させること？　それともそれを執筆している間のあなたの生活？」。

「何が、より重要なのでしょう？」。私はワークショップのメンバーにたずねます。「体重を減らすこと？　それとも体重を減らしている間、あなたが自分自身について抱く感情？」。

「それは比較できる問題じゃないわよ」。私は友人に言いました。「このプレッシャーは、まだあと数カ月は続くのよ。でもね、その後私はリラックスできるの」。

「最終試験の勉強をしているようなものよ」私は言いました、「自分のエネルギーのすべてが勉強に注がれ、そして終わるわ。今がピークなだけよ」。

「本当です、もう一回、もうあと一回ダイエットすれば」解放《ブレイキング・フリー》ワークショップのメンバーたちは言います。「そうすれば、私の体重も減ります。それには一カ月、もしかしたら二カ月かかるかもしれませんけど、でも、その後、私は自分の食べたいものを食べ、精神的問題にも真剣に取り組み始めるつもりなんです」。

最終試験の勉強のように？　私はたずねます。そうです、彼女たちは答えます。そう、いったん体重が減れば、そうすれば私だって、もうほかのことに専念してもいいと思えるほど自分を快く受け入れられるようになります、今は、特別、特別なときなんです。彼女たちはこう言うのです。

「もし今、あなたがリラックスしたら、どうなるの」。友人はたずねました。「もしあなたが自分の執筆スケジュールにいくらかでも、ゆとりをもたせたら、いったいどうなるのかしら」。

「私にはできないわ」、私は答えました。

気分転換の余地などありません。さもないと、エネルギーも閃きも切れて本は完成しなくなってしまうかもしれないのです。

「もし今、皆さんが始めたとしたら、いったいどうなるでしょうか」。ワークショップの参加者にたずねます。「もし今自分の食べたいものを何でも食べていいと自分に許したとしたら、いったいどうなるでしょう？」。

「私にはできません」、彼女たちは答えます。

気分転換の余地などありません。さもないと、食べたくなって身体の知恵も消え、体重は減りません。そう彼女たちは言うのです。

「どうしてなの？」、友人がたずねました。

「どうしてなのですか」、私は彼女たちにたずねます。

だって、私たちは答えます。

だって、私たちの飢えは根深く、古いものだから。私たちの飢えは狂暴だから。だから、もし私たちがそれに足枷をし、檻に入れ、口を封じなかったら、それは私たちを貪り食ってしまうかもしれない、そしたら今度は私たちが世界を貪り食ってしまうかもしれないから。

自由になりたがっている飢え。私たちの身体という洞穴のなかでさまよい歩く飢え。飢え、それはただ食べ物に対してだけではありません。親密さ、快適さ、セックス、満足のいく仕事、限界の設定、自己表現、これらに対する飢えでもあります。この飢えは、言葉を発することを一度も許されたことがありませんでした。私たちがこれに反撃することも、なぜ、と問いかけることもできないまま、もう何年も前に、この飢えはぺちゃんこに押し潰されてきてしまったのです。おまえはでしゃばりだ、甘えすぎる、もしおまえが自分の食べたいものを食べようものなら、太って、病気になってしまう。これが自分や自分の身体について、飢えについて、私たちが受け取ってきたメッセージでした。自分のしたいようにしたら、ろくなことをせずに、自分を台なしにしてしまうだけ、これはそういうメッセージでもあったのです。

自分にたった一枚のクッキーさえ許そうとしなくても、何袋ものクッキーを食べてもまだやめられないとしても、私たちは皆同じ。自分を恐れている女性たち、飢えにからめとられている女たちです。私のワークショップに参加する女性たちは、程度は人それぞれですが、皆一様に「いいんです、これで。だって、私、食べられないんですもの」と言います。レノアは、彼女の祖母が癌で死にかけているとき、その祖母がどれほど〝美しく痩せて〟きているかについて、どれほど〝これまでになくすばらしく見えるか〟について、彼女の母親が語ったという話をワークショップのメンバーにしました。「私の祖母は髪が抜けてきていて、恐ろしいほどの痛みの真っ只中にいました。でも、祖母は痩せていました。そして、私の母はそれをうらやましがっていたんです」、レノアは言いました。

皮肉なことに、私たちの文化において女性は、飢えを、自分を傷つけるものどころか、自分を活気づけてくれるものと、考えるようになってしまいました。そのため、私たちは自分の食欲を減退させてくれるものなら何でも受け入れようとします。たとえそれが、死であってもです。

自分を信頼するとは、飢えを快く認めることです。食べ物、親密さ、快適さ、自己表現に対する飢えを、です。

飢えに対する理解ではなく、その否定こそが私たちを滅ぼすのです。

私たちは何かにひどく飢えています。

ワークショップでアビーはこう言いました。「この飢えはいつ止まるの？ 私は毎週、貴重な禁じられた食べ物を買うの。買っても食べないこともあって、今もたくさんのアイスクリームを一週間放ってあるの。全部食べちゃうこともあるわ。だけど、自分が食べ続けたいわけじゃないなんてどうしたら分かるの？ 最終的には体重が減るなんてどうしたら分かるの？」。

彼女は分かっていません。危険です。彼女は食べ続けるのをやめないかもしれません。体重が九〇キロにもなり、ドア、椅子、バスに入り切らなくなるまで食べてしまうこともあり得ます。自分では何も決められず、すること、言うこと、着るもの、食べるものを他人に決めてもらっている自分に気づくとき、彼女は自分を信じるか、自分を滅ぼすかの選択のリスクを負うのです。

ダイエットを止めたとき私はそれまでで最高に重い体重になっていました。にもかかわらず私は家族や友人たちの前でブラウニー、クッキー、アイスクリームを食べ続けていましたから、私がしようとしていることを誰も理解してくれませんでした。私自身、自分の理解に確信がもてないことがたびたびありました。私は太っていたうえに、さらに太っていったのです。働いていませんでしたし、お金も、住むべき場所もなく、何をしたいのかも分かりませんでした。最悪の恐怖が現実のものとなりつつあるなか、ダイエットを続けたい、何か大きな組織に寄りかかってしまいたい、誰でもいいから私に何をしたらいいのか教えてほしいと思いました。しかし、恐怖よりも強かったもの、自分を知りたい信じたいという欲求のお陰で、何とかこの時期を切り抜けることができました。恐怖よりも強かったもの、それは自分の残りの人生をこのまま自分に怯えて生きていきたくないという欲求でした。

この最もつらかった時期、太っていながらもアイスクリームを食べていた時期は、一年間続きました。現在私は、ワークショップに参加した人びとが「私にはできません。すごく怖いんです」と言うと、彼女たちの恐怖を受けとめたうえで、それでも続けるよう積極的に勧めます。恐怖は、やめるべきだというサインではないからです。自分に怯えるからといって自分を信頼できないわけではありません。穏やかに歩みを進め、自分を寛容に、忍耐強く受けとめること、それはできますし、あなたに必要なことなのです。さらにその一方で、自分の恐怖をじっくり観察し、それにかかわる声の主をみきわめ、現実と照らし合わせてチェックすることもあなたはできます。そうする必要があるのです。あなたはあまりにも長い年月を恐れて過ごしてきたのですからね。

社会は私たちに、自分を信用しないようにと諭《さと》します。私たちがダイエットせずにいられなかったのは体重を減らすためだった、社会はそう語ります。自分自身を恐れるよう、社会は私たちに警告を促すのです。瘦せるのではなく自分を信用するということ、これはまだ社会で馴染みの薄い考え方ですから、あなたが進んでその先鞭をつけていく必要があります。必要なことは、自分は瘦せたいのではなく自分を信用したいのだと信じることです。なぜなら、確証など何もないからです。これはダイエットの話ではありません。人生のことです。もしあなたが自分自身の声に耳を傾けたら、二週間で五キロ減る、などと私は約束しません。しかし、あなたは、「自分は今すぐ体重を減らしたいわけではない」ことに気づくでしょうし、今すぐ体重を減らしたいわけではないとしたら、ダイエットをしようがしまいが、体重は減らないでしょう。それに、自分は体重を減らしたいわけではないと自覚しているのなら、たとえ減量に失敗したとしても、自分を罰することなどせずに、努力している振りをしていればいいわけです。自分を信用するというのは、自分にとっての真実を見つけようとし、その過程を重視することです。

私は自分を信頼できるでしょうか。

今、ビッグ・サーでのことを思い返しています。当時、お湯も出ず、シャワーもバスもない、広さ二・四メートル×三メートルの小さな山小屋に住んでいました。暑い太陽の熱射を浴びノコギリの歯のような山々に圧倒されていました。何をしたらいいのか分かりませんでしたし、どのように自分の人生を理解したらいいのかも分かりませんでした。その夏休み、私はシルヴィア・プラスの詩や彼女の故郷への手紙を読みました。ベッドに横たわりました。下に敷いた祖母のキルトは柔らかく、開け放たれたドアの向うで、風に吹かれたスミレやゴールドパンジーがさらさら音をたてていました。漂白剤を一瓶飲んだっていい、山へ車を走らせたっていい、そう思いました。その夏、はたして自分は生きていたいのかどうかさえ分からなかったのです。

しかし今では分かっています。

唯一これだけですが。

私は自分を殺しはしない、そう感じられます。

ほかには？　ほかには何を信じられるでしょう。

私は自分を信用したいと思ってる自分も、自分に怖くなる自分も信じています。快適な片隅で、安心して生活して行きたいと思っている自分を信頼していますが、今やっていることを点検し、ほかの道を探そうとして苦労している自分のことも信頼しています。人の言葉に耳を傾ける自分を信頼しています。チョコレートを好きな自分を信じています。いつも自分のベストを尽くす自分を信じています。私の飢えが底なしだということを信じています。ダンスが好きということを信じています。自分の行動に腹を立て、脅え、いらいらし、打ちひしがれる私、それでも怒り、恐れ、いらいらし、打ちひしがれる行動を改めない自分も信じています。

私の飢えはこんなにも根深く、古いんだもの、万一その声に耳を傾けてしまったら、万一自分のほしいものを食べることを自分に認めてしまったら、ツナ・フィッシュ・サンドイッチを求めてわが家の台所からサンタクルーズ、サンフランシスコ、カリフォルニア、オレゴン、ミッドウェストへ、さらには東方へと突き進み、ひたすら食べ続けないと満腹になれないいんじゃないかしら。

私の飢えはこんなにも狂暴なんだもの、万一その声に耳を傾けてしまったら、万一自分のしたいことをすることを自分に認めてしまったら、もう二度と働かなくなってしまうかもしれない、午後一時まで寝坊をし、雑誌をパラパラ捲ってランチに出掛け、冬はギリシア、夏はメイン島で過ごすんじゃないかしら、よくそう思ったものでした。

しかしその後、私は一冊の本を書きました。

そして、現在、もう一冊を執筆中です。

どん底体験

孤独や悲しみが疼き、誰かに支えてもらいたいと思うとき、誰でもいい、もし誰かが近くに来ようものなら、その人に抱き付いてしまうのではないか、ぴったり肌に寄り添うほど、自分の方に招き寄せてしまうのでないかと恐ろしくなります。それほどまでに欲求に駆り立てられている自分の姿を人目に晒したくありませんし、そうするほどに弱い自分になりたくありません。求め続ける、弱い自分が恥ずかしいのです。だから私は、沈黙や笑顔の陰に、欲求を隠してしまいます。こんなこと自分一人でどうにかできる、そう自分に語りかけます。こんな欲求消えてしまうわ、もう二度と沸いてきはしないのよ、そう自分に語りかけるのです。こんな私なんか、好きになってくれる人はいないわ、こんなにも激しく求めてしまう、私の飢えの深さを知ったら、誰だって逃げ出してしまう。私はそう考えるようになり、ほかの女性たちが彼女たち自身の飢えについて話すのを私がどれほど耳を傾け、聞いてあげているか、そのことを考えると、腹が立ってきます。そうして私は、自分の内へ内へと引きこもり、このように内へ向かっていくなかで、安らぎを得たくてむずむずしている自分の孤独を、より一層深めていってしまうのです。

同じことは食べ物に対する飢えにも当てはまります。ある食べ物を、一定の量に抑える自信がないとき、私はその食べ物を口にしません。一つ残らずすべてたいらげてしまうのではなく、自分を満足させてくれる量だけ食べる自信がないときには、初めから、一切、それを口にしないのです。しかし、それを求める飢えは消えてはくれません。飢えは依然としてそのまま、しかもそれに恐怖を絡めることで、より一層悪化させてしまうのです。空腹を満たすという単純明快な行為だったはずのものが（私には食べることができない／でも食べたい／できない／でも食べたい／できない／でも、でも、とにかく食べちゃえ）という一連の押し問答、結局は過食という結果に終わってしまう問答に変わってしまうのです。

注意深く観察していると、飢えを自覚し、飢えを恥じ、飢えを満たすことを戸惑い、そのような飢えのしつこさ、終わりがないのではないかという思いに怯え、自分の飢えに誰も気づいてくれない、満たしてもらえないと憤り、飢えに関する実に多くの、しかもどれも似たような思いが押し引きしている自分に気がつくでしょうし、そのような押し引きのなかで、初めはただ空腹を感じていただけの自分が、空腹の生け贄へと変わっていっていることにも気がつくことでしょう。

結局、最後に、自分の本音を表し、支えてほしいと求めれば、通常十五分、ときには一時間で、私のつらさは治まります。

結局、自分の食べたいものを食べようと決心すれば、一人前、ときには二人前で、満腹になれるのです。

大変なのは、求めよう、手を伸ばそう、満足しようと決心することです。私の場合、求めないときというのは、私にはどこか悪いところがあるから、だから求めてしまうんだと思い込んでいるときです。一方、求めるときは、私はそこそこの人間で今、この瞬間こそは、欲求や欲求への恐怖に、引きずりこまれているけれど、こんな欲求だけの人間じゃないと確信しているときです。

求めるということはたやすいことではありません。だから私は、そのつど欲求の渦から自分を引っ張り出し、言葉を組み立て、無理やりそれを言葉にします。いったん言葉として表現されてしまえば、その最悪の部分は終わりです。求めた相手がノーと言って断ったら、がっかりしますし、傷つくこともありますが、そんなことでは決してへこたれません。孤独やきりのない欲求への恐怖は、求めるという行為によって既に消えているからです。

食べたいものを食べるということも、勇気のいることです。空腹がいつかは治まることを信じ、自分は食べたいものを食べてもいい人間なんだと信じる必要があるからです。食べたいものを食べるということは、あなたのことを信じてる、怖がることないのよ、と自分自身に伝える一つの方法です。自分に喜びを与えてくれるものを食べるということは、自分を信頼したい、自分が求めるものは――自分を滅ぼすのではなく――自分を満たしてくれると信じたい、という複雑な欲求の一部なのです。

●そこで、あなたが自分に問うべき質問をいくつかあげてみることにしましょう。これらの質問を手に、静かに腰を下ろし、できるだけ正直に三十分で答えてください。
あなたは何に飢えているのですか。

求めるということについて、あなたはどのように感じていますか。

ほかの人があなたに何か求めたときには、どのように感じますか。

あなたが何か――人との触れ合い、特定の食べ物――に、ひどく飢え、それを手に入れたときのことを思い出してください。満足するのにどれほど必要でしたか。

あなたは切りのない飢えを体験したことがありますか。

満足するために必要と思われる量と実際に必要な量との違いに気づいたことがあります。

●あなたが自分自身について信じられることをすべて、小さなこと（たとえば、干しアンズが好き、今までも好きだったし、これからもずっと好きだと思う）も、大きなこと（たとえば、友だちが私を必要とするときにはちゃんと耳を傾けてあげるわ）も、もっとずっと大きなこと（たとえば、私は生きたい、成長したい、在りのままの自分でありたいと思う――または思わない）も、そのすべてについて一頁にわたって書き出してみてください。人を信じるに値する人間にしてくれるものとは何なのでしょうか。あなたはそれに当てはまりますか。

●一週間の間、毎日誰かに何かを求めてみましょう。恥ずかしがってはいけません。私たちは誰もが皆何かに飢えているのですから。到底そのようには見えない人もいますが、そのような人というのはうまく隠しているか、たまたまその瞬間は求めていなかったというだけなのです。誰に何を求めるか、見分ける力をもってください。まずは小さなことを、親しい友人や家族に対して求めてみてください。恐れ、戸惑い、安堵感……求める過程の心の動きに注意を注ぎます。求める際、あなたは自分自身についてどのように感じますか。

求める練習をしてみましょう。親しい友人と、お互い相手に何でも自由に求めていいと同時に、自由にノーと断ることもできるという約束をしてください。一週間という期間、本当は何も求めることがなかったとしても、とにかく求めてみましょう。相手の友人が電話好きでないということを承知のうえで、五分間、電話で話をするというようなささやかな要求でも構いません。求めた際に起こるかもしれない最悪のことは、相手からのノーです。確かにこれはつらいことですが、しかし求めることによって、つらさよりもずっと長く残るものが確認できます。それは自分を大切にするという感覚です。欲求を表現したとき、既にあなたは決めたのです。自分は人に求めるに足る存在であると。

飢えは日々変化するものなんだと信じるほかありません。私たちは求め、その後はもう求めません。私たちは与え、その後はもう与えることができません。役割交替、つまり与える側になり、その後受け取る側になる、そしてまた与える側へ、と交替交替で終始かかわっていくのです。飢えには終わりがあることを、また、私たちがその真っ只中にいるときには、まるで切りがないかのように見えるに過ぎないということを、私たちが飢えを認めようとしないとき、それはまさに切りのないものに変わってしまうということを信じることができます。

ラモーナは、食べたいものを食べたら決して止まらなくなってしまうから、絶対食べることなどできない、と言って解放ワークショップにやって来た女性です。「私、本当に飢えているんです」、彼女は言いました。「ダイエットを始めてからのこの数年間、ずっと、世界をすべてたいらげてしまいたいと思うほど飢えてきました。そう思うだけではありません……私には実際にできてしまうんです」。「あなたが太りそうだと思う食べ物って何なのかしら。食べて食べて、さらに食べて、世界中を食い尽くしてしまうまで絶対やめられないようなものって何なのかしら」、彼女にたずねました。

「ジャーマン・チョコレートケーキ」、彼女は言いました、「ゲイルズ・ベーカリーのね」。そこで私はゲイルズ・ベーカリーに行き、ジャーマン・チョコレートケーキを買って食べるよう彼女に言いました。

翌週やって来た彼女は、私たちにこう言いました。「私、ケーキを丸ごと一つ持ってテーブルについたんです。丸ごと全部食べるつもりでした。でもね、大きな一切れ、それだけ食べたら、なぜかもう、それだけで充分だったんです」。

第13章 自分に寄り添い、自分の力になり、自分を受け入れる

「もし私が誰にとっても特別な存在ではないとすると、それは、私が何の特徴もない、取るに足らない人間だということでしょうか」

解放ワークショップ参加者

過食症《コンパルシブ・イーティング》の最大のつらさは、何度も何度も繰り返してきてしまった過食《ビンジ》、増えてしまった体重、自分の水着姿から生まれてくるのではありません。自分の姿形やその身体についていろいろ言われることでさえありません。これらをあなたがどう解釈するか、これらがあなたという人間について何を明らかにするかを考えることが、あなたを苦しめるのです。

「太っていること、それこそが究極の失敗なんだわ」と、以前自分の日記に書いたことがありました。「ほかのことがどうだろうと、太っていること、それがすべてを帳消しにする」。

太っているとき、そのときには私が何を言おうと、愛そうと、笑おうと、そんなことは大した問題ではない、ということです。

前著『心の渇きを癒して』の草稿を編集者に読んでもらったときです。「自己嫌悪」という言葉にど

んどん線を引かれ、「自己否定」という言葉に訂正されたことがありました。「自己嫌悪じゃ、ちょっと、響きが強過ぎるのよ」彼女は言いました。「そんなことないと思いますけど」と私は答えました。

太っている、そう感じている人が自分に向ける嫌悪は消耗的です。怒り狂い、行く手にあるものすべてを破壊するのです。私は自分の身体にナイフをあて、肉を切り取り、血だらけになりながら痩せた自分を手に入れることをいつもイメージしていました。私は脂肪のなかで窒息しそうで、我慢できませんでした。もう一つ我慢できなかったこと、それは私が、自分を消耗し、作家、教師、友人、恋人、ダンサーとしての可能性のすべてがこの幾重にも積み重なった脂肪の下に埋もれてしまうと感じることでした。痩せていさえしたらできるはずの夢を見続けることを止められず、それでいて太っていました。骨の一本一本までバラバラにしてしまいたい、そうまで思いました。

太っていると感じることが女性にどれほどの力をおよぼすか、それは、どれほど強い言葉をもってしても、存分に描写し尽くすことはできないのです。

解放ワークショップを訪れる女性たちは何度も何度も自分を叩き、踏み付け、虐げ続けます。私は太っている、だから私は自分が大っ嫌いなの。彼女たちはそう考えてやって来ます。ワークショップを主宰する私が何らかの答えを持っている、痩せる方法を教えてもらえる、彼女たちはそう期待し、望み、祈りながらワークショップを訪れるのです。そのため、私が信じられないようなこと――まさに今この瞬間のあなた自身を好きになり始めなければいけません――五キロ体重を減らしてからではなく、今の自分を好きになるのです――と、とんでもないことを言い出すと、彼女たちはまるで狂っている人を見るかのように私を見ます。

「あなたは私にこれを好きになれと、そうおっしゃるのですか」。彼女たちは自分の身体を指さしながらこう言います。

「そうです、それがあなたなんですよ」私は言います。「単に、あなたの身体というだけではないの。それがあなた、あなたという人間なのよ」。

違う、違う、彼女たちは頭を横に振ります。

「こんなの私じゃない。これは私の脂肪。私はこの脂肪の内側にいるんです。私が自分自身に辿り着くためには、この脂肪を駆除する必要があるんです」。

「違うのよ。それが、あなたなのよ」私は言います。「あなたは自分自身を駆除することはできないわ。あなたにできるのは、あなた自身を受け入れること、それだけなのよ」。

「体重が減れば」彼女たちは言います。「そうすれば私、自分を好きになれますわ」。

私は言います。「今のあなたを好きになれないなら、体重が減っても好きになれないはず」。

彼女たちはこのような意見を受け入れません。このような脂肪の塊、トボトボと歩き、人に迷惑をかけ、優柔不断のこのような人間を好きになる、彼女たちにとってそれは想像を絶することのようです。

今日は二月二十八日。原稿のしめ切りは四月一日です。私は自分を太っていると感じています。この何カ月もの間、ずっと机に向かって書き続け、椅子から離れるとそのつど、ニンジン一本、クッキー一枚、プレッチェル一本、カリカリとかじってきました。何かをガリガリ噛み砕きたかった、静寂を打ち破りたかった、だから食べました。空腹だったからではありません。服が少しきつく感じられます。たぶん五百グラム、ひょっとしたら一キロ、増えてしまったかもしれない。でも、それが問題なのではありません。今私は太ったと感じている。そう感じるとき、何一つとしてうまく行きません。

それをサラに話します。彼女は、あなたが好き、と言ってくれます。体重が増えたようには見えない、と言ってくれます。「でもね」彼女は言います。「たとえ体重が増えたとしてもよ、それがどうしたっていうのよ。あなたはあなたのままで、変わりはないわよ。あっちこっちに二キロ付いたからって、それでどこがどう違うっていうの」。

母にも話します。すると母は、朝はポーチドエッグ、お昼はサラダ、夕食には魚を一切れ食べればと言います。「ねえママ、あれを食べろこれを食べろって言わないでくれない？　私が聞きたいのはそんなことじゃないのよ」。すると母は、本を書き終えればそんな体重は「いつの間にか減っちゃうわよ」と言いました。

私は自分を太っていると感じています。そう感じるとき、私のものの見方は歪みます。現実のとらえ方が完全に変わってしまい、太っているか痩せているか、それだけしか目に入らなくなってしまうのです。食料品店で、銀行で、ガソリンスタンドで、スマートに見える女性と比較してしまいます。ダンス教室ではほかの人の身体から視線が離せず、いったい何を食べたらあんなにほっそりした太腿でいられるのかと考えてしまいます。自分についての感覚は曖昧になり、確信が持てなくなります。感情も言葉も、行動も、歯切れが悪くなり、意味が曖昧になります。動きがボーッと緩慢になるのです。私は何度も何度も、自分に詫びました。二キロであろうと、九キロであろうと、一八キロであろうと、体重が増え過ぎたときの私の気持ちは同じです。太っているときの私の心は一日中、真っ暗な夜のままなのです。

ここに座って書き物をしながら、数々の顔を思い浮かべます。先週の火曜日の夜のルナのこと、彼女の涙、彼女の怒りについて考えています。「私、自分を嫌うことをやめられないの。嫌わずにはいられないのよ。私には分かっているの。痩せれば、そうよ、そうすればもっと楽に自分を好きになれるわ」。

私は自分自身の身体を見下ろし、気分が沈み込んでいくのを感じていました。五年もの間、私は食事プログラムに取り組み、本を執筆し、ワークショップを主宰して講演もしてきました。その私がなお、このような自己嫌悪にどっぷりと陥ってしまうとしたら、初めてワークショップ・グループを訪れた人にとって自分を好きになるということはどんなに難しいことでしょう。ルナの顔、彼女の涙を思い浮かべました。

「自分がこのように見えてしまうとき、どのようにしたら私は自分の力となってあげることができるのですか」、彼女はたずねます。「それに体重が多過ぎるときに、自分を好きにでもなり始めたら、痩せる動機をいったいどこに見つけたらいいんでしょうか」。

ここでまた、私たちは振り出しに戻ります。

まず何から始まるのでしょうか。

自分を好きになり、そのうえで（食べ物によって、人間関係のなかで）自分をいたわりたいと思いますか。それとも体重を落とすことで自分を好きになりますか。

まずは自分を好きになる、これが私の意見です。

私は、痩せていなかった人生の十七年間、ずっと自分自身のことを嫌悪してきました。しかし、そのうちかなりの年月、自分を嫌っていたこの歳月のかなりの年月、実際には、私は痩せていたのです。それでも相変わらず、自分を嫌っていました。だから私はこう言うのです。

そして解放ワークショップを訪れる女性たちもまた、私と同じです。ルナはもう痩せました。だからといって、彼女はいくらかでも自分を好きになったでしょうか。「なりません」彼女は言います。「現実には、そうならなかったんです」。

それなら、どうしたらいいのでしょう。私たちはどのようにして、優柔不断で、トボトボと歩く、この脂肪の塊を好きになればいいのでしょう。自分の嫌いなものを、どのようにしたら好きになれるのでしょうか。どうしたらいいのでしょうか。

昔、大きくなったときの自分の身体について夢を描きました。とっても背が高くて、とっても痩せた身体。脚はすらりと長く、小ぶりな胸、髪は豊かでカールしています。瞳は深く、神秘的。そんな身体のはずだったのです。

その後、私の身体は成長したのですが、脚は少しも長くなりませんでしたし、髪は少しも豊かになりませんでした。それに瞳の色も、少しも深みを帯びてこなかったのです。そして私は、この事実にどうしても馴染めませんでした。成長するはずの自分の姿を夢見ながら、ピンクと白のベッドルームでクランベリー模様のキルトのベッドカバーを掛けて寝ていた月日の結果がこれだったのです。

大きくなったらどんな男性を好きになるのかしら、これもまた私がよく夢に見ていたことです。背が高く、がっちりとした体格。色黒で顔は角張っていて口ひげが生えている。豊かな黒髪はゆるやかにカールして襟にかかっている。瞳はきっと嵐の前の海のよう。そんな男性を思い描いていました。ところがです。つい最近、恋に落ちたのは、私よりも二センチしか背が高くない男性でした。色白の肌いっぱいにそばかすが溢れていましたし、髪は——それはもう、残り滓ともいうべきほどのものでしたが——赤毛で、襟にかかるカールとは到底ほど遠いものでした。瞳は、青かったような気もするのですが、実際にはよく分かりません。かなりひどい近視でしたから、何をするにもメガネが必要だったのです。そう、愛を交わすためにもです。

私は彼のことを愛していました。彼のそのルックスにもかかわらず、いや、だからこそ、私は彼を愛したのです。

彼の体重が二キロ増え、その太鼓腹がパンツからはみ出していたときでさえ、決して、一瞬たりとも彼を愛することをやめませんでした。

この愛、これは私のなかのものです。私の理想とは合わないルックス、愛するつもりなどまったくなかったルックス、そんな彼のルックスにもかかわらず、いや、だからこそ、この愛は私のなかのものなのです。

私はこのような愛を手にし、自分へと向けることができるでしょうか。自分のヒップ、自分の太腿へと向けることができるでしょうか。ほかの人に対して示す誠意と寛容さで自分自身をも愛することができるでしょうか。

解放グループワークショップでは、毎回最初に、黙想練習を行います。昨夜、参加者の人たちに、それぞれ自分の身体の好きな部分に手を置いてみてくださいと言ったところ、誰一人として手を動かした人はいませんでした。かなり時間が経ってからだったように感じます。ある一人が、自分の太腿に手を置きました。この女性が手を動かしたときの、衣ずれの音に促されてか、ほかにもう一人、自分の腹部に手を置き、別の女性も自分の胸に、そうして次々と、ほかの女性たちも自分のお尻の横や後ろ、太腿にそれぞれ手を置いていきました。皆さん、ご自分の身体のそれらの部分に優しくしてあげてください、と言ったところ、自分の身体に軽く手を触れる人もいれば、自分の身体をマッサージする人もいました。全員が目を開けたとき、三人の女性が泣いていました。

「私、これまでに自分の太腿に優しくしたことなんて一度もなかったんです。それをとても悲しく感じます」。

「私は自分の胃を嫌悪し、こんなものどこかに消えてくれればいいのにって思いながら、ウロウロ歩き回っていました。でも、ほんの一瞬、私がこれに触れたとき、それはまさに私の胃だったんです……忌《い》み嫌うようなものじゃなかったんですね」。

「私の胸は私の一部。私という人間の一部なんですね。随分長い間、この胸を嫌悪してきました。その一方で、ずっと自分自身を嫌悪していたんです」。

　私たちは自分の身体をひどく嫌っています。まるで、自分の嫌悪を余すところなく、すべてそこに集中させることで、無理やりにでもそれを変化させることができるかのように。まるで愛がそれを滅ぼすかのように、嫌悪がそれを癒すかのように。私たちは自分自身を、そして自分の身体を、そのように扱ってきたのです。

「私、こんな脂肪なんて好きになりたくありません」。誰かが言いました。「もしそんなことになったら、体重を減らす動機って、何なんでしょう」。

「何もないわ」誰かが答えました。「何もないのよ」。

　これはサンフランシスコでバスに乗っていたときのことです。太った女性が後部座席に座っていたのですが、彼女は棒キャンディー、ハンバーガー、フランクフルトでいっぱいの大きなメッシュの袋から、すばやく、しかもこっそりとそれらを取り出して口に運んでいたのです。十分足らずの間に、この女性は、棒キャンディー三本、ハンバーガー一個、フランクフルト一本をたいらげてしまいました。彼女は目的地に着くことを気にしているようには見えませんでした。私には、彼女が、食べることができるから、だからバスに座っているように感じられたのです。彼女はあの大きな袋が空になるまで乗っているんじゃないかしら、さらに食べ物を買って別のバスに乗るんじゃないかしら。私がバスのステップを降りたとき、彼女はハンバーガーの新たな包みをほどいている最中でした。私の背中でドアが閉まりました。通りの曲がり角で私の目から涙がこぼれました。

グループの女性たちの口からよく耳にするのは、自分を好きになり始めたらいつまでも食べ続けてしまうんじゃないか、無理やりにでも自分を変えなければどんどん、どこまでも太り続けてしまうんじゃないか、それが怖い、という言葉です。彼女たちからこの言葉を聞くと、私は先の女性の話をします。「彼女をバスにとどめていたものは愛だったのかしら」彼女たちにたずねます。「彼女は自分のことを好いているような女性だったのかしら」。

強制し、欲求を奪うことから変化は生まれる、自分のことを好きになったら、自分に甘えるようになってしまう、私たちはそう考えてきました。あるがままの自分を受け入れることを恐れているのです。大きなメッシュの袋からハンバーガーや棒キャンディーを口に運びながら、際限なくバスに乗り続けているような女性になってしまうかもしれない、そう恐れているのです。

でも、友情について考えてみたらどうでしょう。親友に対して、あなたはどのように感じますか。友人に何を期待しますか。どのように友人の力になりますか。「あなた自身の力になりましょう」と言ったら、それはどのように聞こえますか。

「自分を好きになる」「自分の力となる」といった古びた表現を持ち出す際には、この古臭い決まり文句のイメージを越えた視点から、あなた自身にとっての、この言葉の意味を問い直すことが重要です。自分を好きになったら変われなくなってしまうというなら、それはどういう意味なのでしょうか、自分にたずねてみてください。

好かれてしまうと、変わらないというのは本当でしょうか。

自分を好きになるという話をしたときに、解放ワークショップで耳にするのは、自分を受け入れ、好きになると、自己満足に陥るのではないか、という恐れに加えて、どれほど好きになってもこれで充分ということはなくなってしまうのではないかという言葉です。自分のどこが悪いのかと聞かれると、ワークショップの参加者たちは、長々と事細かにリストアップしていきますが、自分のなかの長所はどこかと聞かれると、一斉に口を噤《つぐ》んでしまいます。

自分には価値がないという感覚は、過食症者の間に浸透しています。これは、自分は悪い人間、愛するに値しない怠け者で利己的だ、と感じる感情です。親切で、相手に尽くし、いかにも幸せに輝いている人格の背後に、本当の自分を隠してしまわなければならないと感じる感情なのです。

確かにそういうところもあるかもしれません。

しかし、彼女たちがそうなら、ほかの誰もがそうです。

『舞台裏のキィロヴ』は、『白鳥の湖』の製作の背景を扱った映画です。この映画を見たある友人はこう言いました。「いったい誰が、バレリーナの帯が解けるのを見たり、トゥシューズの軋む音や額から滴り落ちる汗を知りたいなんて思うかしら。これがどれほどつらい労働であるか知りたいと思う人なんているのかしら」。

私はそうは思いません。私自身、もがきながら奮闘していますから、ほかの人にも、その美しさと同じくらいその苦しい奮闘ぶりを見たいと思います。自分が苦しんでいる一方で、他人の優雅さや美しさだけを見ているとき、私は自分にはどこかいけないところでもあるんじゃないかという気持ちになってしまいます。ほかの人たちにとっては生きていくことなんてたやすいんだわ、彼女たちは自然にしていれば優雅で、優しく、寛大で、痩せていられるのよ。それなのに、私にはそのどれ一つとして簡単には生まれてこない。私にはどこかいけないところがあるんだわ。きっとそうよ、私のどこかが……。そう考えてしまうのです。

私がサラに、自分が出会った人のことを好意的に話すと、彼女はいつでもこう言います。「そう、すばらしい方なのね」。そしてその後、少し間をおき、こう言うのです、「で、その方は何に苦しんでいらっしゃるの？」と。私がその答えを知らないことは明らかですが、彼女の反応で、たちまち私は当の人を広い視野から見つめるようになります。誰もが皆、もがき苦しんでいる……誰もが夢をもち続けてきた、誰もが泣くし、惨めに失敗するし、利己的で、怠け者で、意地悪い、ということが、否が応でも思い出されるのです。

私たちは自分が感銘を受ける人びと、自分が尊敬する人びとの苦悩する姿を見ようとしません。映画はどのように製作されるのか、役者さんたちの間の争い、一日の終わりの疲労など考えもしません。しかし、熱いライトの下に六時間も立ち続けているモデルさんたちの汗も私たちの目には入りません。彼らの人物の夫婦喧嘩も知らなければ、彼らが朝起きる様子や風邪で調子の悪いときも知りません。彼らが吐いたり、泣いたり、不安に駆られている姿も知らないのです。私たちが目にするのは、彼らの奮闘の結果、彼らのつらい努力の成果です。潑剌と光り輝き、成功を手にしている彼らの姿を見ながらも、その内側を覗《のぞ》くことはできません。しかし、私たちは自分自身の内側は常に見ていて、自分の内側と彼らの外側を比較しているのです。でも、これは不公平な比較です。

前著『心の渇きを癒して』が出版されたとき、大学の知人から、次のような手紙を受け取りました。

（あなたが本を執筆したことを知ったとき）非常につらく感じました。……カッとなり、自分が辿《たど》ろうとしている同じ道の、遥かかなた先に同期生の一人がいることを受け入れられないでいる自分に気がつきました。あなたのワークショップが簡単に定員を満たしているように見えて嫉妬していましたし、あなたのすばらしい文章にも嫉妬を感じていました。私と違って、あなたは体重の問題から解放されたんだなと実感するとともに——私は認められるということに強い願望を抱いてきましたから——だから、自分よりずっと年輩の人、四十歳の誰かというのではなく、同年輩で、自分よりも認められている人を見ると、脅かされているように感じ、自分に疑問を感じ始めてしまうんです。

彼女の手紙が届いたのは八月中旬でした。このころ、七月一日からこの本の執筆に着手するつもりだったにもかかわらず、毎日毎日、もう自分は書けないのではないかと気を揉《も》みながら目を覚まし、日を追う毎に、この心配はひどくなりつつある状況でした。自分の才能のなさ、行き詰まり、創造性の欠如を感じました。自分のこの皮膚から這い出て、誰か別の人間になりたいと思いました。ちょうどその頃だったのです。自分の求めるものを、この私が手に入れたと感じている人からの手紙を受け取ったのは。

他人の栄光と自分自身の価値のなさ、これらは共に相対的なものですし、たいていの場合、私たちは、その奮闘ぶりを表立って明らかに目にすることのできない人と比較して自分を批評してしまいます。

私はなんて利己的なんだろう、と自ら納得し、そのような自分を誰か他人の明らかな栄光と比較するとき、自分とその人の間の深い溝は計り知れないものとなります。しかし私は、自分が自分の最も暗い時期を他人の最も輝かしい時期と比較しているということ、自分のプライベートな面を他人の公的な面と比較していることを自覚しています。大学のこの知人は、私が執筆したものから私のイメージを作り上げ、そのイメージを彼女自身のまだ実現されていない夢や自分の欠点に対する意識と比較してしまったのです。彼女は、私のワークショップが努力なくして定員を満たし、食べ物はもはや私の生活において大した問題ではなくなったと想像したのです。しかし彼女が抱いている私の「イメージ」は、「実際の私」ではありません。言葉と格闘しながら自分の机にしがみついているのが、私、「実際の私」なのです。時どき私は、自分のつらさを和らげるために食べ物を利用していましたし、現在でも、ワークショップの定員が満たなかったらどうしようと常に心配しています。彼女が考えているような私ではなかったのです。それなのに彼女は、自分のとらえた私という人間像をもとに自分を無用のものと考え、嫉妬をして、つらさに取り囲まれてしまったのです。

価値がないといっても、それは相対的なものです。誰か別の人間を見たときに自分が相手をどうとらえ、それを自分自身とどう比較するかに左右されることですし、自分について人に言われたことを自分がどのように解釈するかや、自分自身の自己定義を広げ、自分自身との関係を発展させていこうとするあなたの心積もりにも左右される問題なのです。

自分自身との関係を始めていく、ということは、誰であろうと、あなたが大切に思う人、愛する人との関係を始めていくことに似ています。まず初めは、相手に寄り沿うことから、つまり、お互いに相手を見つけ、共に楽しく過ごし、お互いの存在を喜び合うことから始まるのです。恋人同士がただいっしょにいるだけで充分……互いに相手の瞳を見つめ合い、手をつないで歩き、昼下がりに愛を語らう、それだけで充分なのはこの時期です。

私たちの多くは、恋人とはこれを行ってきました（したがって、やり方は心得ています）、しかし自分自身とは一度もしたことがなかったのです。自分自身といっしょにいる今、この時期に必要なのは、自分自身を知り、発見し、自分が喜びを得られるものを大切にしようとする心積もりです。

解放ワークショップで自分自身に寄り添い始めるようになったときに、多くの女性たちに生じてくるのが、強くなることへの恐怖です。常に自分を批評ばかりしているのではなく、今の、在りのままの自分の価値を認め、そうすることで自分を変えていこうとし始めたとき、彼女たちは、より強い自分、より深い自信を感じ始めます。強さや自信の高まりを感じ始めたとき、今度は、高い自己評価がもたらす喜びや力を感じ始めるのです。しかしその後、彼女たちは、実際の経験と想像上の経験の両方から、自分が予想しているほどに自分が強くなってしまったら、友人、恋人、同僚を遠ざけてしまうことになりはしないかと心配し始めます。同性の女性たちからは恐れられ、男性からは震え上がられてしまうのではないかと心配するのです。そのために彼女たちは、自分を受け入れるチャンスを手放してでも自分の身体を嫌うようになります。これは自分自身を嫌うことと解釈されがちですが、そうではありません。こうすることで、自分の個人的な能力（つまり、ノーと断り、限界を定め、自分の欲しいものを人に求める能力）をあえて引き下げようとするのです。しかし、もしその機会があったらの話ですが、あなたが自分の身体の肉をそぎ落とし、食べたいものを自由に食べながらも痩せた身体を維持したとしても、このようなときに自分に対して信頼や力を感じることは不可能です。

自分自身の力となり、自分が喜びを得られることを見つけ、現在、すでに自分がどのような人間であり、誰であるかを高く評価していくことは、自分の個人的な能力を当然のものとして主張していくための第一ステップです。

あなたが、自分自身の力となろうとしたとき、自分と同じ屋根の下にいるほかの人の存在にも気がつくでしょう。これまで何年間もドアをノックしてきたのに何の返事もなかったと感じているのなら、その存在はあなたに大きな安心をもたらすでしょう。

自分の身体と仲良しになる

まずは自分のヒップの横や後ろ、胸、太腿に優しくすることから始めましょう。そう、今です。始めるのは今です。ぐずぐずと迷っている理由などありません。ぐずぐずしていたからといって、事が容易になるわけではありませんし、批判的な目で見れば、どこを見ても欠点ばかりが目についてしまいます。太い太腿は細くはなりませんし、いくら細くても肌のきめが粗いかもしれません。批判的な目で見れば、納得のいく身体など一つもありません。自分を好きになる許可など、もう待つのはやめましょう。誰にも、それをあなたに与えることなどできるはずがないのですから。

●自分の身体のなかであなたの嫌いな部分を一つ選び、そこに自分の手を置き、さすったりマッサージしたりして優しくしてあげてください。これまであなたはその部分が消えてくれることを望んだり毛嫌いしたりしてきましたが、だからといって厄介払いできたことなどなかったはずです。さあ、その部分に話しかけてみましょう。その部分はあなたに何を求めていますか。たずねてみましょう。鳥の胸に触れるかのように、そっと優しく触れてみてください。穏やかに、気をつけて、優しくです。

●自分の手持ちの服を一枚残らずチェックし、好きでない服やぴったりしない服はさっさと処分してしまいましょう。特に、ピチピチに窮屈な服、身体をギューギュー押し込まなければならない服、ウェストや太腿に食い込んでしまう服、座ろうにも座れず、立ち尽くしているしかないような服は、〝厄介払い〟してしまうのです。毎日毎日それを眺めては、いったいいつになったら再びこれが着られるほど痩せられるんだろうと溜め息をついていなくてもいいように、人に譲るか、スーツケースに詰め込んで目に触れないよう隠してしまいましょう。友達と〝服〟の日を計画してみてはどうでしょうか。皆に、もう自分が着なくなった服を持って来てくれるように頼み、それを床に山積みにします。山と積まれたすべての服を見渡し、全員に試着してもらうようにすれば、きっとあなたも新しい服を持ち帰ることができます。

●新しい服、絹のように柔らかい服、かわいらしい服、いま、素敵に感じ、格好のいい服を自分のために何着か買ってください。体重が減るまでは自分の気に入る服を買うのを控えたいと待ち望むあなたの気持ちも理解できます。どうして？　どうして変えたいと思っているボディサイズの服にわざわざお金を費やさなければいけないの？　あなたはそうたずねるでしょう。

なぜなら、あなたの理想の身体とは未来のものだからです。その身体、あなたが今手にしているその身体、それがあなたが毎日連れて歩かなければならない身体だからです。自分にとって嬉しくもない服、気に入らない生地、スタイル、手触りの服に身を包むとき、その度にあなたは自分自身を縛り付けているのです。

窮屈な服に身体をギューギュー押し込んだからといって、体重を減らせるわけではありませんし、不快に感じたからといって、よし、何としてでも痩せようという気持ちになれるわけでもないでしょう。それどころか、そのために循環が悪くなりますし、呼吸は苦しく、集中力も鈍ってきます。それに、まるで服からはみ出ているかのように感じることにもなりかねません。あまりにも窮屈な服を着ると、ぎちぎちに動きが制限されますので、微動だにしない無精者のような気分になります。自分の気に入らない服、自分にとって嬉しくない色や感触の服を着ることは、口には出さなくても、おまえはこれまで間違っていたから、今そのつけを払わなくてはならないんだ、と別な形で伝えているに過ぎないのです。

自分の服を一つの習慣と考えてください。気分転換の手段として服を利用するのです。けだるい気分のときには明るくて大胆なものを、浮き浮きとした気分のときには突拍子もないものを着てみるのもいいでしょう。自分の気分に対抗するために服を利用し、和らいだ色合い、微妙な柄、柔らかな生地、ごつごつとした肌触りにその可能性を探ってみてください。

●金銭的な余裕があるならば、プロのマッサージ師に週一回のマッサージをしてもらってはどうでしょう。それが無理なようなら、友だちと毎週マッサージし合ってもいいでしょう。本来あなたの体重に関心がない人に、あなたの身体……そのすべてに触れてもらうのです。私たちは自分の身体を自分の当然の権利として主張することはせず、首から下を切り離して、頭のなかの思考、精神、顔だけは自分自身として認めながらも、腕や脚は自分とは別物として除外していることが多いのです。マッサージは、私たちが自分の身体を一つの統一体として戻すのを助け、性的なものとは別の身体的な喜びを与えてくれます。マッサージをしている間は、触れられることに喜びを感じるだけでいいのです。それ以外にあなたに何かを求めてくる人は誰もいません。

また、マッサージを受けることは、自分の身体が有限であることに気づく助けにもなります。たとえばマッサージ師が、まずあなたの脚の下から上へとマッサージを始めたとしたら、脚が終わらない限り、胴体に取り掛かることはできません。これはどういうことかというと、あなたの脚はどこまでも永遠に続いているのではないということです（この言葉がちゃんと耳に入りましたか。あなたの脚はどこまでも永遠に続いてはいかないのです）。脚には始まりと終わりがあるのです。マッサージによって、身体の境界を実感することができるのです。歪んで、救いようがないほど巨大化したボディイメージを抱いている人にとって、これは大変有効です。

●子ども時代から現在に至るまでの自分の写真を集め、並べてください。さあ、あなたの身体を見てみましょう。自分の身体に対するあなたのイメージは、一貫して、実際のあなたの身体よりも巨大化していませんか。さもなければ、悪気はなかったのでしょうが、両親やおばさん、先生方からあなたは太っていると言われたことがあったのではありませんか。はたして本当にそうだったのでしょうか。

●あなたの理想のサイズを写した身体の写真を雑誌から切り抜き、その身体を見てください。それを見ていて、本当に楽しいですか。それは本当にあなたの理想通り、まさしくそのままですか。百万年もすれば、あなたもそのように見えるようになるのでしょうか。あなたはいつになったら努力しなくてもよくなるのでしょうか。

●毎日五分間、等身大の鏡に自分の身体を映してみてください。身体の曲線、括《くび》れ具合、両腕のライン、手の形に着目します。ただ着目するだけ、観察するだけです。〝批判〟してはいけません。批判がフツフツ沸いてきたら、そのつどそれを観察に置き換えます――「私の腕は弛《たる》んでいる」と批判するのではなく、「私の腕は肩の所から始まり、曲線を描く胴体のそれぞれ両側へと伸びている」――と観察することにするのです。

一週間これを続けた後、今度は、意識的に、自分を褒《ほ》めようとしてみてください。「私の肌はクリームのように滑らかだわ」「私の髪は顔の周りで優しくカールしているのよ」「私の脚は強力よ、がっちりしているわ」。鏡に映った自分の姿を見る度に、あなたの身体の愛すべき特徴を三つ見つけてください。初めは、長い間そこに立ち尽くしていなければならないかもしれませんが、徐々に容易になってくるでしょう。そう、だんだんだんだん容易になります。

あたかも自分のことが好きであるかのように自分を見てください。

そうすれば、実際に好きになることも後からついてくるものです。

自分自身と仲良しになる

男性に近寄り、彼の頭に銃口を向け、勃起《ぼっき》せよと命じたとして、彼は命令通りのことができると思いますか。

今の自分、そのままの自分から始めましょう。

自分の嫌いな自分、自分の好きな自分、自分のすべてとともに始めるのです。あなたの脂肪、利己的な態度、優しさと美しさ、始まりはここです。あたかも自分のことを好きであるかのように、自分に向かい合うことから始めます。それは今、今からです。

強制はいけません。罰も脅しもいけません。

まずは穏やかに、小さなステップから始めましょう。そう、今からです。

●次の二つのリストを作ってください。

「自分を飢えさせておく方法は……」

「食べること以外で自分に栄養を与える方法は……」

次に、毎日、これらのリストのどちらか一方を実践してみてください。ベルトをはめる、シャツをウェストに入れるなど、至極単純な動作一つで、充分その日一日の価値を実感できることもあるでしょうし、何かより大きな変化を起こし、より多くの時間をかけて考え、危険を冒さなければ実感できないという場合もあるかもしれません。人生を踏み出すために痩せることを待ち続けているということも考えられますし、解放ワークショップでよく見かける五十歳、六十歳のかなり多くの女性たちのように、始まりを待ち続けることに人生を費やしているということもあるでしょう。始まりを待ちながら老い、本当に生きるということを一度もしないで死んでいくということもあるのです。

あなたが身体的、精神的、両面の栄養として、長年、食べ物を利用してきたという場合、初めは「食べ物に匹敵するものは何もない」と感じられるかもしれません。それはあなたが長い間食べ物に頼ってきて、それが最も手っ取り早く、美味しく、また手に入りやすい栄養源だったからです。よく馴染み、あなたは食べ物を利用することにかけては熟練していますし、方法も心得ているはずです。よく馴染み、馴染んでいるからこそ、食べ物は快適なのでしょうが、その一方で、これは不快なものでもあります。なぜなら、空腹でもないのに、自分に何かを与えようとして食べ物を用いるとき、あなたのなかの求める心は、食べ物では満たされません。依然として飢えは残ります。

食べ物以外の方法で心に栄養を与えようというとき、ジェニーンさん、御自身は何をするんですかという質問を受けると、私がすることは皆さんの心の栄養にはなりませんし、皆さんは皆さんなりの方法を見つけなくてはならないんですよ、と答えます。すると、彼女たちはこう言います。「それは分かっているんですけど、それでも、教えていただきたいんです。あなたは何をするんですか」。

私はジャスミンの香りの泡のお風呂に入ります。お風呂場にキャンドルを灯《とも》します。たとえ昼下がりであろうとです。そしてジョージア・ケリー*のハープミュージックを流します。ストレスの溜まっ

* 彼女の音楽は、Heru Records, P. O. Box 954, Topanga, CA 90290 に問い合わせれば注文できます。

た日には二回、ときには三回入るときもあります。一日に三度お風呂に入るような日には、午後八時には眠りに就き、明日こそは良くなってくれることに望みをかけます。

泣くこともあります。

海岸を散歩します。

ペットショップに行き、仔犬を見ます。

自宅を花でいっぱいにします。特にアイリスで、毎週ですよ。

ダンスをします。

日記を書きます。

それではあなたはどうですか。あなたはどのようなことをしたいですか。

仮にあなたが快楽に耽《ふけ》ることを恐れていないとしたら、あえてそうするために、あなたは何をしますか。自分をいたわり、自分に寄り添うためには練習が必要です。自分をいたわりたいと決意すれば、それでいいではないか、あなたはそう考えているかもしれませんね。ところが、それほど単純なことではないのです。初めてバイオリンを手にとったとき、まさか今すぐアイザック・スターンのように弾けるとは期待しませんよね。ところが、何か良いこと、もしそれが自分の心に栄養を与えてくれることならなおさら、今すぐにでもできると考えてしまうのではないでしょうか。しかしそれは頭で考えているほど、上手くいくものではありません。上手く生きる、心に栄養を与える、本来の自分自身になる、そうできるまでには時間が必要です。しかし、だからといってほかにどうすることができるでしょうか。

●もしあなたが、自分は価値がないという思いにあまりに圧倒されていたり、自分に関心を集中させる必要を感じているとしたら、精神療法家《サイコセラピスト》の助けを借りることをお勧めします。個人精神療法は成長を促すうえで極めて有効なはずです。セラピストというのは、あなたがどう変わろうと、何の影響も受けませんが、友人や家族の場合は、彼らの生活があなたの生活と非常に離れ難くがっちり結び付いていますし、あなたの生活から影響を受けますから、セラピストと同じというわけにはいかないのです。

私は医科大学《メディカルスクール》の受験準備をやめ、混乱し、不安だったとき（しかも体重が増え過ぎてしまったとき）から精神療法を受け始めました。セラピストは、何の前準備も先入観もなく私を受け入れてくれ、自分は黙って、しっかりと私を信頼してくれました。私が自分の家族を喜ばすための仕事をしぶしぶ承知するのではなく、本当に心から愛せる仕事を見つけるように、彼女が終始一貫して励ましてくれたおかげで、生き生きと生きることができました。

解放ワークショップの参加者に、ワークショップに出席すると同時にセラピストにもかかるように勧めることがよくあります。グループ・サポートと一対一のサポートの両方を受けることが有効だからです。

誰を自分のセラピストに選ぶか、見分ける目を養ってください。結婚相手など、あなたの成長に力を貸し、励ましてくれる人を捜しているときのことを思い出してください。友人や恩師の方に問い合わせてみましょう。初診の予約を何件か入れておき、初めの二人か三人が気に入らなかったら、さらにもっと問い合わせてみてください。地域の婦人センターか大学のカウンセリングセンターに電話をかけてもいいでしょう。自分以外の誰かを安心させるとか、喜ばそうとしてはいけません。自分にふさわしい人物を見分けられる優れた目をもつためには決断力が大変重要です（ふさわしいと完璧の間には違いがあります。完璧な人間など一人もいないのとまさに同じです。完璧なセラピストもいないのです）。

あなたが自分の食事問題に真剣に取り組みたいというつもりなら、自分が選んだ人に、摂食障害について熟知しているかどうか聞いてみてください。その人がこのことに詳しくなくて、それでもその人を大変気に入ったのなら、スージー・オーバックの『肥満はフェミニズム問題』、キム・チャーニンの『強迫観念』、そして前著、『心の渇きを癒して』を紹介してあげましょう。優れたセラピストなら、たとえ特効薬の心得はなかったとしても、あなたと食べ物との関係の解決にきっと力を尽くしてくれるでしょう。食事や食べ物は生きること、成長することの隠喩《メタファー》です。飢えの問題は食べ過ぎたり、食べなかったりすることに限られたことではないのです。あなたに私立（個人開業）の精神療法を受ける金銭的余裕がないなら、保険団体、婦人センター、家族サービスセンターを探してください（わが国の多くの地域には一時間わずか二千円ほどで受けられる立派なセラピストがいます。それでも一週間毎のサイクルでは負担が大き過ぎるようでしたら、隔週でも構いません。とにかく受けるようにしましょう）。

●相手にノーと言える、断れるようになりましょう。私のもとに訪れる女性たちの多くは、制限するということをしません。彼女たちは、相手にノーということはできない、そんなことをしたら愛されなくなってしまうと感じています。私はいつだって与える側、与えて、与えて、与える一方、別にやりたいと思っているわけでもないのに、私はしてあげているのよ、だから私だって何かそれに代わるものが必要なの、私は自分を満たすために食べなくてはならないの、彼女たちはそう感じているのです。自分の声ではなく、自分の体重を使ってノーと言っているのです。

ノーと言うことができ、相手を制限すること（そうしてもなお愛され、大切にされていると気づくこと）で、自分は今のままの自分だからこそ愛されている、という感覚を発達させることができます。愛されるために自分自身を内に隠すとき、あなたは本当の自分では、まだ充分に優れているとはいえない、充分に、すばらしい、親切だとはいえない、と感じているのです。だから食べてしまうのです。

また、ワークショップの参加者には、いつもなら受け入れていたかもしれないけれども、今はやりたくないと思っていることに対して、一日に一回ノーと言うよう勧める一方で、ノーと言える相手を見分ける目をもつようにとも言っています。

あなたの信頼できる人、あなたを愛してくれる人、あなたの気持ちを尊重してくれる人を選んでください。その人たちを相手に練習してみましょう。あなたが相手の要求を拒んだとき、世界は扉を閉ざしてしまうのでしょうか。ノーと言った後、あなたは一人取り残されてしまうのでしょうか。初めはごく簡単なこと、たとえば店にお使いに行く、電話の応対、ちょっとした親切など、相手の簡単な要求を拒否してみてください。ノーと言うとき、あなたの身体のなかで何が起こるでしょうか。それに注目してみましょう。心臓がドキドキしますか。脅えてビクビクしますか。ノーと言ってしまい、相手が反応した後、何が起きますか。ノーと言ったことを後悔しますか。それとも自分を大切にしたんだと実感しますか。嬉しく感じますか。

●自分に手紙を書いてみましょう。書き出しは「親愛なる＿＿＿＿様、私はあなたのことを愛しています。なぜならば＿＿＿＿＿＿＿＿」とします。少しも遠慮はいりません。ずーずーしくなってみましょう。

●自分を受け入れ、そしてほかの誰かを受け入れましょう。解放ワークショップで、私たちはステファン・レヴィンの著書、『死んだのは誰？』（一九八二）から借用した、受け入れ練習を行います。まず初めに、誰か、あなたにとって腹の立つ人物を思い浮かべ、「私はあなたを許します」と言ってください。この人物を思い浮かべ、自分の心のなかでその人物のことをじっくり時間をかけて思いめぐらせた後で、「私はあなたのことを許します」と言ったとき、いったい何が起こるでしょうか。これは難しいことでしたか。あなたはまだ腹が立っていますか。着目してください。次に、今度は自分の方が許しを請いたいと思う人を思い浮かべてください。自分の心のなかにその人を思い浮かべ、あなたの言動のせいで、相手を苦しめてしまったことのすべてを許してくれるよう頼みます。「あんなこと言っちゃったけど、でもね、あれはうっかり口が滑ってしまっただけなの、恐ろしさからつい、口から出てしまったの。心を閉ざしていたから、混乱していたから、あんなことを言ってしまったの。だから、許して、許してほしいの」。最後に、自分自身を思い浮かべてください。ファーストネームで、自分自身に呼びかけてください。「私、あなたのことを許してあげるわ」。

誰かほかの人を許すことを難しく感じる人もなかにはいるでしょうが、ほとんどの人は自分自身を許すことを最も難しく感じることでしょう。

ここで生じてくるのが、怒りという問題です。なぜ私たちは怒りを解き放つべきなのでしょうか。もしこれが正しいとされ、自分が誰かに傷つけられることになってしまうかもしれないとしたら、それでもなぜ私たちは怒りを解き放つべきなのでしょうか。

また、自分を甘やかすということも問題となってきます。自分を受け入れてしまったら、自分はもうこれでいい充分なんだ、と本当に心から確信してしまったら、いったい何が私たちの行動に歯止めをかけてくれるのでしょうか。

怒りにはそれなりの場と時があります。怒りというのは、故意に他人を傷つけたり、それによって今度は相手の怒りを招くように攻撃するのでなければ、それを表現することは非常に意味があると感じています。「あなた」という言葉を用いるのではなく（「あなたはちっとも私の話を聞いてくれないのね。あなたは自分のことばかり気にかけているんだわ」）、「私」という言葉を用いる（「私ね、頭にきてるのよ。だって、あなたったら私の言うことなんか、聞いてないみたいなんだもの」）ことで、あなたが自分の話を大切に考えているということ、あなたが傷ついているということ、それを相手に伝えるチャンスが生まれるのです。

怒りというのは、「私はこんなにたくさんの負担を負ったのよ。だからもういや。限界よ。お願い、もうこれでやめてちょうだい」と伝える、一つの表現なのです。怒りとは、制限の手段なのです。

過食症者の多くは、自分の怒りを口に出してもいいということを知りません。だから、食べるという行為に訴えてしまうのです。しかし、本人たち以外誰も、彼女たちがどうして食べているのか知りません。怒りの的であるはずの当の相手には、そのクッキーが口に出されない言葉であることは分からないのです。過食症者は怒りを自分自身にぶつけることで、それを脂肪に変えてしまうのですが、今度はそれが自己嫌悪に変わることになります。何年か後、ワークショップで再び彼女たちを見かけると、彼女たちは相変わらず自分の母親、恋人に腹を立て、相変わらずそれを表現するために食べています。十五年経っても、自分が腹を立てている相手が死んでしまっても、なおそうなのです。

怒りは認識されることを求め、表現されることさえ求めています。怒りの相手が自分の前にいる必要はありません。生きている必要さえありません。セラピストまたはセラピストの指導によるサポートグループの助けを借りて、あたかもそれが自分の話しかけたい相手であるかのように、枕に向かって話しかけることでも、怒りを解き放《はな》すことはできるのです。

また、手紙を書くという方法もあります。「私はあなたに腹を立てているの。なぜなら……」という書き出しで始め、言いたいことをすべて書き尽くすのです。この手紙はポストに入れる必要はありません。これはあなたのためのものですから。

数年前、私が友人の一人とドライブをしていたときのことです。その友人の男性の言動について私が頭にきているという話をすると、彼はこう言いました。「百年間の貞節も一瞬の怒りでぶち壊しだね」。このとき、仮に私が冷静でいられたならば、こう言っていたでしょう。「ええ、結構ですとも。今ね、私は一万年の貞節をぶち壊そうとしているのよ。だって、今、この瞬間、あなたを殺してしまいたいほど頭にきているんですもの」。

既に耐え難い状況に陥っているのに、そのうえ更に、怒りまでも抑え込み、たとえどんな怒りだろうと、大目に見られるほど大らかな心をもたなければならない、などと考えたら、ますます深刻な状況へと陥ってしまうことになりかねません。

自分の怒りを即座に表現することが適切な場合もありますし、そうでない場合もあります（とはいえ、自分の怒りを認識できていることは常に必要です）。自分は何を求めているのか、何のために怒りを表現しようとするのか、自分にたずねてみましょう。腹が立っていると口汚い言葉が出てしまう人の場合は、怒りを即座に表現することは、その人のためにも、またほかの人のためにもなりません。このような場合には、自分の心を横切る思い、つまり自分はどのように傷ついているか、それはなぜなのか、ほかの人に何を知ってもらいたいのか、まさにそれらを自分で言えるようになるまで、しばらく時間をおいた方がいいでしょう。

私にとって何にも増して重要なこと、それはコミュニケーション、心のやり取りです。私は自分の頭に浮かぶもの、心のなかにあるものを口に出して表現していいと感じたいと思っていますし、ほかの人はきっと私の言葉に耳を傾けてくれる、私も相手の言葉に耳を傾けることができる、私たちは先へ先へと進んでいくことができる、と感じたいと思っています。私が自分の感情をあらわにするとしたら、それは、そのような感情に釘づけになったり、その周りで堂々めぐりを繰り返しているのではなく、それを切り抜けられるようにするためです。

私は、自分だけの力で怒りを切り抜けられることもありますし、自分が何にとらえられ、どのような誤った考えを抱いているのか自分自身で気づくことができることもあります。客観的に、少なくともいくらか客観的に、当の状況や自分の心の火照《ほて》りから離れることができることもあります。しかしできないこともあるのです。そのようなときに、「私は怒っている」と言うには勇気が必要です。怒りというのは脆さを認めることですから、勇気を必要とするのです。それは「あなたの話、あなたの存在は私の心を感動させるの、私にとって重要なのよ」と言うのと同じくらい大変なことです。誰かに自分の怒りを示したら、相手がどのような行動をとるか、それは誰にも分かりません。相手は気にしないかもしれません。再度、あなたを傷つけるかもしれません。もしかしたら去ってしまうかもしれません。

怒りの表現は、自分が完全ではないということ、何らかの出来事を受けとめられるほど大らかな心ではないということを、認めることでもあるのです。

弱さと未熟さ……これらは、いずれも煩《わずら》わしい感情です。しかし、だからといって、間違っているとか、退ける必要があるという意味ではありません。

すでに自分の怒りに言葉を与え、それでもなお腹を立てている場合や、それが昔からの古い傷である場合には、もういいと妥協するのか、それとも更に深く、その問題とかかわっていくのか、そのどちらが自分にとって大切かを問いただしてみればいいのです。

抜け出してしまいたいと思う人間関係にはまってしまうこともあります。その関係に終止符を打つ勇気がないから、結末がつらく、寂しいからという理由だけでその関係を引きずっているということもあるでしょう。だからこそ喧嘩が起きるのですし、その喧嘩は、より辛辣で、憎しみを帯びてくるでしょう。私たちは、そのような関係から身を引く勇気がないとき、喧嘩という方法で自分のパートナーの意地悪さ、思いやりのなさを自分や周りの人に証明したくなります。許したくない、いや「このままでいい」。喧嘩は、意志と意志とのせめぎ合いとなります。こうなってしまうともう、もともとの喧嘩の原因について戦っているのではありません。自分の人生のために戦っているのです。だからこそ、すぐに諦めるわけにはいかないのです。

このような許す許せないのせめぎ合いの状況にはまっている自分を自覚したとき、許すということよりもまず先に立つのは、その関係が終わり、一人になってしまうことへの恐怖です。しかし、許すということの難しさ、つまり、相手に対して自分の要求を表明したうえで、あなたの側が道を譲って妥協することの難しさと、許したくないと思うこととを区別するのは大切なことです。許したくないときというのは、あなたがその人の注意を引きたいときです。独りぼっちになってしまうのではないか、自分には価値がないのではないか、いっしょにいたい友人を選ぶ権利など自分にはないのではないかと怖くなっているときです。そのようなときには、怒りを表現することで自分に贈り物をしているんだ、小さく縮こまってしまうのではなく、自分を広げているんだと思う必要があります。人間関係、恋愛も含めた友人関係というのは難しいものです。できるだけ、それらを維持し、そこに留まり、根をはって、そうした関係を成長させなさい。

しかし、自分自身を許すということは、これとは別の問題です。

自分がひどく間違っていることが分かったら、どうしたらいいのでしょうか。

同じ間違いを繰り返し続けてしまうとしたら、どうしたらいいのでしょうか。

自分に甘くしすぎて、自分の本当の姿、つまり思いやりのなさ、独りよがり、意地悪さを人に知られてしまったと考えて、愛する人すべてから遠ざかってしまったら、どうすればいいのでしょうか。

自分自身を許すということは、自分の脆さや未熟さを表現するだけでなく、自分への信頼を一気に飛躍させることです。あなたはもはやほかの人と比べて悪いとか、良いとかという比較の対象ではありません。殺しを犯す者と犯さない者との相違とは、後者はただ考えているだけなのに対し、前者はそれを実行に移すということです。極めて恐ろしい残虐な行為をする可能性は、誰にでもあります。殺人者にならない人とは、自分の衝動、暗闇を認識し、自分のそのような一面を受け入れたうえで、光へ向かって進んでいく人です。自分の衝動を否認したり、抑圧したりすることなく、その存在を認識しつつ、行動に移すことなく、それと共に生きるのです。

自分を許すとき、あなたは自分のなかの暗闇と共に生きていこうとしているのです。自分が完全ではないということを、自分の愛する人びとを傷つけてしまったということを、ひょっとしたら、また同じことをしてしまうかもしれないということを、あなたは認めることになるのです。自分を許すということは、自分には脆さや誤りがないかのように振る舞うことではなく、それらから学ぼうとする意志を示すことなのです。

許せないということを許す

《自分について》

●自分自身に関して許せないことのすべて、あなたの言動、考えの何もかもすべてを書き留めてください。

さあ、見てみましょう。それらは実際には、それほどひどいことなのでしょうか。あなたがそれらを悪いことと感じているということ、それは私にも理解できますが、しかし本当は……それほど悪いことなのでしょうか。

●あなたが書き留めた先の項目のそれぞれに続けて、「私、あなたを許してあげるわ」と言ってください。

さあ、何が起きるかに着目してみましょう。

自分を許さないことで、あなたにはどんな利点があるのですか。何をはっきりさせようと頑張っているのですか。

自分が猛々《たけだけ》しくなってしまうことを恐れているのですか。

本当にそうなりますか。

あなたは、猛々しくなりたいですか。

●許されるべき人間としての自分の肖像画を描いてみましょう。自分を受け入れるためには、何をし、何を言い、何を着て、どのようでなければならないのですか。
あなたが描くこの人物、受け入れられるこのあなたは、過ちを犯しますか。

●自分は許されている、と想像してみてください。
そのとき、あなたは何をしますか。
何を考えますか。あなたの生活はどのように変わりますか。

《他人について》

●あなたはその相手を許したいと思っているのかどうか、自分に〝聞いてみてください〟。もうすでに答えを知っているのではないでしょうか。それを実行しなければならないというのではありません。しかし、少なくとも自分に正直になってください。

●もしあなたが許したくないというのなら、それでも結構です。
もしかしたらあなたは、まだ完全には自分を表現し尽くせていないのかもしれません。
議論の結果に納得していないのかもしれません。
今の関係に留まっていたくないのかもしれません。

感情に対処するには、それがどんな感情かに気づかなくてはなりません。あなたは、自分の感情がどれに当たるかと決める前に、感情に応じて何をするかを決めようとしています。

では、あなたはどのように感じているのでしょうか。

●許したいと思いつつもやはり難しく感じるときには、すべて整った現状をあえて手放すのは結構難しいものなんだということを思い起こしてください。そう思うことで、許していない自分を許してあげるのです。

あなた自身の心の内側を見てください。まだ表現されていない怒りがありますか。それを表に出してしまったら、何を失うでしょうか、何を諦めることになるのでしょうか。

●泣くことは役立ちます。枕に話しかけること、枕を叩くことも役立つでしょう。あなたの怒りが深く、しかも古いものである場合、それを表現し始めるときには、一人きりになることのないようにしてください。セラピーを受けていないという場合は、友人か、誰か信頼のおける人にいっしょにいてくれるよう頼んでみてください。誰かがいっしょにいることが分かっていれば、安心して自分を自由にできるでしょうし、感情に溺れてしまうのではないかと脅えなくてもすむからです。

●自分の怒りは表現したけれど、それでもまだ腹が立っているときには、毎日時間をとって、先述の受け入れ練習をしてください。この練習を毎日実行した後に、自分が腹を立てていた相手を許している自分を想像してください。何が起きますか。その人たちを許すために、諦めなければならなかったことは何ですか。許すことで、自分自身について何を知りましたか。ひょっとしたら、あまりに長い間そのような関係性にとどまっている自分自身に腹を立てているのかもしれませんし、何かほかのことで自分自身に腹が立っているのかもしれません。だからこそ、このように別の方向に怒りを向けることで、自分に対する怒りから逃れているのかもしれません。もしそうなら、つまりあなたが感じているその怒りが本当は自分自身に対するものだとしたら、あなたはほかの怒りに対しても取り組んでいくことができるはずです（あなたは自分自身を許すことができるということを覚えていますよね？）

私たちの多くは、自分の怒りを感じることを受け入れてしまったら、どこまでも際限がなくなってしまうのではないかと恐れています。しかし、押し退けられた感情はますます強さを増すものです。際限のない怒りにはまるのを恐れるのは当たり前ですが、怒りは必ず終わるのです。いったん表現されたのに、それでもなお生涯、いや六カ月でも、ずるずる続いていく感情などありません。あなたが口火を切りさえすれば、それは終わるのです。

パワフルな女性

パワフルであるということは、相手に対してノーと言えるということを含むとともに、さらにその先へと進んでいくことを意味します。

パワフルであるということは、良いと感じることを受け入れることです。本来のあなたそのままに創造的で、天真爛漫で、かつ誠実で色っぽく、油断ならない自分を受け入れることがパワフルであるということ、力強いということなのです。力強いということは、誰からも何も隠す必要はないということに気づくことなのです。

私といっしょに問題に取り組んでいる女性たちの多くは、もし体重を落としたら、パワフルになり過ぎてしまうのではないかと恐れています。「誰も彼も恐れさせ、自分の周りから遠ざけてしまうのではないでしょうか。誰も彼もなぎ倒してしまうのではないでしょうか」と言った女性もいました。彼女たちの目には、太っていることが自分の唯一の、最も悲劇的な欠点として映っていますから、体重を減らすことで自分が完璧になってしまうのではないかと脅えているのです。また、完璧になると、周りの人すべてに脅威を与えてしまうのではないかと、恐れてもいます。

この意見には私も賛成です。完璧な人間には私も大変な恐怖を感じると思うからですが、しかし、実際のところそのような心配はしていません。というのも、そのような完璧な人には一度もお目にかかったことがないからです。

私たちの多くは、食べ物に自分の意識を集中させ、自分の身体を嫌い続けます。そうしなかったら、いったい何が起こるんだろう、と心配しているのです。あいつは意地が悪い、横柄だ、喧嘩腰だ、侮れない奴だ、そう呼ばれてしまうのがいやなのです。破壊爆弾のような女性闘士《アマゾン》になってしまうことが恐ろしいのです。

しかし、これらは単なる恐怖です。神話です。今こそ、私たちはこうした懸念に対決しなければなりません。

成功を博し、自己主張的で魅力的な女性には、どことなく人に脅威を与える雰囲気が漂っていることは事実ですし、実際、多くの男性たちから、そのような話を聞いたことがあります。その一方で、六十年代の女性運動以来、そのように成功を博し、自己主張的な女性がより多く目立ってくるようになったこともやはり事実です。私たちとて、もはや例外ではありません。自分の能力を否定したくないと思っている女性のための支援もありますし、女性ネットワーク機構、女性センター、女性銀行、女性ビジネスセンターもあります。また、パワフルな女性に対する恐怖に直面しながらも、そのような女性たちの精神的支えに自ら進んでなろうとしている男性もいるのです。私たちは今、非常に大きな変化の時代に生きています。後に続く者のために先鞭をつけるべき立場にあるのです。

しかし、成功を博し、自己主張的で、パワフルであるということは、完璧であるという意味ではありません。

痩せているということを、常に自分で自分をコントロールできているということと結び付けて考える女性があまりにも多すぎます。彼女たちは、痩せていることを関心の的であるということ、成功しているということと、常に状況を正しく把握していなければならないということと結び付けて考えてしまうのです。しかし、何事にも常にということは決してありません。そのような常を想像することは、ある状況を絶対にないとしてしまうことへの最短距離なのです。たとえば、ありのままにパワフルな自分であるときには、泣くことも許されないとしたら、あなたは絶対パワフルになどなろうとしないでしょう。

体重を気にしない女性というイメージ（現実でなく）に私たちはとらわれています。私たちは自分の潜在的能力、可能性を恐れています。他人を恐れさせてしまうかもしれない、自分の弱さを受け入れてもらえなくなってしまうかもしれない、私たちはそれを恐れているのです。前者の恐怖は現実にもとづいているとも言えますが、それでも、女性の成功が文化的流行となったおかげで、変化しつつあります。一方、後者の恐怖は、私たちの内的イメージに過ぎません。このようなものは、名前を与えることによって明るみに出し、それに対処する必要があります。

さあ、今です……自分にたずねてみましょう。あなたが、在りのままにパワフルになったら、いったいどうなるでしょうか。

それが誰を怖がらせるというのですか。

生活はどのように変化しますか。

どのように食べるようになると思いますか。

何を着るようになると思いますか。

何に混乱しますか。

どのように歩いたり話したりするようになりますか。

どのような仕事をするでしょうか。

誰があなたの友人となるでしょうか。

今のあなたの生活の仕方は、パワフルな自分になるうえで、あなたの役に立ちますか。

今日、何か一つ、パワフルなことをしてみましょう。

明日、目が覚めたら、自分の能力を存分に表現しようというときに着るだろうな、と思う服を着てみてください。そうしてパワフルな女性がやるような一日を過ごしてみてください。

「もう充分にパワフルになった」かのように自分を扱ってみてください。

自分自身やほかの人間の気持ちに添うように歩み寄ること、それは喜びと発見のチャンスです。そうなるまでには六カ月間かかるかもしれませんし、ひょっとしたら、一年間におよぶこともあります。

歩み寄りは重要です。それは私たちのその後の頼みの綱となるでしょうし、それによって築かれる喜びと笑いの基礎を頼りにする日が来ると思います。なぜなら、歩み寄りの後には友好関係が続いていくからです。友好関係、つまり自分自身や他者との関係というのは、大変な大仕事だからです。

私が十五歳で別の町に引っ越し、転入生となったときに、デニス・マークスという子が私に近寄って来て、こう言いました。「友だちができるか心配しなくても大丈夫よ。あなたには友だちがいっぱいできるわ。だって、こんなに長くてストレートな髪をしているんですもの。この辺りの人はね、そういう髪の毛が好きなのよ」。

これと同じような発言は、自分の身体は充分痩せていないから、と言って、自分自身をズタズタに引き裂いてしまおうとする私たちの口からも聞かれます。友好関係というものは、自分自身に対応する場合と同様、自分がそれをどう見るかにも左右される問題です。私たちは体重がオーバーしているとき、自分は失敗者だから、自分自身はもちろん、ましてやほかの誰かからの尊敬など受けるに値しない、と考えてしまうのです。

しかし、友好関係、本当の友好関係は、長くてストレートな髪といった身体的なものとは何の関係もありませんし、もちろん体重とも関係ありません。友好関係に必要なのは、それにかかわっていく姿勢、諦めずに頑張り抜く精神です。今の関係から逃げずにじっくりとよく考えること、そして結局それが自分の本当にやりたいことならば、そうすることこそが友好関係に必要なのです。

「私、いつも逃げちゃうんです」、先週、解放ワークショップのある参加者が言いました。「状況がだんだん険しくなってくるでしょう、すると、そそくさと逃げ出してしまうんです」。彼女はおそらくさまざまな関係から逃げ出してしまうのでしょう。しかし何より問題なのは、彼女が自分自身から逃げ出してしまうということです。

友好関係には練習が必要です。いかにその関係から逃げずにじっくりとよく考えるか、その方法を〝学ぶ〟必要があります。なぜなら、これは私たちが生まれながらにもっている技能ではないからです。

友好関係には深い共感も必要です。私たちは完全ではありませんから、誤りも犯すでしょうし、過食もするでしょう。しかし、自分のベストを尽くしているのです。それで充分なのです。

第14章

苦　痛
――生きるのはつらい、だから君は死ぬんだね*

「正しいことをしていれば、苦痛を感じないはずです」

解放ワークショップ参加者

誰もが何らかの苦痛をかかえています。

苦痛の隠し場所などありません。

苦痛に対してはどうすることもできません。

愛する人の死に立ち会い、自分もまた愛する人たちに見守られて死を迎えることになるこの世から逃れる出口など、どこにもありません。

いつから私はおとぎ話の結末を待つのをやめてしまったのでしょうか。自分でもはっきりとは覚えていません。それはたぶん、一冊目の『心の渇きを癒して』（もともとのタイトルは『チョコレートの後

＊　カリフォルニア、サンタクルーズで、Tシャツに派手にデザインされていた文句。

にも人生なんてあるの?』でした）の原稿を出版社に買ってもらえると知った日だった気がします……。

すばらしい日でした。その日、ボブズ-メリル社に入っていくと、受付の人と二人の秘書、それに私の編集者がいて、それぞれキラキラ輝く青いバッジを付けていました。「情況は厳しくなってきていますが……チョコレート（の原稿）を送ってください」。そう言われた後ランチに連れて行ってもらい、原稿が本になるという話を聞きました。喜びのあまり歓声をあげ、編集者に笑われてしまいました。「きっと大成功しますよ」。私たちのテーブルへ来た占い師がそう言いました。その日、後で、アルゴンクイン・ホテルで会った父が、「さっきね、ここに有名な作家がたくさん集まっていたよ」と言いました。そして、母の家に行き、いっしょに母のベッドに腰を下ろし、シャンペンのボトルを開けて本の成功を祝して乾杯しました。母と継父が眠りに就いた後、自室にこもり、日記を書きました。暖炉の火がパチパチ音を立て、時計が二回鳴りました。そのとき私は急に泣き出したのでした。

一人の少女がスチュワーデスに知恵を授け、パイロットも含め、搭乗者全員が食中毒にかかってしまった飛行機を大惨事から救う物語を書いたのは、五年生のときでした。それ以来ずっと、作家になることを夢み、物語や詩など、ものを書き続けてきました。書かずにはいられなかったのです。書くことで、ばらばらだった経験の断片が意味あるものへと変わります。だからこそ私は書き続けました。書かないことなど考えられなかったから書いたのです。その間ずっと、いつか誰かが私の作品を見出してくれることを夢みていました。

そして、実際、その日を迎えることになったのです。時計と暖炉の炎と夜更けの静けさと共に過ごしたこのむさくるしい部屋での二十年間、ずっとこの瞬間を待ち続けてきました。有頂天になる一方で、孤独を感じていました。顔を赤らめる相手もいなければ、話しかけてくれる人もいません。芯の入っていないシャツの襟のような気分でした。それまでの私を支えてくれていたのは、この夢だけだったのです。

そこには苦痛がいすわっていました。特定の原因があるわけでもない悶々とした苦痛、それは私の骨と骨の間に突き刺さったまま、依然としてそこにとどまっていました。そのひずみと空しさ。私は自室にこもって泣き、泣きながら眠りました。そのときはじめて知ったから、泣いたのです。子どもの頃の夢が実現したとしても、苦痛はなくなりはしないと。これからの自分の人生をずっと、何らかの苦痛を抱えて生きなければならないと。

出産の苦痛。病気の苦痛。失望の苦痛。待つ苦痛。別れの苦痛。どれほどすばらしくても、どうしても満足感が得られない苦痛。若すぎるがゆえの苦痛。言い争う苦痛。拒絶の苦痛。危険を冒す苦痛。失敗の苦痛。頭痛、骨折の苦痛。そして忘れてしまうがゆえの苦痛と忘れられないがための苦痛。老いの苦痛、自分や自分の愛する人がいつ死ぬか分からない苦痛、死の苦痛、生きているがための孤独、嘆き、悲しみ、恐れの日々の苦痛。今日、明日、来年……核戦争で世界が滅んでしまうかもしれないことを知る苦痛。

時間をばらばらに切り離すことができたとしたら、自分の嫌いな瞬間、不快な瞬間を好きな瞬間から切り離すことができて、双方の瞬間を積み上げていったとしたら、そのとき運が良ければ、それらは等しい高さになるかもしれません。少なくとも人生の半分は、身体的または精神的な不快のなかで過ぎていくものなのです。ところが私たちは断固として信じ続けています。幸福こそが、本来の自然な状態。幸せでないとき、それは非常時なのだと。*

「正しいことをしていれば、苦痛を感じないはずです。身を正してさえいれば苦痛に悩むこともなかったのに」
「苦痛とは罰せられているということです」
「たとえわずかでも苦痛を感じたら、追い出した苦痛までよみがえってしまいます。そんなの耐えられません。それじゃつらすぎます。だから苦痛に食いつくされないように、それを飲み込むのです」

私たちは幸せを当然のように考えていますから、もしそうでないと、自分は罰せられていると考えてしまい、どうして罰せられるのだろうと考えるようになります。いったい私のどこが、そんなにひどく間違っているのだろう。私はいけない人間なのかしら。まずそう考えます。しかしこのように考えることと自体大変つらいことですから、これをしりぞけようとします。それでもそのつらさが続いているとき、自分は罰せられている、と考えてしまうのです。

自分の幸せを当然と考えてはいけないと、誰が言うのでしょうか。「その後いつまでも幸せに暮らしましたとさ。めでたし、めでたし」。どのおとぎ話にもみられる、このお馴染みの結末に、「それは単なるおとぎ話に過ぎません。現実の人びとは、このように、めでたしめでたしで、そのままいつまでも幸せに暮らしていくことなどないのですよ」という添え書きがなされていたら、さぞかし印象深く心に焼きつくに違いありません。

現実の人びとは、日々、何らかの不快な思いをして生きているものなのです。生まれてくるという

＊　この考えに関し、私はシャロン・サルズバーグ氏に大変感謝しています。

ことはつらいこと、生きているということはつらいこと、そして死ぬこともまた、つらいことなのです。それを承知していれば、いつも幸せでいることを期待しなければ、苦痛を感じて、おののいたり困ったりしないですみます。苦痛は悪いこと、非常時のこと、避けることができたはずのことと考えるから、苦痛が生じたときに、脅えたり、混乱したりするのです。こんなふうに考えていると、どんな犠牲を払ってでも苦痛を回避しようとして複雑な心の仕組が作り出されてしまうのです。

多くの人は、自分のつらさの底に決して触れようとしません。そのかわり、強迫に駆られ、生きることのつらさを、強迫行為《コンパルション》にとらわれるつらさにすり替えるのです。

どちらの道もたやすいものではありません。強迫行為に駆られることもつらいし、それなしに生きていくことも、やはりつらいものです。強迫に駆られた状態にもそれなりの喜びがあるでしょうが、それなしで生きていくことが喜ばしいことに変わりはありません。強迫行為なしで生きていることの最大の利点は、つらさを恐れなくなることではないかと私は思います。

解放ワークショップでは、つらいことが生じた際にも座っているだけ、ただじっと座っているだけの練習を行います。苦痛が生じたとき、私たちはとっさにそれから逃げ出したいという思いに駆られますから、それに耐えてじっと座っているためには、逃げ出す前に、まさにその瞬間を自覚することが必要です。苦痛を感じることと、それを避けることはかなりきわどく絡み合っていますから、両者を引き離すことは困難なことが多く、それには練習が必要なのです。

食べることへ逃げずに、じっと座って我慢していると、苦痛というのが直線的ではなく循環的なものであることに気づきます。苦痛はどっと押し寄せてきたかと思うと、しばらくすればすーっと遠のいて行きます。場所を変え、姿を変え、そして終わるのです。

苦痛には終わりがあります。

訪れ、去り、終わる、それが苦痛です。たとえ慢性的な苦痛であってもずっと続いているわけではなく、周期的に生じるものですし、初めて体験する鋭い苦痛でも、刻々と変化します。苦痛と呼ばれるものは身体感覚です。じりじりと焼け付き、ぞくぞくとうち震え、きりきりと疼き、ちくちくと痛みます。どきどきと脈打ち、ずきずき響き、じわじわ滲みわたる感覚、その感覚を私たちは苦痛と呼んでいるのです。しかし、頭痛や歯痛のうずきに注意を傾け、それに対抗しようとするのではなく、やさしく包みこむと、変化して行くことがわかります。どきどきした鼓動が、きりきりした疼きへ変わったり、ごつごつした瘤がすべすべしてくることもあるでしょうし、真っ赤に腫れ上がっていたものが、平たくなって赤茶けてくることもあるでしょう。痛みの感触、位置、形、持続は変化します。苦痛は生命《いのち》の表現です。苦痛はその生命の営みの外部にあります。苦痛は、それを押しのけようとするときにはじまるのです。

私たちが苦痛と呼ぶもののほとんどは苦悩です。ほとんどの苦痛は、それを感じることの恐れからはじまります。つまり、苦痛のほとんどは苦痛への抵抗です。苦痛への抵抗は私たちを暴力的にし、絶望させ、狂わせ、それによって苦痛を増します。苦痛に打ちかつためなら何でもするでしょう。身体的苦痛なら、何の薬でも飲むでしょうし、精神的な苦痛なら、何でも、食べるでしょう。何でも、そう、何でもです。

しかし、感じるべきものを感じないようにしているうちに何かが起こります。私たちは縮まり、小さくなり、胸の左上に追いつめられます。危険を冒さなくなり、自らを閉じ、生き残るために鋼鉄でよろいます。イソギンチャクのように、夕焼けのように、どんどん縮こまって行くのです。苦痛を避けるための手段に依存《アディクト》するようになります。こうして感情鈍麻《ナムネス》の霧に包まれ、人生を見失ない、孤独と狂気を感じるようになるのです。

これはあなたの食べものの変化の問題ではありません。生き方の変化の問題です。強迫行為に根本的レベルから真剣に取り組み、不快さを経験することを受け入れ始めたとき、あなたはもう、それを押しのけるために食べる必要はなくなるでしょう。

それには多くのことが必要なことは、私も承知しています。苦痛を好む人も敢えてそれを選ぶ人もいません。しかし、今が、その選択のときなのです。恋人を求めるようにつらさを求めて手を伸ばし、わざわざ探しなさいと言っているのではありません。苦痛の中身をじっくり見つめ、それらのものを受け入れましょうと言っているのです。それが生きているということ、そのものなのですから。

あなたの苦痛はどのような形をしていますか

●次のリストをそれぞれ五分ずつ実行してみてください。

(1) まず「苦痛とは＿＿＿＿＿＿＿＿＿＿です」から始め、自分の回答についてあれこれ深く考えることなく、即興的にこのリストを完成させてください。もしそれが、「苦痛とは悪いものです」「苦痛とは恐ろしいものです」というように、単純で子どもじみた回答であったり、素っ気ない一言で終わってしまったとしても、それはそれで結構です。苦痛に対する意味のある反応、連想、感情を表面に出してみましょう。

(2)　次に、「私が苦痛を感じるとき＿＿＿＿＿＿＿」という文を完成させてください。今度もまた、即興的に、あまり深く考えずに、自分の反応を表に表してみてください。あなたが苦痛を恐れるのは、そのせいで感情的になってしまうからですか。その苦痛は、二度と終わらないのではないかと心配しているからですか。それともどのように助けを求めていいのか分からないから、苦痛を恐れているのですか。

リストを完成させた後、それを読み返し、その全体的な調子に着目してください。あなたは主として、苦痛を避けようとしていますか、それとも受け入れようとしていますか。このリストから、苦痛というものに対する自分の経験について何を知りましたか。常に幸せであることを至極当然と考え、まるで苦痛は罰であるかのように感じていたことが明らかになったでしょうか。

これらのリストは、本書のほかのリスト同様、自分を観察するための手段です。あなたの行動の多くのもととなっている、無意識の過程や確信を見つめるうえでのヒントを与えてくれ、これからの出発点を教えてくれるものなのです。

●子どものころ、苦痛を感じたときにあなたが受け取ったメッセージを振り返ってください。
あなたが泣いたとき、どうなりましたか。

自分の部屋へ行かされましたか。

泣きやむよう言われましたか。

罰を受けたり、宥《なだ》められたり、何かものを与えられて言うことを聞くように言われましたか。

それらのメッセージは、苦痛を受け入れようとするうえでのあなたの気持ちにどのように影響しましたか。

私が泣いたとき、周りの人びとがぎょっとしたように驚いたため、自分自身も驚いてしまった覚えがあります。父は私を抱きしめ、「さあ、もう泣くのはおよし。充分だろう。泣きやみなさい」よくそうささやいたものでした。そうして数分間、涙としゃくり上げをぐっとこらえた後、一時間かそこら、涙に濡れた瞳のままうろうろさまよい歩いたのです。

「泣いていて、ある程度時間がたつと母がこう言うの。〈もう大丈夫ね。さあ、おしまいよ〉って。それから自分の部屋を出て、家族のなかに戻らなければならなかったわ」。友人のエレンはこう言っていました。

「自分の気持ちを抑えなさい」「自分をコントロールしなさい」「泣くのは弱さのサインなのよ」「泣くのは赤ちゃんだけよ」。

こう言うのは誰ですか。なぜ泣いてはいけないのですか。泣くことの何がいけないのですか。

私は（泣いても差し支えない所に自分がいるときには）涙がわきあがってくるのを感じると、そのままにしておきます。昼間なら、机に頭をうつぶして泣きます。ときには、そんな私に気づいて腕に抱きしめ、「しーっ！　さあ、もう泣きやんで。もう、充分だよね」と誰かが、声をかけてくれるのを待っている子どもに戻ったような気持ちになることもあります。私は今、泣いている、これは何か悪いことがあるということなんだわ、泣いていても誰も私をそこから引き出してくれないんだもの、泣くことに溺れちゃいけない、これはそういうことなんだわ、そう考えてしまいます。

何か悪いことがある、たとえそれが何であろうと、私はそう思うと泣けてしまうのです。泣いてもいい、ということを私が理解するまでには随分と時間がかかりましたし、何度も何度も涙をしゃくりあげてきました。でも、泣いてもいいのよ、そう自分に許すとき、悲しみは私の心を洗い流してくれます。そして遅かれ早かれ、気分がよくなり、元気になり、その日一日を進めていくことができるのです。

先日、ニューヨークで寂しかったとき、父が訪ねて来てくれました。大丈夫かい、父に聞かれ、私は泣き出しました。父は私を抱きよせ、言いました。「もう大丈夫だよ……さあ、泣くのをおよし。泣かなくてもいいんだよ」。

けれど私は言いました。「違うの。逆なのよ。泣くのは私にとっていいことなの……それにね、パパ、パパもね、泣いてもいいって自分に許したら、それはパパにとっても、やっぱりいいことなのよ。だから、涙が止まるまで泣き続けたいの」。父は笑いました。私もです。これでこの話はおしまい。これですべてです。

●一日に三十分間、みじめな自分を受け入れてみましょう。朝早くでも夕方でもかまいません。ほかのことに気持ちを邪魔されないときに、そのための時間を作るか、さもなければ、一日のなかで、あなたが最も惨めに感じる時間にそうしてみてください。それが毎日同じ時間帯で、それをあなたのみじめ時間と呼んだなら、自分の普段の日課の一部として組み入れることができます。

まずは、自分が不幸に感じるあらゆることについて、その三十分間を使って考えることから始めてみてください。もうこれ以上何も考えが浮かんでこないというまで、その不幸の数々に名前を付け続けてみてください。それからは、月並な言いかたですが、ただひたすらがんばるだけです。そのみじめさすべてについて、何か試みてみましょう。泣いたり、床に寝ころんだり、家の周りをどーんと落ちこんだ気分で当てもなく歩きまわってもいいでしょう。ほろ苦い詩や毒々しい言葉の手紙を書いたり、髑髏《どくろ》の絵などを描いてもいいです。何かやってみましょう。

その三十分間が終わったら、そのまま一日を進めていってください。

●あなたの苦痛を絵に描いてみましょう。クレヨンとまっ白い画用紙を用意してください。そして、あなたの生活のなかの何か特別な苦痛か、生きているがゆえの、いわゆる漫然とした苦痛、いずれにしても、そうした苦痛のイメージを描いてみましょう。それは動物の姿をしていますか。人間ですか。それとも想像上の生き物ですか。大きいですか。暗いですか。紙に描き出し、よく見つめてください。つらさには始まりと終わりがあり得ること、限界があることを確認してください。

●次は、身体的な苦痛の場合です。そのようなときには、どこでもいいですから、座れる所に腰をおろしてください。そして目を閉じ、次の質問に五分間で答えてください。

身体のどの箇所に苦痛を感じますか。

その色は？

形は？

それはあちこち移動しますか、それともじっと動かず一カ所に固定していますか。

何か感触はありますか。

私たちは苦痛を感じるとき、もしこのままこの苦痛が消えなかったら、いったいどうなってしまうんだろうと考えます。数カ月前、首筋がこわばり、頭痛がして目が覚めました。二カ月後、ますますそれがひどくなったとき、かつて読んだ本のことを思い出しました。それは、慢性的な首筋のこわばりのため、医者に診てもらったところ、脳腫瘍があると診断された子どもの話でした。一週間もたないうちに、私は自分も脳腫瘍で、六カ月以内に死んでしまうんだと確信しました。そして母、父、兄、友人のサラに見守られた別れぎわの悲痛なベッドサイドストーリーのシナリオを描き始めたのです。「最高のパートナー」に出会うこともなく、また、二冊目の著書の出版を待たずに死に逝《ゆ》く自分をひどく哀れに感じはじめました。頭を動かすたびに、首筋のこわばりに、死に逝く自分を思い起こしました。痛みを感じたときに、このように怯え、身を堅くしたのは、実際の感覚はもとより、自分が描いたこのイメージのせいでもあったのです。

その後、つらいという思いが引き起こしたイメージへの反応ではなく、そのときの実際の感覚へと穏やかに戻っていったとき、苦痛は変化しました。苦痛が和らいだのです。

熟練すれば、誰にでも首筋のこわばりと脳腫瘍の違いは分かるようになります。

●快適な椅子に腰掛け、最近過食したときのことを思い返してください。目を閉じて、その出来事、あなたを食べ物にぐるぐると巻き込んでいく引き金となった感情をもう一度思いかえしてみましょう……。まさにそのときそのままに、食べている自分の姿を思い浮かべてください……。どのように食べたのですか、何を食べたのですか、その食べ物を味わいましたか、そのようにした後で、自分についてどのように感じましたか。さあ、今度は、パラパラと本の頁をめくるように、引き金となった出来事をもう一度ふりかえってください。今度はあなたの幻想の世界のなかでです。食べる前に、まず、あなたが座るべき場所を決めます。座ったら、身体のなかの感情に集中してください。それらの感情に名前を付けてみましょう。悲しさですか。怒りですか。寂しさですか。痛みですか。脅《おび》えですか。その感情の位置は、どこですか。色は付いていますか。形は？　その感情は身体のなかで、位置を変えますか。強さはどうですか。数分間そこに座ったまま、その感情と、その変化に伴って起こる感覚を見つめてください。さあ、その幻想の世界のなかで、あなたは立ち上がります。その日、あなたが次にしたことを、そのなかでもするのです。まだ食べたいですか。自分自身についての感情は、実際にあなたが食べた、あのときの感情と違っていますか。

この練習を繰り返し何度も行います。これを繰り返すことで、普段食べることで避けているつらさのなかに踏み入っていくことができるようになるでしょう。私のつらさは私の手には負えないんじゃないかしら、「私が先にそれを飲み込んでしまわなければ、私の方がそれに飲み込まれてしまうのではないかしら」、私たちは主にこの恐怖から食べてしまうのです。しかしこの練習を二度、三度、試すことで、万一その状況が信じられないほどつらくても、その傷がこれまでに経験したどのような傷よりもずっとひどいものであったとしても、そのせいであなたがボロボロになってしまうことはなくなるでしょう。苦痛を感じ、苦痛に傷ついたら、その後は、さあ、立ち上がって自分の生活をどんどん先に進めていきましょう。その苦痛は必ずしも消えてくれるとは限りませんが、変化はしていきます。しばらくじっとしていれば、じりじりと後方へのいていってくれるはずです。もしあまりにも大きな苦痛の場合にはぶり返してきて、もう一度感じることがあるかもしれませんが、それも結局は、のいていくはずです。

どのような苦痛であろうと、どれほど巨大であろうと、また愛する人の死ゆえのものであろうと、苦痛は永久に続いていくものではありませんし、あなたをズタズタに引き裂いてしまうものでもありません。そのことが分かれば、苦痛をとことんまで実感してみることができるようになります。しかし、苦痛が深まりへと進んでいくのをあなたが受け入れたとき、それは自然に終わっていくのです。しかし、何らかの感情をそれに押し付けたりすると、それは隙をねらってあなたのなかに入り込み、あなたを脅かし、影のようにずるずるとつきまといます。

●さあ次は、誰かあなたの愛する人が苦痛な状況に置かれている場合を考えます。そのようなときには、その人の苦痛をあなたが取り除こうとしてはいけませんし、キスしたり、それを良くしようとしてもいけません。すぐに相手を慰め、相手を幸せにしてあげようとするのではなく、その人といっしょにいてあげるのです。すぐに相手を慰め、大丈夫だからね、などと話しかけようとするあなた自身の癖を自覚してください。苦痛な思いをしている人を見ていることがどれほど苦痛なことであるか――それはあなた自身にも苦痛をもたらすこと――に気づきながら、とにかく相手を見守っていてください。静かに、相手といっしょにいてください。あなたが何か言う必要はありません。その苦痛――それは唯一、その人だけのもの、おそらく誰にもゆずることのできない、その人にのみ与えられたものであることは真実です。それを、その人が経験している間、あなたはただそこにいて、誰かほかの人間がいっしょにいることで愛を感じられる、そのような状況を相手に作ってあげること、それがあなたがすべきことなのです。

とても悲しく、その理由について話したくなかったある朝のことです。私は別の人間といっしょにいる、という最も心地よいひとときを過ごしたことがあります。一人の友人がいっしょにいてくれたのです。彼は言葉など必要ないことを察し、じっと黙ったまま、ずっと、そう、ずいぶん長い間、私の隣に座っていてくれました。

彼は、夏の灼熱の暑さのなかの澄んだ静寂の湖。彼のなかに思い切って飛び込んだ私は、水を蹴って、何度も何度も輪を描き、さざ波を立てて進むと、プワーッと水面に浮かび上がりました。私が止まるまで彼は待っていてくれる、彼はそこにいてくれる、それを察することで、私は時間が自由に流れていくのを感じました。私がさんざん涙にくれたあと、彼は私を抱きしめ、私のまぶたにキスしました。それから私たちは、その苦痛とは関係ないことを語りあいました。

あなたも湖のように、ユリの花咲く夏の静寂の湖のようになってください。

第15章
性* ――「男性は、女性が食べ物を利用するように、セックスを利用するのよ」**

「私ね、男の人たちが私を女性という間抜けとして見ているように感じるの」
解放ワークショップ参加者

初めてキスしたのは、中学二年のときでした。ボトルをくるくる回転させてその口にキスしたり、クローゼットのなかに隠れてたった三秒間というキスではありません。正真正銘のキスです。ラリー・クレインは当時高校一年生、年上の男性でした。彼は両腕を私にまわし、自分の唇を私の唇へと押し付けて舌を私の口のなかに入れると、堅く私を抱きました。ギョッとして私の両目は白目をむいてしまいました。これなの？　これがキスするってことなのかしら？　自分の口のなかに誰かの舌があるってことなの？　もし映画スターがこんなことしたら、幻滅だわ。私はラリーを押しのけました。それでもなお、彼は迫ってきます。「僕のキスがお気に召さない理由の一つはさあ」彼が言

*　この主題について時間とアイデアをくださいましたデビー・バーガド氏の御親切に感謝申し上げます。

**　解放ワークショップ参加者の言葉から。感謝申し上げます。

いました。「君が目を開けてるからだよ。キスをするときにはね、そんなに〝じーっと見つめている〟もんじゃないんだ。目を閉じてごらん。ちゃんとムードに浸らなきゃ」。そこで私は、今度は目を閉じて、もう一度挑戦してみることに同意しました。

それから一年半もの間、ラリーは私にとって性の良き師でした。私が自分の下着の下に感じた最初の手、下着から振り払った最初の手、それは彼の手でした。私のスカートの下を滑った最初の指、スカートから振り払った最初の指、それは彼の指でした。しかしその後、もはや振り払うことのない日が訪れたのでした。

ラリーによって私は、自分のこの身体、本当の私自身とはまったく別の部分が、男の子たちにとっては魅力の対象であることを知りました。ラリーによって、自分の身体が男の子たちを魅了する餌として、彼らを罰する武器として利用できることを知りました。ノーと言って彼らと喧嘩するよりも、イエスと言って彼らに触らせてあげる方が簡単であることを知りました。感覚が麻痺していくということを、私はラリーから教わったのです。

場面は変わって、私は十六歳。アメリカ・インディアンのような黒い瞳と肌をしたシェルダン・ヘラーとのデートです。四回目のデートで、彼は私に軽くキスしてくれました。しかしその後、数カ月しても彼は、私の胸を触わろうとしたり、身体を確かめようとする動きを、一切見せませんでした。私のどこが悪いのかしら、不安に思った私は、彼にたずねました。「僕はね、自分の嫌いな女の子たちとしか、そんなことしないのさ。君は特別だからね」。彼はそう言ってくれました。しかしその夏、ポコノ・マウンテンのブラウン・ホテルに彼を訪ねたとき、彼が友人と、自分が寝た女の子の数を競ったスコアカードを見つけてしまったのです。そして、その後八カ月経っても、依然として彼は、私の身体に指一本触れませんでした。

次は私が二十二歳のとき、ジェイソンといっしょに暮らしていたときのことです。私たちの関係は、燃え盛る炎のように激しく、情熱的に始まりました。昼下がり、真夜中、私たちはいつでもどこでも愛を交わしました。ところが二年も経たないうちに、私は、彼ほどには自分たちの愛に対して欲求を感じなくなり、朝、目が覚めて、自分の背中に彼の肩やアノ部分を感じると、身体をそむけ、言いわけをするようになりました。それでも身体を重ねることになってしまうと、私の頭のなかにあるのは、洗濯物や自分の仕事などまったくのよそごとで、無事、コトが終わることばかり願っていました。彼は私の拒絶感を感じとり、私は彼に罪悪感を感じました。私は冷めてる、私たち双方とも、そう考えていました。

それから二十八歳となり、二五キロも体重が増えた私の性的見通しは、険しい様相を見せることになりました。私はそれまでで最高というほどに太り、自分を醜く、内向的に感じました。しかしこれには、私自身唖然としてしまうのですが、その一方で、ある種の安心感も感じていたのです。私は、この女性の身体が自分にもたらす重荷に辟易《へきえき》していました。空港で荷物を降ろしてくれる男性の視線に、ホトホトうんざりしていたのです。私は、男性が性的に私を求めることに腹を立てながらも、その一方で、彼らを引きつけるために自分の性を利用している自分を窮屈に感じ、うんざりしていました。うんざりしながらも、一方では、この身体以外に自分にはいったいどんな価値があるのか分からず、脅えてもいたのです。

それからの二年間、自分の身体と自分の性についての言葉にならない確信と、この確信が仕事や親密さについての私の感情や恐怖にどれほど関係しているかを発見しようと懸命に努力しました。心理療法のなかでアレクサンドラと私は、ノーと言うこと、拒絶することに対する恐怖、自分の誠実さを犠牲にしてまでも愛されることを求める私の欲求について、何度も話し合いを重ねました。私は自分の食事と、食事前後の自分の感情を毎日記録し続けました。

そして、痩せているときにはコントロールを外れたように感じることに気がつきました。魅惑的でうっとりと人を魅了し、しかもエネルギーに満ちあふれていなくてはならないかのように感じるのです。私が求めるもの、関心、愛、親密さを手に入れるためには、私が既に手にしているもの――そう、この身体――を使わなくてはならない、そう感じてしまうのです。

要は、私が痩せているかどうかではなく、私がそのような精神的苦しみを感じていたということです。私という人間は、かたくなで、利己的なのではないか、美しい身体で自分自身を覆い隠さなかったら、本質的な部分が見破られてしまうのではないか、私が恐れているのはそれなのです。

太っているということは、私をその肉の層に隠してくれる一方で、逆説的ではありますが、私という人間そのものの私自身を表に出すことを許してくれます。つまり、太っているときには、本当はびくびくしているのに恐れていない振りをしなくてもいいし、本当は退屈しているのに興味があるふりをしなくてもいい、本当は一人になりたいのに、魅惑的な雰囲気を漂わさなくてもいいのです。何もかもありのまま、装う必要などまったくありません。太っているときには、自分以外には誰も私のことなど興味はないと考えていますから、その分、自分自身の声に耳を傾けることができたのです。太ったことで、文化的に決められた、いわゆる魅力という支えを失い、生まれて初めて、在りのままの自分で立ち上がらざるを得なくなったのでした。

初心者は誰もが皆そうでしょうが、私もまずは小さく一歩を踏み出しました。ノーと言う練習。人を頼り自分の脆《もろ》さを表に出す練習。ライティング・セミナーへの参加。そして詩文集の編集者に自分の書いた物語を送ったのでした。

その後まもなく、鏡を見たときに、身体のライン、腕、脚、胸の谷間に気がつきました。自分自身のために自分の身体に喜びを感じることを知ったのです。それから一年間、恋人もなく、独りで過ごしました。

あれから何年も経った現在でも、やはり自分自身に疑問を感じ、自分の身体に批判的になり、はたして自分は愛するに値するんだろうかと思うことが時どきあります。しかし、もう装ったりはしませんし、逆にまるで三百年もの間、海底に沈んでいた末に発見された財宝のように何週間にもわたってずっと自分を大切に感じていられるようにさえなったのです。

食べ物とセックス。

解放ワークショップで助けを求めている女性の多くが、痩せていると〝終始〟イチャイチャふわふわ、セクシャルでなければならない、と感じています。彼女たちにとって痩せているということは、ヒューヒュー、ヘイ、かわいこちゃん！　と、男性から冷やかされ、ジロジロと食い入るような視線を浴びながら階段を降りることを意味しているのです。痩せているということは、パーティーで、バスで、職場で、どこにいても、望んでもない男性たちから言い寄られるということ。痩せているということは、自分という人間の価値がその痩せた身体にあるのか、それとも自分の知性、知識、感受性にこそあるのか、皆目検討がつかないということ。痩せているということは、レイプの危険性が増すということ、彼女たちは、そう感じているのです。

解放ワークショップを訪れる女性たちは、痩せていないから、と言って自分を拷問し、過食することで自分をめちゃくちゃに破壊しようとします。意識的には、痩せていることを自分たちの究極の目標として定めつつ、その一方で、無意識のうちにそれを自分自身の究極の悪夢として排除しているのです。

私が会う女性たちのなかには、性的な虐待、レイプ、父親や恋人から見捨てられた経験を持つ人が何人もいます。親密な関係というものに脅えている人もいます。彼女たちのほとんどは、成人女性としての身体、女性としての性的特質を備えた身体で生きていくことがもつ意味に混乱し、永遠にスポットライトを浴びて表舞台に立つもの――自分の身体――を通して、その混乱を表現します。自分の身体を戦いの場とするのです。私たちの文化では、女性の声は必ずしも常に耳を傾けてもらえるとは限りません。しかしこの身体、女性というこの身体なら、きっと着目される、ということを彼女たちは承知しているのです。

食べ物とセックス。

「男性は、女性が食べ物を利用するようにセックスを利用するのよ」。解放ワークショップで、ある女性が言いました。私たちは女性ですから、唇に重なるキスよりも、チョコレートのキス（商品名）に先に手が出てしまいます。女性である私たちにとっては、セクシュアルであるよりも太っている方が、受け入れやすいのです。

私が十六歳のとき、リー・バン・アレンは「最後までいっちゃった」という噂が高校で広まりました。まだバージンだった私たちは、ひそひそ噂し、ジャスミンの花に群がるミツバチの群れのように、この噂に群がりました。リーは「悪い女の子」、彼女は自分の身体を男の子に許してしまった「悪い女の子」。彼女は、私たち女子高生全員が夢に描きながらも、絶対に許す勇気がなかったことを実際にやってのけたのでした。

もし私が、ラリーのペニスを、どこであろうが私の膣近くに近づけることを許したら、私は妊娠してしまう、母はかつて私にそう言いました。

リディーの母親は彼女に、もし男の子に身体を触らせることを許したら、彼はもう二度と戻ってくる気をなくしてしまうわよ、と言ったそうです。「彼はね、あなたを汚いぼろ雑巾のように扱うようになるわ。そして、あなたを捨ててしまうのよ」。彼女の母親は、そう言ったのでした。

「男の子たちが求めているのは、セックス、それだけなの。あなたが彼らにそれを許してしまったら、どうなると思う？　彼らが結婚するのはそれを許そうとしない女性で、あなたのもとへは危険をおかして忍んでくるということになるのよ」。ステイシーは母親からこう言われました。

私たちは愛を求めていました。通りでドクター・キルダーのような人に出会い、その人は私の美しさに目をくらくらさせ、白い杭垣に赤い薔薇が咲いている青いクラップボードハウスで永遠に彼と暮らしたい、そう願いました。愛を求めたとき、私たちはどちらかの道を選ばなければならないと教えられました。もし自分が良い少女で、自分の胸から男の子の手を振り払えば、最後には愛と結婚を手に入れられる。でも、もし悪い少女で、自分の興奮を相手に気づかれ、身体に触れる指を受け入れてしまったら、網ストッキングと金のミニスカートを履いて――結局、独りぼっちで――年老いていくことになる。どちらかの道を選ばなければならないと教えられたのです。私たちは愛を求めていましたし、自分の最大の武器、駆け引きの手、つまり自分の身体を放棄し、みすみすチャンスを逃してしまうつもりなどありませんでした。

セックスは汚れていて煩わしいもの、これがセックスについて私たちが受け取ったメッセージでした。セックスは男の子たちが求めるもの、私たち女の子は、その後成長するうちに渋々、それを受け入れていくことになる、そう教えられたのです。十二歳から二十二歳まで、セックスが〝私〟に喜びをもたらしてくれるかもしれないなどと考えたこともありませんでした。食べることの方にあまりにも忙しかったからです。

胸が豊かに膨らんでいき、ナイロンの黒いポーチに生理パット二枚、バンド、それに予備のアンダーパンツを入れて毎日学校へ持って行っていた、ちょうど同じ時期、私は自分の太腿に強迫的に執着し始めました。そして性的関心が、ロバート・アルスウォースの裸の胸の幻想のなかで明らかに芽生え始めたのもその頃でした。それはほのぼのと温かく、姿を現してきたのです。十一歳で初めてブラジャーをつけた私は、胸をつんと突き出して、家の周りを意気揚々と歩きました。胸にうっとりし、母の目を盗んでコソコソと見つめてばかりいました。陰毛との対面が待ち遠しくてたまらず、キャロル・ルペルのような赤い毛が生えてきちゃったらどうしよう、と思っていたものです。しかしその興奮も長続きはしませんでした。わが家のハウスドクターは、徐々に成長していく私の胸をじっと睨みつけ、体重が増えている、と言って私を激しく非難したのです。私の父も、太ってきたなあ、と言って冷やかしましたし、母は、妊娠しないようにと釘を刺しました。誰一人として私のこの変化を祝福してくれず、それどころか皆がそれを恐れ、自分の恐怖を私の体重へとねじ曲げたのでした。そして今度は、私の方が成熟していく自分の身体や女性らしい変化、あれほど待ち望んでいた自分の欲求に疑いの目を向けることを知ったのです。こうして一年足らずで、私の幻想はロバートのアーモンド色の肌から、舌に懐かしいフィッグ・ニュートンの味へと変わっていきました。

解放ワークショップのある女性はこう言っています。「私の身体が変化し始めたのは、十二歳のときで、父が私から距離を置くようになったのもちょうどその頃からでした。昔はよく、私と父は、日曜の午後にはいっしょにドライブに出掛け、父は私を抱きしめ、キスし、私の手を握ってくれたものでした。それなのに、その頃から突然、父は冷たくなっていったんです。父は私に、素肌を出さないようにと言い、ドレスが短かすぎると言って怒鳴りました。それに、家に来た男の子たちに対して意地悪でした。だから私はますますたくさん食べるようになったんです。体重が増えれば、身体のラインや胸は見えなくなるはずだわ、そうすれば、もう一度父にドライブに連れて行ってもらえる、私はそう考えたんだと思います」。

また、別の女性はこう言っています。「私は早熟だったので、学校では、男の子たちが私に近寄ってきて、からかうようになりました。私にはどうしたらいいのか分かりませんでした。誰でもいい、自分以外の女の子になりたい、そう思って、九キロ体重を増やしました」。

さらにもう一人の女性は、次のように言います。「私の胸が大きくなってきたのは、十三歳のころでした。わが家は、毎年、お隣の一家といっしょに七月四日の独立記念日のピクニックに出掛けていました。その一家には、私よりも五歳年上の男の子がいたのですが、その子は二人だけになると、私を隅の方へ追い込むんです。彼は自分の両手を私のパンティのなかに入れ、彼のペニスにキスするよう求めるのです。そんなこと、私、絶対に嫌でした」。

私たちは、女性というものの不思議について手ほどきを受ける以前に、既にもう惨めな思いをしてしまっているのです。胸やヒップは、自分をトラブルに陥れる、私たちがまず知ったのはそのことでした。胸やヒップのせいで、怒鳴りつけられ、からかわれ、押しやられ、迫害される。食べるのを控え、それで、愛する人からないがしろにされたり、さらに悪くすれば、自分のおじ、義父、兄、父にふざけ半分に触られるよりは、食べて、体重を増やしてしまった方がいい、そう悟ったのです。

女性らしいサインはすべて消してしまった方がいい。セクシュアルであるより、太った方がまし、そう悟ったのでした。

女性の身体で生きていくことは生やさしいことではありません。

とりわけ、あなたがたまたま女性らしい外見をしていただけ、青年期の少年のような姿ではなかっただけ、という場合はなおさらです。

私たちは、丸みやみずみずしさなど、自分の身体を女性らしくするものを何とか切り捨てようと何年もの歳月を費やし、結局、その代わりに自分の精神を切り捨ててきました。他人——両親、医師、恋人、ファッション界の立役者、ハリウッドディレクター——の判断をあまりにも長い間、鵜呑《うの》みにしてきたために、自分自身の声を失ってしまいました。自分が誰なのか、分からなくなってしまったのです。

しかし今、私たちはもう、他人の指示を待ってはいられなくなりました。女性も、女性らしさを受け入れていいんだよ、と人が判断してくれるまで、待ってはいられないのです。自分の女性らしさを満喫していいんだよと許可が下りるまで、もともとほかの人よりも豊満な身体をもつ運命だった女性もいるんだよ、と人に言ってもらえるまで、待てないのです。男性は月経、出産、生命を宿す女性の身体を、常に恐れているのかもしれませんし、恐怖をものともしない女性の存在に恐れ入っているのかもしれません。情熱的で、パワフルな女性に恐れ入る男性のすべてが、そのような女性をセックスの対象としてではなく、自分のなかの恐怖心に触れるものと感じることに気づくまで待っているわけにはいきません。彼ら男性にとっての課題は、そのような恐怖を認識していくこと、そして、私たち女性にとっての課題は、そのようなパワフルな力をわが手にしていくことなのです。

力は、自分の身体から自分自身を切り離そうとするのをやめたとき、一見男の子に見えてしまうほど肉をそぎ落とし、体重を減らそうとするか、さもなければ、見るに耐えないほどに体重を増やそうとするのをやめたときに生まれます。

女性は自分の身体に疑いを抱いていますから、自分の性的な魅力に確信がありません。私たち女性はおそらく、自分の身体を満喫できるようになって初めて、肉体的感覚も満喫することができるのでしょう。喜びに値すると感じられるほど自分の身体を好きになって初めて、身体の喜びを認めることができるのでしょう。

過食症者は、常に与える側です。ほかの人を慈しむ方法を心得ています。人に食べ物を施し、話に耳を傾け、助けの手を差しのべるエキスパートなのです。喜びを受け入れる能力、触れ合い、味覚、感情、あふれる豊かさに対する好みは、自分にはコントロールできないものとあきらめ、その存在そのものを否定してしまいます。自分の時間はほかの人のために尽くすことで手いっぱいで、自分自身の欲求には仮面をかぶせてしまうのです。セックスを満足のいくものとするためには、私たちも、ただ喜びを与えるだけでなく、受け取ることができなくてはなりません。喜びに飢えた自分を受け入れることが必要です。欲求や必要を表したり、助けを求めて手を伸ばすことができるほど弱い自分自身を受け入れることが必要なのです。

少女のころ、私たちはセックスとは汚いもの、セックスとはくだらないもの、と教えられました。もしセクシュアルになったら、男性に利用され、捨てられてしまう、そう教えられたのです。そのため私たちは自分の身体に疑いの目を向け、多すぎるか、さもなければ少なすぎる肉のなかに本当の自分を隠すことを覚えたのです。自分の飢えを否定し、自分自身の代わりに他人を喜ばせることを覚えたのでした。

しかし、たとえそう覚えこんでしまったとしても、それを忘れることもまた、できるはずです。

成人女性となった今、私たちは少女のころにはなかった選択の自由を手にしました。もう自分の身体に「ノーという衣」をまとう必要はありません。ノーと言うこともできますし、反撃することもできるのです。私たちを「女性というものに属す間抜け」と見なすような男性と、彼ら男性自身のなかにある女性的な面を尊重するとともに、それが彼らの弱みでもあるために、女性の持つ女性らしさに敏感な男性とを区別することもできます。そうしたことができるようになったとき、私たちは自分の恋人や友人を慎重に選べる力を得たといえるのです。

成人女性となった今、私たちは、少女のころにはほとんど関心を払わなかった人、そう、自分自身のために、自然のままに、挑発的で、あふれんばかりのパワーをみなぎらせることができるのです。

解放ワークショップの女性たちの多くは、何であれ、自分が喜ぶことをゆるせない、絶対にゆるせないと、固く信じ込んでいます。自分は価値がないという基本的な信念が、彼女たちの人生から喜びの経験を締め出してしまうのです。夕日の壮大さでさえ、醜いという感情によってひび割れてしまいます（「痩せていれば、私だってこの色彩を本当に満喫することができるのに。だって、痩せれば、もう何も心配しなくていいんですもの」）。彼女たちは、喜びを前にすると、苛酷な障害物競争を自分に課して、自分自身とのせめぎ合いにもがき苦しみ、喜びを排斥する防壁として自分の体重を用います。そのため、喜びは彼女たちの心に到達するころには、既に死に絶えてしまっているのです。

自分の身体の価値の承認

もしあなたが自分に喜びを許すことに慣れていないとしても、ごくごくゆっくりと始めていけば、それほど恐ろしいものではなくなります。自分に喜びを与えたいというメッセージは、「私だって気分よく感じてもいいのよ。自分の喜びを高めるような経験をしてもいいのよ」そう伝えているのです。

●お風呂かシャワーの後、オイルやローションを肌に塗ってみましょう。あなたの身体で、こんなところ消えてしまえばいいのに、と思う部分、あなたの愛情をこめた関心を最も必要としている部分には、特別に数秒間、念入りに時間をかけて触れてみましょう。じっくり、やさしく、撫でてみてください。

●昔の巨匠の画集をパラパラとめくり、彼らが描いた女性像を見てください。しっかり、しっかり見てください。その女性は、がりがりに骨と皮ばかりにやつれているでしょうか。それともぽっちゃりと丸みを帯びて、なまめかしいほどに肉感的でしょうか。ルーベンスやルノアールの絵画、マティスの彫刻などの本に目を通してみてください。彼らが描く女性たちは、ぺちゃんこのお腹に、小さなヒップをしていますか。あなたはそんな痩せた女性たちに魅力を感じますか。肉感、情愛、成熟さを感じますか。

●あなたが本当に魅力的に感じるものは何ですか。できれば、可能な限り裸に近い女性の写真がいいのですが、非常に痩せた雑誌モデルの写真を見つけてください。その女性の骨に着目してください。あなたは彼女たちにそっとすり寄っていきたいと思うでしょうか。彼女の角《かど》ばった顔に注意を向けてください。それに喜びを感じますか。彼女のヒップに着目してください。そこには、彼女が女性であることを示す何かがありますか。彼女といっしょにいて、あなたが感じるのは心地よさですか、それとも圧迫感ですか。

なぜあなたは痩せたいと思うのでしょうか。それは誰のためなのでしょうか。

●あなた自身のために肉感的であってください。来週、一晩、一人で過ごし、あなたが性的に喜びを感じる環境を、あなた自身のために用意してください。気分よく感じられる色、感触、音で自分を取り囲んでみましょう。温かい浴槽から柔らかいナイトガウンへ、清潔なシーツへ、一つの感覚から別の感覚へ移る緩やかな時間をたっぷりと味わいましょう。ゆっくりと、そう、意識的にゆっくりと移ってください。どのような感触があなたに訴えかけてきますか。色は？　自分のために、これほどたっぷりと時間をかけていることにあなたは罪悪感を覚えるでしょうか。あなたが今していることは馬鹿らしい、無駄、悪い、そう言っている声に気づいたら、それが誰の声かを確かめてみましょう。

●ダンスの教室を受けてみてはどうでしょう。自分の体型を気にして、ビクビクしたり、批評されているんじゃないか、と感じるような教室は避け、エアロビクスダンスやジャズダンスに挑戦してみてください。

ダンスは、自分自身のためにどのように自分の性を満喫していいのか教えてくれます。たとえば、エアロビクスダンス、激しく、あふれんばかりのパワーがみなぎっているはずです。身体を動かし、汗を流し、力いっぱい呼吸して、あなたとあなたの身体以外、そこにはもう何も存在しないというほど肉体的な限界を越えて、動き、呼吸し、汗を吹き出させている自分を実感してください。

●マスターベーションは誰かほかの人を喜ばせるのではなく、自分の性的エネルギーを発散し、満喫する有効な方法です。あなたの理想の恋人のイメージにあなたの幻想を自由に思い描いてみてください。その理想の人はどのような姿をしていますか。体格は大きいですか、それとも小さいですか。彼*の歩き方は？　話し方は？　食べ方は？　その人はあなたの方に近づいてきますか、それともあな

＊　彼または彼女、どちらの代名詞を用いるべきかの判断は本書全体を通し、私にとって微妙な問題でした。「彼／彼女」という形式を継続して用いることは煩わしいですし、「彼ら」とすることは文法的に正しくありません。多くの章で、私は、そのパラグラフの内容に最も適切と思われる方を用いてきました。この章では便宜上、「彼」を用いたのですが、この練習ないしほかの練習において、このために同性愛女性の参加が排除されてしまったとしたら、お詫びします（訳注：日本語訳では、「その相手」「その人」「パートナー」など、適宜用いました）。

たの方がその人に近づいて行くのですか。その人は、言葉だけでなく、瞳や手も使ってコミュニケーションを図ってきますか。どのようにあなたに触れてきますか。どこに触れますか。触れている間に話をしますか。

あなたの幻想のなかから、実際に試してみられるものをいくつか拾ってみましょう。そのようなことになる可能性のひとつとして覚えておくわけです（しかし、それらはあくまで幻想から生まれたものとして、しまっておいてください）。

●女性友だちとサウナに行ってみてはどうでしょう。誰一人として、身体だけの世界で生きている人などいないということ、雑誌モデルのように自分の身体を使って生きているわけではないことに気づいてください。弛んだ胸、幅の広いヒップ、皺、一面に広がる肌のしみは、誰にでもありますし、なかにはこれら全部を一人で抱え込んでいる人さえいます。それでもやはり彼女たちには、彼女たちの固有の美しさがあるのです。

ノーと言えるようになる

●女性のための護身術の講習会に参加してみましょう。自分の身体の力を使いこなす方法を学んでください。

●不当に名前を呼びかけてきたり、触れてきたりして、誰かがあなたを煩わせるとき、あなたには何としてもそれを食い止める権利があります。口で言うだけでは充分でないなら、力で押しのける、大声をあげる、誰かほかの人に助けを求める、走って逃げるなど、次にとるべきふさわしい行動は何か、判断する必要があります。

●イエス／ノー練習。友人といっしょにこの練習に挑戦してみましょう。お互いに顔を向かい合わせます。イエスと言う側、ノーと言う側をそれぞれ決めてください。一方の人がもう一方の人の目を真っすぐに見つめ、「イエス」と言います。もう一方の人も同様にしますが、ただしこちらは「ノー」と言います。あなたがノーと言う側のときあなたはどう反応するでしょうか。じっと見つめてください。あなたの身体のなかで何が起きますか。恐ろしくなりますか。自分の言葉に確信がもてますか。それとも「私は、本当はこんなことを言うつもりではなかったんじゃないかしら」と言いたい気持ちですか。

一方、あなたがイエスと言う側に立ったとき、ぶつぶつ言いわけをしながらためらいがちにそう言いますか。それとも、力を込めてはっきりそう言っていますか。ノーと言うよりも、イエスと言う方が簡単、快適、違和感なく感じますか。

食べることを自分に許すことによって食べないことも許されるのとまさに同様で、ノーと言うことで、あなたはイエスと言うこともできるようになるということを心にとめてください。

パートナーとの性的な関係

●パートナー同士のラブ・メーキング、それは瞳の輝きで始まります。それからどちらかが服をさらりと脱ぎ捨てるまで、一時間ずっとそのままという場合もあるでしょうし、激しく急速な交際の進展が深い満足に至ることもあります。相手の表情や動き、その腕、首、背中にじっくり、ゆっくりと集中していくことで、性行為に劣らぬ満たされた思いに浸れることもあります。三十分のキスだけで充分満たされることもあります。

周知の事実ですが、女性の性的リズムは男性のそれとは大幅に異なっています。異性恋愛関係では、あなたが自分のリズムを尊重することが何よりも決定的に重要となります。ただ単に精子を受け入れるだけの、精子銀行として身を任せてしまってはいけません。彼があまりに先を急ぎ過ぎている場合には、そう伝えてください。あなたに、彼を受け入れる準備が整うまでは、許してはいけないのです。実行の機会と喜びを相手に与えたいという気持ちがあれば、あなたがた双方のリズムは互いに融け合ってくるでしょう。あなたのパートナーが男性であろうと女性であろうと、自分の要求を相手に伝えることが大切ですし、そうすれば、自分の飢えをなおざりにしたまま交際が終わりを迎えることもありません。

●ラリー・クレインなどなど、パートナーとのラブ・メーキングに対する自分の欲求の確信。もしあなたが触れられたくないなら、はっきりそう言いましょう。

触れられたいけれども、自分の方からは触れていきたくはないなら、そう言いましょう。あなたは自分が感じたままに感じていいのですし、感じたことを口に出して言ってもいいのです。必ずしも常に、思い通りになるとは限りませんが、それでも自分の気持ちや願望を表現することは自由なのです。

たとえ相手が自分の愛する人の場合でも、自分にその気がないときにはラブ・メーキングの口説きに身を任せてはいけません。それでは自分のなかの憤りにまともに身をさらし、利用されるがままに相手に身を任せることになるだけで、満たされなさや、自分の何が悪いんだろう、自分は貪欲なのではないかしら、という疑いを抱いたままになってしまいます。

あなたがノーと言ったときにパートナーが腹を立てたとしたら、問題は〝ノー〟という言葉に対処しきれない相手の能力にあるのであり、あなたの性的欲求にあるのでは〝ありません〟。ノーという言葉を耳にしたとたん、相手は拒絶感や愛されていないという感覚を抱く可能性もありますし、コミュニケーションが問題となることもありますが、お互い揺るぎない絆《きずな》を保ちつつ、かつ一線を引き、同時に相手を思いやるということは可能なのです。またその一方で、今のままの自分の状態ではいたくない、というあなた自身の思いが問題となる場合もあります。

ラリー・クレインは、ブリロのような髪と、ビーズのように小さく丸い目をしていました。彼は親分風を吹かせて威張り散らすうえに、意地悪でした。それでも、彼は私を愛してくれたのです。彼は私をかわいいと思ってくれたのです。私にとってそれだけで充分でした。

相手の方がキスを望んでいるからといって、自分の方からその人にキスする必要はありませんし、相手の方が愛しているからといって、自分もその人を愛さなければならないということにはならないということが、その頃の私には分かりませんでした。もう二度とキスしてもらえないのではないか、もう二度と愛してもらえないのではないかと脅えるあまり、相手にノーと言うことができなかったのです。たとえビーズのように小さな目の、意地悪い性格の人であっても、私を求めてくれる人ならば。

今、私はもう脅えてはいません。キスというのは、冷たい芽キャベツと同じ。自分がそれを欲しくないときには、味も素っ気もありません。そのことが分かったのです。

自分が食べたくないときには食べないのと同じように、キスしたいと思わないときにはしません。食べ物に対しても、セックスに対しても、自分自身の欲求を尊重します。たとえ今日、私がノーと言ったとしても、キスかクッキー、どちらか一方は、常にあるでしょうから。

食べ物に対する飢えは、やはり食べ物によって満たしたように、肌の触れ合いに対する飢えは、あなたを慈しんでくれる相手によって、またそのような相手と共に満たしてください。

第16章 強迫衝動《コンパルション》

「ダイエット食品、過食用の食べ物、いずれにしても毎日、毎日、食べ物の妄想に取り憑かれ、もうへとへとなんです。自分のことだけで頭がいっぱいで、誰かほかの人のために別のことを感じる余裕なんて全然ないんです」

解放ワークショップ参加者

「人生には見るべきことがこんなにたくさんあるのに、自分の腿の太さばかりに目を光らせている自分に、ほとほと嫌気がさしてしまいました」

解放ワークショップ参加者

それは、ダンス教室から帰宅したある木曜日、編集者のトニーから電話があったという伝言を見つけたときのことでした。彼女に連絡を取ったところ、「『メーヴ・グリフィンショー』が月曜日の番組のなかであなたの起用を考えてるみたいなの。だから、明日の朝十時、事前インタビューのためにプロデューサーに電話をしてほしいの」と言われました。子どものころから抱いてきた、メーヴ・グリフィンのイメージ、黒っぽいウェービーヘアによく響きわたる朗々たる声、あのメーヴのイメージが心をよぎりました。

台所に立っていました。外はもう暗くなり、空腹です。私が？　あの『メーヴ・グリフィンショー』に？　カップボードのなかにはキャロブ・チップス……いや、やめ、やめ、バースデーケーキの残りの方がいい。冷凍されちゃってるけど、そんなの構わないわ。『メーヴ・グリフィンショー』では、皆、どんな服を着るのかしら。一口目のケーキが私のなかで溶けていきます。もしメーヴに過食症についてたずねられて、恥ずかしさのあまり口が利けなくなってしまったらどうしようかしら？　ジェイソンと私がヒッチハイカーの夫婦を車に乗せて、結局それから一年間、彼ら夫婦といっしょに住んだ、なんて話をして終わっちゃったらどうしよう。そうして今、三口目のケーキが私の口へ運ばれようとしていました。

「全国放送よ、どれか一つの全国放送で取り上げられることよ、あなたの本に必要なことはそれだけなのよ」。数カ月前、編集者にそう言われました。全国放送に出たら、そうしたらどうなるのかしら。人は私を見て、私の話を聞き、さっそく私の本を欲しいと思ってくれるかしら。

ケーキの残りを見下ろします。ピンクの花びら、黄色のケーキの食べかけの残骸、それにアイシングが少し。「このケーキだってね、香りのように一瞬のうちに消えてしまうのよ」。友人のティムは、このケーキについてそう言っていました。「数分もすれば、もう、あなたの頭のなかにあるのは、自分の身体がどれほどのスピードで食べ物を吸い上げていくか、それだけ。それ以外にはもう何も考えられなくなっちゃうのよ」。

「そう、それがまさに重要なポイントなのよね、ティム。あなたの感情を食い止めるポイントはそれなのよ。これを食べちゃえばいいの、そうすればあなたの感情は止まるわ。だって、ほら、あなたの身体は叫び始めているんですもの」。全国放送。そう、すべては、メーヴ・グリフィンにかかっているんだわ。

不安から食べ物への移行、それはあっと言う間です。

先週、アレルは以前の恋人から、結婚することになったという連絡を受けました。仕事から帰宅した彼女は、椅子に腰を下ろしてこの知らせについて考えました。一時間後、ワインを一瓶空けていました。

悲しみからアルコールへの移行も、やはり流れるような速さに違いありません。

初めてジャックと出会ったころ、彼は毎日マリファナを吸っていました。私たちが関係をもつようになって六週間すると、彼は吸うのをやめたのですが、それから六カ月後、再び吸い始めました。メンドシーノの宿で、暖炉の炎が丸太をなめるようにして広がっていくのを眺めていました。夢のように舞い上がっていた私たち。その後、夢から覚めた私たちは、バラバラのピースを何とかつなぎ合わせようとしている二つの巨大なパズルのような日常生活へと戻っていったのでした。ジャックがマリファナに火を点けました。「どうしてまた吸い始めたの?」、私は聞きました。

「だってさ、君と初めて知り合ったころ、あのころはまるで竜巻が吹き抜けるようだったんだ。それが今、ますます激しくなってきちゃって……」。

満たされなさから薬物への移行もまた、流れるように速いのかもしれません。

強迫衝動は、辞書によれば「理性を逸した行動への抗しがたい衝動」と定義されていますが、本書を通して、私はこの定義に反論し、更に詳しい論を展開してきました。強迫衝動に理屈に合わない点など何もありません。この衝動は、その人の生活のほかの分野との脈絡のなかで現れ、完全に意味のある行動であるというのが、私が述べてきたことです。強迫衝動は強力なメッセンジャーです。語りかけ、主張し、問いかけてきますし、そうすることで見落とされ、脇に押しやられ、無視されてきたことを再検討する機会を与えてくれるのです。強迫衝動は、生活の質に疑問を投げかけます。つまり、これはあなたが自分の生活に奮闘していることを示す、一つの指標なのです。強迫衝動には、アルコール、薬物依存、喫煙、過食といった明らかなものだけでなく、恋愛嗜癖《しへき》、運動嗜癖、買い物嗜癖、仕事嗜癖などもありますし、宗教的なものにはまり込んでしまうのも、この衝動に含まれると考えています。

強迫衝動への対処としては、身体的な症状に応じた対症療法もさることながら、その衝動の意味の発見、その暗号の「解読」にこそ、本質的な重要性があります。

「強迫衝動というのは、どれほどまで強くなる可能性があるんですか」これが、メーヴ・グリフィンがした最初の質問でした。私が答え始めたとき、いっしょにインタビューを受けていた女性で、雑誌『ビッグ・ビューティフル・ウーマン』の編集者の、キャロル・ショーが口を挟んできました。「はっきりしておきたいことは、太っていてしかも強迫観念を抱いているという人は全体のほんの数パーセントに過ぎない、ということです。つまり、人を強迫的にするのはダイエットなんです」。彼女の言葉には、ダイエットをやめれば強迫的でなくなるという意味が含まれていました。私も、ダイエットが過食を招くという意見には賛成ですが、だからといって人を強迫的にするという点には賛成できません。

つらさと、そのつらさを避けようとする試みが人を強迫的にします。未知の恐怖が人を強迫的にするのです。本当の自分を明らかにし、あるがままの自分でいることの恐怖、人を強迫的にさせるのは、この恐怖以外の何ものでもないのです。

たとえば、過食をするとき、それは、普段実際に感じていながらも、感じたくないと思っていることと、表現したり、それに応じた行動をしたくないと思っていることが、私のなかにあるということを示しています。過食の声は、自分自身に向けられた声、私の関心を何とか買おうとし、直感や日記に書いたこと、悲しみや怒りなどの胸の思いを通して、語りかけようとする私自身の声なのです。その声に耳を傾けないとき、それを無視しようとしていることにその声が気づいたとき、それは、その声と私とのつながりを断ち切ります。しかもそれは胃の部分で私を切り離してしまうため、はがい締めにされて感覚を失い、空しさを覚えることになり、一方の声はめちゃくちゃに怒り狂うことになるのです。

この声は、私のなかの正直な部分と私を直接つなぎ合わせ、恐怖心、心のままに振る舞うことへの躊躇《ちゅうちょ》、周囲との現在の関係を失うことへの不安や自分の見かけや人びとの考えに対する懸念を突き抜け、進んでいきます。私の笑顔、キス、軽やかな言葉、素直さ、おとなしさが、その場限りの見せかけに過ぎないような場合に、それを拒否しようとする自分なかの一部なのです。それは自分が目にしたことを語り、ときとして、私を脅かすこともあります。知りたくない、聞きたくない、と思います。それでもなお、再度それを無視したことに気がつくや否や、その声は、私の関心を引き付けることができると分かっている唯一の言葉、食べ物を使って話しかけ始めるのです。

過食というのは、大切なことは何も変わっていない、ということを伝える方法です。大切なことは何も変わっていない、だからこそ歩調をゆるめ、関心を傾け、何かをここから学ぶべきなんだと伝えてくれているのです。ふと気がついたら、私は凍ったままのケーキに取り囲まれていました。そして、成功へのとてつもないプレッシャーを感じている自分を実感したのです。本の出版をめぐる、私にとって大切なこと、出版を通して人びとの人生に触れ、絶望のなかにも希望を見出せるということを、私自身に再度語りかけることができたのは、このときでした。本が売れることを望んでいたことは確かです。しかし、たとえ売れなくても、テレビプロデューサーが私のことを気に入ってくれなくても、それでもやはり私は、自分を好きだと感じながら目覚めることができると、感じることができました。なぜなら、私がもらった手紙や電話は心優しく、本を評価してくれていましたから、私の本は、私にとってはもう充分に成功していたからです。食べて、食べて、病気になるまで食べて、それを何よりも大切なのは自分であることを自分に思い起こさせるシグナルとして解読しました。そうではなく、単に、食べ物に対する私の果てしない強迫行為に過ぎないと考えたなら、この行動の真下にある意識を読み取ることができず、途方にくれていたでしょう。ダイエットと過食に明け暮れていた私の十七年間は、まさしくそうだったのです。

自分というものに到達するためには強迫的でなければならない、と言っているのではありません。ふと気づいたら、感覚を麻痺させる行動に没頭していたというとき、そのときにこそ心の声はその姿を表し、自らの声を届けようと必死になっている、ということです。

このような心の声に従うことの価値は、それが私たちを自分の生活の紛れもない核心部分へと導いてくれるという点にあります。一方、この声に従うことの難しさとは、そうできるようになるまでには時間がかかるとともに自分から進んでそれに注意を傾ける意志が必要だということ、しかもそのためには、自分の内的世界を尊重することが前提となるという点にあります。しかもこの声は、私たちが聞きたいと思うことを語ってくれないことが多いでしょうし、そのメッセージは、成功というものについての自分の定義をひたすら繰り返したくなるような単純なものではないかもしれません。その声から私たちが耳にすることは、時どき、いや多くの場合、苦痛を伴います。私たちは苦痛というものに対して理解せず、対処法も知らず、その価値を教えられてもいません。

ノーマン・カズンズは『病気の構造』のなかで、次のように述べています。「おそらくアメリカ人は、この地球上で最も、苦痛ということに関心を抱いている国民であろう。何年間もの間、私たちは、ほんの微々たる苦痛でさえ、あたかもそれが完全な悪であるかのように排除するよう、活字やラジオ、テレビ、それに日常の会話においても繰り返し教え込まれてきた*」。

苦痛の兆しがちらほらと顔を覗かせ始めると、私たちは薬を飲んだり、ブラウニーを食べたり、マティーニを飲んだり、さもなければ真夜中まで働いたりします。苦痛の兆しが最初に現れた時点で、自ら感覚を麻痺させ、自発的に吐き気を催し、自分自身を殴り倒してまでも、意識を失おうとするのです。苦痛を避けるためなら、何でもします。周囲との関係が行き詰まれば、いっそのこと相手を変えてしまおうか、浮気をし、マリファナを吸おうかとさえ思うでしょう。仕事でへとへとになって帰宅した夜、そんな夜に、問題の根源を明らかにしようものなら、ひょっとしてそれまで優先してきたことや確信、忘れかけてきた夢の見直しを迫られることにもなりかねません。それならいっそ、お酒を飲んだり、テレビを見たり、さもなければエクササイズの教室に行ってしまった方がまし、と考えます。進んで苦痛を期待したりはしませんし、苦痛を感じたときには、何かそれに対して手を打ちたいと思います。誰かがそっと、苦痛にキスし、癒してくれたら、と思います。苦痛が消え去ってくれ

* *Anatomy of an Illness*, Norman Cousins, W. W. Norton & Co., 1979, p. 89.

ることを望むのです。おとぎ話が終わり、今度こそは自分が幸せになる番だと、相変わらず心のなかで待ち続けている子ども、それが私たちなのです。

解放ワークショップの一つに参加したある女性は、かつて、ダイエットで四五キロ減量したことがあったそうなのですが、そのうちの二七キロが戻ってしまった時点で私のもとを訪れ、こう言いました。「痩せていることなんて、ほんの冗談でしかありませんでした。新しいセクシーな服を買いに出掛けているときや、その服を結婚式で着ているとき以外、依然として自分自身を相手に格闘していなければなりませんでした。誰かが、誰もが、嘘をついていたのです。雑誌では、痩せていることは本当に、本当にすばらしいことであるかのように言ってました。だから、痩せれば、人生も当然変わるものと期待していたんです。確かにある意味では変わりました。以前よりも小柄になって、洋服のサイズも小さくなりました。それに前よりも男性が関心を寄せてくれるようにもなりました。でも、別の意味では、私の人生は変わりませんでした。相変わらず自分と向き合わなくてはなりませんでした。どのようにして自分を好きになったらいいのか、どのようにしてありのままの自分自身でいたらいいのか、太っていた時期にもまして、痩せた時期の方が、さらに一層分からなくなってしまったんです。一製造労働者に過ぎなかったころの自分に戻りたい、ダイエットに費やしたお金を返してもらいたい、もう踏ん切りをつけてしまいたい、そう思いました」。

『ヴォーグ』のファッションモデルとなった大人のチャビーではなく、子どものころの彼女は、自分のすべてのトラブルの原因は、多すぎる体重にあると考えていました。逆にいえば、体重さえ落とせば幸せになれると考えながら大人になったのです。しかし、彼女はモデルとしての完璧なサイズを手に入れてもなお、孤独を感じ、腹を立て、傷つきやすい自分に気づいたとき、ある決心を、無意識だったとはいえ、ある決心をしました。人生の苦痛、それは自分だけでなく、他人にもかかわるものです。またｄからこそ、彼女は、自分の手ではどうにもコントロールできない状況や人間関係、感情についてのこの苦痛を、自分だけの手でコントロールできる苦痛、つまり自分の体重についての苦痛に置き換えようと決心したのです。こうして彼女は、体重という言葉ですべてを片付け、状況を解釈していくことができるようになりました。心に空しさを感じても、それは私が太っているから。友人や恋人から拒否されたと感じても、それは私の身体が彼らに気に入られていないから。きっとそうよ。涙と共に目覚める日曜日の朝、それは、私が今まで一度も痩せた身体を維持できなかったから、せっかく痩せたのに、そのかなりの体重がもとに戻ってしまったから、そう解釈し続けたのです。自分の人生には何かが欠けているから、ずっと昔、自分に誓ったこと、書きたかった物語、遊びたかったおもちゃが満たされていないから、ロシアで育ったことについて曾祖母から何も聞いていなかったから、だからつらいんだ、とは解釈されません。彼女の苦痛は、母親の死の深い悲しみが理解され、解き放たれるのを待ちながら、粘土のように乳房の間で固まり、溶けずに残っているからと解説されないのです。違うのです。彼女が痩せていないから、それがこの苦痛の原因とされるのです。たとえ減量した四五キロのうち二七キロが戻ってしまったとしても、彼女はその分、また減量し直すでしょうし、今度こそ戻りはしないでしょう。今度こそは彼女もそれを維持し続けるでしょうし、再び痩せたときには、どのように振る舞おうか、何を身にまとおうか、何を言おうかと考えながら、自分の夢の瞬間を満たしていくに違いありません。そしてそれ以外のときは、どのような低カロリー食に腕を振るおうかしらと考えていればいいのです。こうして彼女はこれからの人生の五十年間を過ごしていくことができるでしょう。恐いからといって体重を増やし、その後、やはり体重が減ると嬉しいから、といって、その体重を減らします。こうして、彼女は、生きていくことができるのです。そう、死ぬまで。そして、こうしていさえすれば決して道を見失ってしまうことはないのです。

強迫衝動は有利にも不利にも働く、諸刃の剣です。私たちの関心を、私たちの人生そのものともいえる、夢、知恵、勝利、苦しみが複雑に絡み合った束から引き離し、知覚可能で完全にコントロールできる苦痛へと導くからです。

私たちは、誰もが皆傷ついています。

学校ではからかわれ、両親には迷惑をかけ、愛する人びとには死なれ、そしていつもそれは、自分が普通とは違うからなんだ、と考えてきました。事実、ある意味では、私は特別と言えるかもしれません。なぜなら、私以外には誰も、この人生を生きることはできませんし、喜びや苦痛を経験したのは私、この私なのですから。しかし、仮に私が特別というなら、隣人もそうですし、その娘さんだってそうです。「誰だって皆、置いて行かれてしまうものなのよ」。かつて、友人のルーにそう言われたことがありました。「誰もがそうよ。父親から、母親から、それに恋人から置いて行かれてしまうの。私たちは誰もが、愛する人が自分を置いて去って行ってしまったり、引っ越してしまったりするかもしれない、ひょっとしたら死んでしまったりするかもしれない、そして自分には何も残らなくなってしまうかもしれないという思いに、耐えて生きていかなければならないのよ」。

私たちは、誰もが皆傷ついています。両親は完璧ではありませんし、私たちの身体は病気になり、年老いていきます。いつ、いわれのない攻撃や苦痛にさらされるかもしれません。誰もが皆、自分なりの物語をもっているのです。

人生の豊かさや質は、苦痛のある、なしにかかわらず、私たちが、その苦痛をどう活かしていくかにかかっています。はたして私たちはその存在を認識し、その核心へ迫り、何であろうと、私たちの関心を求めて泣き叫んでいるものに面と向き合っているでしょうか。ひょっとしたら、その苦痛を上回るスピードで駆け抜け、食べ物やアルコール、薬物でそれを麻痺させようとしているのではないでしょうか。

月の陰の面のように、私たちの苦痛は、私たちのプライベートな顔です。健全さや力は、その苦痛を認識することから生まれてきます。ところが、私たちのほとんどは、世間ではいかに振る舞うべきかを心得ていますし、私たちの仮面は、つやつやと光沢を放ち、揺るぎなく、その存在を認められていますから、その笑顔は完璧です。リハーサル済みの外形なのです。しかし、再生と変化を誓う鍵は、この陰の顔にありますから、私たちがそれを無視したとき、それは、ものすごい力を明らかにします。私たちが大人へと近づき、自分自身を遠ざけるようになるにつれ、私たちの敵は誰かほかの人、自分とは違う誰かになっていきます。私たちが自分自身の一部として認識していないものが、友人、家族に投影されるのです。私たちをより深くへと導き、自分の人生に目的や方向性を与えてくれていたはずのものを避けてしまったために、人生は辛辣で、刺々しさを帯びたものとなってくるのです。人を憎み、爆弾を造り出し、破壊するよう強いるのは、私たち自身のなかの、理解してもらえない陰の面です。私たちは、自分自身のなかの陰の面に直面することを拒むとき、自分を突き動かす力を自覚しないまま生きていくことになります。自分を人間らしくしてくれるもの、正しいものを求め、自覚し、光に顔を向けていく能力を奪われてしまうのです。『月刊ヨガ』[*]の記事で、ヘレン・カルディコッ

＊ Yoga Journal, June 1982, No. 44, p. 21.

トが次のように述べています。「……世界のリーダーたちは……（自分が何を相手にしているのか）頭でばかり考え、情緒的には分かっていません。……彼らがしなければならないこと、それは自分とのコミュニケーションを図り、自分は何者なのか、実際に、なぜ自分は憎しみを抱くのかを見出し、さらに、〈これが私の憎しみです。母が意地悪だったから、父が冷酷だったから、だから私は憎しみを抱いているのです。私は決してロシア人を憎んでいるのではありませんし、ユダヤ人や黒人を憎んでいるのでもありません。私にあるのは、個人の私的な怒りであり、私的な愛なのです〉と言うことなのです」。

自分の個人的な怒り、失望、憎しみを避けたときに生じるものがグロテスクで身の毛もよだつほど拡大すると、破壊爆弾や核弾頭の製造に至ります。私たちは自分の陰の部分を外側へと投影し、心の内の敵の矛先を国や大陸に向けるのです。自分のつらさの根源を麻痺させ、そこから遠ざかる道をとることで、その苦痛を回避しようと試みるのです。小難しい専門用語、イデオロギー、自分の潔癖さを掲げることに酔いしれるあまり、本当の敵は地図上の国、大陸ではなく、笑い、泣き、互いに支え合う一人ひとりの人間だということを忘れてしまうのです。その結果、他人のものであろうと自分のものであろうと、子どもや鳥、木を殺戮《さつりく》するという恐ろしいつらさに向き合うことを絶対にしなくなってしまいます。ほかのどのような強迫衝動も同様です。私たちの行動は、まず、それ自体が対処の対象となるような目に見える問題を生み出すのです。しかし、この強迫衝動への対処こそが、危機にさらされている地球の生存を考えるということなのです。

したがって、まず始まりは、ここ、私たち自身、私たちの強迫衝動への対処からです。

私たちを人間として互いに結び付けるものは、洗練さでもなく、知性でもなく、また力でもありません――それは、外的な影響に対する私たちの脆《もろ》さです。私たちは皆、飢え、恐れ、人を傷つけ、死にます。食べ物、アルコール、または薬物に手を出すとき、自分の脆さ、迷い、誤りを犯しがちな面を否定しているのです。

しかし、そのようなことをしても何の役にも立ちません。

人は変わります。

彼女たちは苦痛を感じるときには食べ、食べるというその苦痛を取り除くために、また食べてきました。そうして三十年間を経た末、ワークショップを訪れます。しかし、彼女たちがどれほど打ちひしがれ、精神的にボロボロになっていようとも、私には、彼女たちのなかに、その強迫衝動よりも強い光のゆらめき、力が見えます。それは、ブドウの木につるを伸ばすスイカズラのように、生命へと腕をのばし、希望に巻きついて包みこむ力です。私が、自分の目にしたことを彼女たちに示すことができたならば、彼女たちが、自分の皮肉がちな態度を和らげ、これほどまでに長い年月を経た後でもまだ、自分の人生に意義と愛を求めていることを確信するために、私の意見を活用してくれたならば、この光のゆらめきは、きらめきへと変わり、さらにそのきらめきは着実に燃え続ける炎へと変わります。

人は変わります。それは、しばしば認められることですし、ワークショップだけでなく銀行や病院、ミーティングルーム、リビングルームなど、影響を柔軟に受けとめる姿勢のあるところならどこででも、その可能性は存在します。

子どものころ、毎年テレビで「ピーターパン」を見ていました。光の精、ティンカーベルが死にそうになると、彼女のために拍手を送ってあげてほしい、と子どもたちに呼びかけます。ねえ、みんな、ティンカーベルのために拍手をしてあげて。彼女に生きていてほしいなら、彼女の存在を信じるなら、それなら、彼女のために拍手をしてあげて。そうすればあなたの拍手で彼女は強くなれるから。

毎年、私は彼女が再び元気になって光り輝くまで泣きながら拍手を送り、その光のきらめきが、より強く、より輝きを増していくのを見ていました。私たちが精一杯拍手すれば、彼女はきっと光り輝きます。私たちの誰もがそう信じているから、彼女は強くなれるんだと知りました。一人か二人だけでは足りません。どこにいようとも、私たち全員が拍手を送ることが必要なのです。

さあ、拍手してください。激しく、強く。見渡すところ至るところに、光りはゆらめいているのですから。あなたが拍手をすればするほど、それは強さを増していくのですから。

第17章 結論
――太って、痩せて、その後で

「今、私はこれまでよりずっとすばらしい生活を送っています。昨年は、この十年間にもまして泣くことが多くありました。私は今、自分自身に起こっていることは何なのかを明らかにしようと、自分から進んで、腰を落ち着け、心のなかを見つめるようにしています。それに、つらいことが起こっても（多くの場合）、自分から進んでその苦痛に耐えることができるようになりました。自分が感じるままに感じるようにもしています。そして以前よりもずっと、自分の望むものをもとめることができるようになり、他人に対しても自分が感じたことを口に出して言うことができるようになりました。私は今、自分が食べたいときに食べたいものを食べています。それはとてもすばらしいことです。今では、かなり楽しんで食べることができるようになりましたし、食べることから喜びを得られるようにもなりました。食べること以外でも今までより、ずっとたくさんの喜びを自分に許しています。誰かと夕食をいっしょにするときでも、自分は空腹ではないから、と正直にいえるようになりました。誰かが作ってくださった〈特別なお料理〉でも、自分が食べたくなければ、断ることができるようになったのです。年を取るにつれて、これまで押し殺してきた感情が自分の外へと溢れ出ていくように感じます。内面がきれいになり、新しく生まれ変わっていくように感じるのです。これは、どこまでも止まらないプロセスだと思います」

解放ワークショップ参加者

アシスタントのアガサは、彼女の七歳になる息子が無限というものについて知ったとき、彼女に「ねえママ、教えて。終わりは、ちゃんとあるんだよね。ね、教えて」と言ったことを話してくれました。

終わりはあります。

と、ともに、終わりがないことも事実です。

自分に対する虐待、懲罰、過食をめぐる疑問や苦しみに終わりはあります。あなたが食べ物を通してかかわってきた曲がりくねった道にも、自分自身の意に反して食べてきたことにも終わりがあるのです。良い行動か悪い行動か、それとも適切な行動か間違った行動かの分類にも限界がありますし、「許容できること」と「できないこと」の分類にも限界があります。過食を失敗と決めつけることにも限界がありますし、尽きることのない空腹の気も狂わんばかりの感情にもいずれ終わりは訪れます。そしてそのような感情を終わらせたいと思う気持ちにも、やはり終わりがあるものなのです。

しかし毎日食事をすること、間違いを起こすことに終わりはありません。体重の変動がなくなることはありませんし、変化が終わることもありません。いつまでたっても、自分自身に到達できませんし、その一方で、自分自身とはもう今後一切かかわらないということも決してできません。

自分自身や周りの人びととの関係がますます強くなっている、という感情や共感にも、限界はありません。

そして、永遠に成長していく喜び、これにも終わりはないのです。

監訳者

斎藤　学（さいとう　さとる）

1941 年　東京都生まれ
1967 年　慶應義塾大学医学部卒業
同大助手，フランス政府給費留学生，国立療養所久里浜病院精神科医長，東京都精神医学総合研究所副参事研究員（社会病理研究部門主任）などを経て，
現　在　家族機能研究所代表，医療法人社団學風会さいとうクリニック理事長，日本嗜癖行動学会理事長，同学会誌「アディクションと家族」編集主幹，日本子どもの虐待防止学会名誉会員，日本トラウマ・サバイバーズ・ユニオン（通称：JUST）理事長，医学博士
著訳書　『家族依存症』誠信書房，『女らしさの病い』（共編）誠信書房，H. ドゥローシス『女性の不安』（訳）誠信書房，C. ブラック『私は親のようにならない』（監訳）誠信書房，A. W. シェフ『嗜癖する社会』（監訳）誠信書房，J. スウィガート『バッド・マザーの神話』（監訳）誠信書房，C. マダネス『変化への戦略』（監訳）誠信書房，C. ウィットフィールド『内なる子どもを癒す』（監訳）誠信書房，他

訳　者

佐藤美奈子（さとう　みなこ）

1992 年　名古屋大学文学部卒業
現　在　翻訳業

2000年 3 月10日　第1刷発行
2019年10月20日　第9刷発行

ジェニーン・ロス
食べ過ぎることの意味
—過食症からの解放

監訳者　斎藤　学
発行者　柴田敏樹
印刷者　日岐浩和

発行所　株式会社　誠信書房
東京都文京区大塚三—二〇—六
電話　〇三（三九四六）五六六六
http://www.seishinshobo.co.jp/

中央印刷　協栄製本

Printed in Japan
ISBN 978-4-414-42915-2　C1047

性嗜癖者のパートナー

彼女たちの回復過程

ISBN978-4-414-42865-0

C. ブラック著　斎藤 学訳

性嗜癖の実態を当事者の言葉で説明し、そのパートナーがセルフヘルプグループと繋がり、本来の自分と幸せを取り戻した過程を示す。

目　次

A5判並製　定価(本体2800円＋税)

内なる子どもを癒す

アダルトチルドレンの発見と回復

ISBN978-4-414-42912-1

C. L. ウィットフィールド著
斎藤 学監訳

生き残るために自らの心の痛みや欲求を否認し、無感覚・無感動にふるまうアダルトチルドレン。彼らが真の自己を見つけられるよう導く。

目　次

46判並製　定価(本体2300円+税)

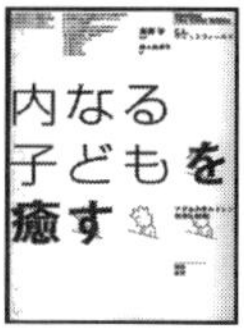

アダルト・チルドレンの子どもたち

もう一つの共依存世代

ISBN978-4-414-42918-3

アン・W. スミス著　斎藤 学監訳

アダルト・チルドレンの子どもたち（次世代 AC）に焦点を当て，その特徴及び治療方法を紹介する。著者は，全米初のアダルト・チルドレン治療プログラムを作成し，短期滞在型入院治療を米国各地で展開している。本書はこれらの実践を踏まえ，次世代 AC のために，回復方法を自ら選択するための情報を提示した。

目　次

46判並製　定価(本体2100円+税)

アダルトチルドレンと共依存

ISBN978-4-414-42911-4

緒方 明著

「アダルトチルドレン」は，本来アルコール依存症家族の用語であり，「共依存」は，アルコール依存症者とそれを支える配偶者との関係を指す。これらが昨今，広義の機能不全家族に使われるようになってきた。本書は伝統的な心理学・精神医学の立場からその概念を整理した。

目　次

46判並製　定価(本体1650円+税)